CW00392151

L'antigendre idéal
Tome I

Stéphanie Pelerbe

L'antigendre idéal
Tome I
Roman

LE LYS BLEU
ÉDITIONS

© Lys Bleu Éditions – Stéphanie Pelerbe

ISBN : 979-10-377-7579-5

Le code de la propriété intellectuelle n'autorisant aux termes des paragraphes 2 et 3 de l'article L.122- 5, d'une part, que les copies ou reproductions strictement réservées à l'usage privé du copiste et non destinées à une utilisation collective et, d'autre part, sous réserve du nom de l'auteur et de la source, que les analyses et les courtes citations justifiées par le caractère critique, polémique, pédagogique, scientifique ou d'information, toute représentation ou reproduction intégrale ou partielle, faite sans le consentement de l'auteur ou de ses ayants droit ou ayants cause, est illicite (article L.122- 4). Cette représentation ou reproduction, par quelque procédé que ce soit, constituerait donc une contrefaçon sanctionnée par les articles L.335- 2 et suivants du Code de la propriété intellectuelle.

Jessica

Pour le premier jour de ma nouvelle vie, je n'aurais pas pu rêver mieux. Ma cochonnerie d'application de réveil n'a pas sonné ce matin. Pourtant j'ai suivi toutes les instructions de mon frère pour faire fonctionner ce fichu truc ! Il faut que je me calme, cela ne me servira à rien de détruire mon téléphone, à part de devoir en acheter un autre, je vais me contenter de boxer mon oreiller et de pousser un grand cri, c'est plus raisonnable.

— Ahhh ! Appareil de merde !

Purée que ça fait bien. Je suis presque surprise de ne pas entendre maman se plaindre devant mes excès de grossièretés, mais maintenant j'ai le droit de jurer sans craindre de me faire gronder comme une enfant.

L'autre facette de ma liberté est beaucoup moins réjouissante, la cafetière est vide alors que j'ai absolument besoin de boire un café pour affronter la journée qui m'attend.

J'ai repéré une jolie petite tasse dans mon placard, quand j'ai emménagé hier et c'est celle-là que je veux pour savourer mon premier café de femme libre. Elle est blanche avec des fleurs orange, ce qui fait très années soixante-dix. Mais ce qui la rend si particulière à mes yeux, c'est qu'elle est ébréchée. Si elle s'était trouvée dans la cuisine de maman, elle aurait fini au fond de la poubelle.

Mon nouveau pouvoir de décision me fait faire des choses un peu folles. Je suis sortie de ma chambre sans faire mon lit, et pour la première fois de ma vie, depuis la maternité, je m'apprête à déjeuner en pyjama ! Je me sens comme libérée de mes chaînes. Non, je ne sors pas de prison, et je n'étais pas retenue dans une geôle quelconque. Enfin, presque, car je vivais chez mes parents !

Oui, je sais qu'on peut penser que je suis égoïste, que c'est génial d'avoir une famille, et que je ne mesure pas ma chance.

Alors oui, c'est vrai, c'est formidable d'avoir une famille, mais vous ne connaissez pas la mienne, je les aime, mais leurs rigidités m'étouffent.

J'ai bientôt 23 ans, et c'est la première fois de ma vie que je vais choisir les vêtements que je porterai aujourd'hui. À la maison, quand je sortais de ma chambre, c'était pour être tirée à quatre épingles, et toujours selon ses goûts. J'ai fait ma rebelle un jour, j'ai osé mettre une barrette à la place d'une épingle à chignon et maman d'en parler encore. Jusqu'à hier encore, je trouvais chaque matin devant la porte de ma salle de bain, ma tenue du jour, mes sous-vêtements et mes chaussettes.

Ma mère souffre d'atélophobie, il s'agit de la peur des imperfections. Ce qui résume bien, mon angoissante petite enfance, ainsi que mon adolescence.

Ce matin, en goûtant mon breuvage, je comprends enfin que la maladie de maman n'a pas que de mauvais côté. Comment peut-on rater un café à ce point-là ? Heureusement que je suis restée en pyjama, car je me suis tout recraché dessus. Visiblement, il ne fallait pas mettre tout le paquet dans le filtre. C'est décidé, après le boulot je vais m'acheter une de ces machines dernier cri qui fait le café tout seul. Ou plutôt une simple machine à dosette si je veux manger jusqu'à la fin du mois en attendant mon premier salaire.

Bien sûr, je pourrais demander à mes parents de m'aider financièrement, mais je connais leurs réponses. Pour papa ce serait, reste à la maison et tu auras toujours un frigo rempli et toutes tes factures seront payées et pour maman, c'est une bonne idée comme cadeau de mariage !

Car oui, étant une jeune fille de bonne famille, mon Saint Graal doit être un mariage avec un bon parti, et bien évidemment sans contrat ! Pour cela pas besoin de m'inscrire sur Meetic ou adopte un mec, je dois me contenter d'être jolie et de faire une complète confiance à ma mère. Vous comprenez maintenant pourquoi je ne suis pas encore fiancée !

Ma famille est spéciale, mais je les aime. En plus, la cigogne a été plutôt sympa avec moi, car elle a déposé un grand frère devant la porte de mon donjon.

Alexandre a 28 ans, il a eu le bonheur d'échapper à la danse de salon et au cours de cuisine pour se consacrer à la médecine. C'est une tradition familiale chez les Martin, ils sont médecins de père en fils. Mon rêve à moi a toujours été d'être architecte. J'ai eu la chance, ayant des facilités d'apprentissage, de réussir mon bac à 16 ans. L'entourage de mon père, l'ayant félicité pour cet exploit, j'ai pu poursuivre mes études, malgré les récriminations de maman, qui n'y voyait qu'une perte de temps.

Alors aujourd'hui, je suis diplômée d'architecture, et je vais signer mon premier contrat en tant qu'assistante junior au cabinet Saint-Alban.

Premier contrat de travail, mais aussi premier chez moi, je suis au paradis. Bon, j'ai dû faire quelques concessions. Mais mes parents se sont portés cautions pour mon logement et je n'ai pas eu mon mot à dire. Alors au revoir le petit studio dans un quartier animé de la capitale, et bonjour l'appartement meublé dans un immeuble à haute sécurité. Et peu leur importe que j'aie 30 minutes de transport en commun tous les matins, c'était ça ou rester chez eux.

Même sans café, j'ai réussi à me préparer dans les temps. Ma jupe me gratte, mais je ne connais pas le dress-code du cabinet, alors je fais dans le classique.

Je vais pousser mon effort vestimentaire jusqu'à sortir mes Louboutin offerts pour l'obtention de mon diplôme. Moi, une paire de chez Eram m'aurait convenu, mais, maman en aurait fait un malaise. Pour signer mon contrat, il me faut faire une bonne impression, un petit tailleur jupe et mes précieuses chaussures. Il faut reconnaître qu'elles me font des jambes plutôt canon, et c'est bon pour le moral d'avoir confiance en soi. La seule entorse à cette tenue BCBG c'est ma petite culotte blanche en coton. Normalement, c'est une de ces culottes que maman m'aurait fait porter avec des vêtements de sport. Mais aujourd'hui, je suis libre alors j'ai choisi ma culotte toute seule.

C'est donc toute guillerette que je suis sortie affronter la circulation parisienne pour devenir une employée d'un des plus gros cabinets d'architecte de la capitale.

Après les formalités administratives, j'en tire deux enseignements. Le premier est que j'avais tout bon pour le dress-code. Le deuxième, c'est que prendre les transports en commun en jupette et en Louboutin est une très mauvaise idée. Il faut courir pour changer de rame, et avec mes talons, c'est mission impossible. Je vais donc devoir m'acheter une bonne paire de baskets, et je me changerai dans les toilettes du métro chaque matin. Tailleurs Air max, ça ferait peut-être un peu désordre, vu le standing de la boîte. Je pouffe toute seule dans le métro en m'imaginant envoyer une photo de moi habillée ainsi, à maman. Les gens se retournent, et me regardent bizarrement. OK, je vais faire comme eux. J'enlève mon petit sourire de mon visage, et je boude. Voilà, comme ça je ne me dépareille pas. Encore deux arrêts, cinq minutes de marche et je serai enfin chez moi. Avant de rentrer à la maison, je passe dans un grand magasin d'électroménager pour m'offrir ma machine à dosette.

Arrivée devant mon bunker, enfin, je veux dire mon immeuble, je ne suis pas encore au bout de mes peines. Il me faut retrouver mes clés dans le bazar de mon sac à main, puis badger, et encore pousser la lourde porte du sas d'entrée. Je ne sais pas comment j'y arrive avec ma cafetière dans les bras, mais au bout de trois tentatives, j'accède enfin à mon hall d'entrée.

Je dois avoir des bleus aux fesses à force de pousser avec pour ouvrir la porte, et j'ai hâte d'essayer ma nouvelle machine.

Soudain, je me prends une claque, en lisant l'affiche devant moi.

« Ascenseur en panne »

Et bien sûr, j'habite au 14ᵉ étage ! Merci papa, d'avoir absolument voulu que je sois au dernier étage pour mieux profiter de la vue !

Tout en grimpant, je peste après mes parents et après mes chaussures à talons, qui sont de véritables engins de torture. Quand, au détour d'un palier, je me prends une tornade en pleine face. Sous le choc, mon corps part en arrière et je bats des bras pour essayer de maintenir mon équilibre. Avec horreur, je regarde ma machine s'écraser, entre elle et ma vie, j'ai dû faire un choix. Complètement déstabilisée, je parviens à m'accrocher à la rambarde un peu plus bas, pour m'éviter une chute violente, tandis que je me sens tirée brutalement vers le haut comme pour me rattraper.

Crac ! La couture de ma jupe n'a pas résisté à mon grand écart improvisé, et le talon de mon escarpin non plus. Je me retrouve en collant et avec dix centimètres de moins à la jambe droite, devant un beau spécimen de sexe masculin qui m'est totalement inconnu.

— Heureusement que j'étais là, vous auriez pu vous rompre le cou. Vous allez bien ?

Est-ce que je vais bien ? Il est sérieux ? Il aurait pu me tuer et même pas un mot d'excuse ! Il voudrait peut-être que je le remercie pour m'avoir foncé dedans aussi !

Je suis tel un taureau en colère, avec l'air qui sort de mes naseaux, sauf que le courant d'air c'est plus bas que je le sens. Le froid entre mes jambes me fait prendre conscience de ma tenue ou plutôt de mon manque de tenue. Je suis partagée entre l'envie d'en découdre avec cet inconscient et l'envie de courir cacher ma honte dans le fond de mon lit.

— Vous êtes un grand malade pour descendre un escalier à cette vitesse. Je lui réponds, furieuse.

Cet inconnu à la gueule d'ange a failli me tuer quand même ! Et après, il me demande innocemment si ça va, comme s'il venait tout juste de m'écraser le pied. Connard va !

— Eh bien, ce ne sont pas les remerciements qui vous étouffent ! Je viens quand même de vous sauver la vie et puis vous n'êtes pas totalement innocente non plus, vous n'aviez qu'à faire attention et regarder devant vous.

Non, mais quel goujat ! Il me balance dans les escaliers et il faudrait que je le remercie ! Je respire très fort pour me calmer et ne pas lui flanquer la baffe qu'il mérite. Pressée de mettre fin à mon exhibition, je me penche pour récupérer mon sac et mes clés quand j'entends un second crac.

Cette fois-ci, c'est mon collant qui cède, libérant la vue sur ma culotte blanche. Mon humiliation est totale !

— Descendez maintenant, je voudrais pouvoir rentrer chez moi.

Je me colle contre la rambarde afin de lui cacher la vue de mon derrière.

Le regard de ce type sur mes jambes me rend déjà assez mal à l'aise que je n'ose pas imaginer ce qu'il en serait sur ma culotte. Mais celui-ci est fourbe, il a bien entendu mon collant craqué lui aussi, et ma situation à l'air de l'amuser au plus haut point. Il descend quelques marches pour récupérer ma cafetière. Au lieu de la déposer près de moi et de s'éloigner, je le vois se rapprocher avec le sourire carnassier du lion, face à la gazelle.

— Vous avez raison, je me sens coupable de cet incident, et je ne peux pas vous laisser ainsi. Je vais donc vous raccompagner jusque chez vous pour porter votre carton. Prenez votre temps, je ne suis pas pressé.

Ces mots sont presque chuchotés, et son regard se veut aguicheur, ce qui a le don de me mettre hors de moi. Non, mais il veut quoi le play-boy ! Que je lui offre un café en petite culotte pour le remercier de sa sollicitude ? Je lui jette un regard noir, histoire de refroidir ses ardeurs sur ma personne.

— Pas pressé ! Arrêtez de vous moquer de moi, vous couriez comme un lapin tout à l'heure.

— Je n'ai rien d'un lapin, jolie demoiselle. Voyez-vous, en tant que gentleman, quand je croise une demoiselle en détresse, je ne peux pas la laisser se débrouiller toute seule. Cela doit être mon côté prince charmant. Allez y, je vais me tenir quelques marches en dessous de vous pour vous rattraper en cas de chute. Vous semblez tellement maladroite.

Vous savez ce moment où l'on voudrait avoir une baguette magique pour se téléporter dans un autre endroit, c'est exactement ce que je vis. Bon, si j'avais une baguette, j'en profiterais aussi pour transformer ce crétin en lapin, et j'irais le déposer auprès d'une battue de chasseurs. Je suis furieuse, mais je prends sur moi, ne le pousse pas dans les escaliers, Jessica. Avec ta chance, il s'en sortirait vivant et tu devrais attendre les secours à ses côtés, en petite culotte.

— Non, mais je n'y crois pas, un gentleman vous ? Vous êtes un pervers, oui ! Tout ce que vous voulez, c'est l'autorisation de mater mon cul plutôt.

Il rigole ce con en plus !

— C'est vrai, je le confesse j'aurais regardé avec plaisir ce que vous mettez sous le nez, mais ne vous méprenez pas. Je ne vous aurais pas sauté dessus, les coincées qui portent de vieilles culottes de grand-mère en coton, très peu pour moi.

Alors là, c'est trop ! Si je le jette des escaliers, j'aurai sûrement des circonstances atténuantes.

— Mais n'importe quoi pauvre abruti, ce n'est pas une culotte de grand-mère d'abord et puis merde ! Pourquoi je parle de mes dessous avec vous, dégagez, laissez-moi tranquille.

Il sourit, puis constatant que nous sommes au dernier étage, pose mon carton sur le palier avant de commencer à redescendre les escaliers. Arrivé à l'étage d'en dessous, il me regarde de haut en bas, s'attardant surtout sur le bas.

— Vos dessous sont pourris, mais vos jambes sont canon. Bonne soirée, Mademoiselle.

— Connard !

Voilà, ça y est j'ai perdu mon self control, et je lui ai envoyé ma chaussure cassée à travers l'escalier.

Je suis finalement rentré chez moi avec une seule chaussure, et en essayant de maintenir ma jupe le mieux possible, tout en traînant mon carton, en le coinçant entre mes jambes. Mais bien sûr, comme j'avais besoin de mes deux mains pour ouvrir ma porte d'entrée sécurisée, je n'ai pas pu empêcher ma jupe de tomber à nouveau devant les voisins de palier, tous sortis à cause du vacarme…

Devant le regard de la mère de famille qui cache les yeux de son boutonneux de fils, et celui du grand-père qui n'arrive plus à refermer son dentier tant il ouvre la bouche, je suis sûre d'une chose : je n'irai jamais leur demander de me prêter du sucre !

Une fois la porte de mon appartement passé, je n'ai même pas le temps de me changer que mon téléphone sonne déjà.

— Allo mon bébé, c'est maman comment ça va ? Et cette première journée ? Raconte-moi tout.

— Bonjour maman. Ça va, tout s'est bien passé, j'ai signé mon contrat et je commence lundi.

Je lui réponds en essayant d'être la plus naturelle possible. Je ne vais quand même pas raconter la plus grande honte de ma vie à ma mère.

— Et ton patron il est comment ?

— J'en sais rien, je ne l'ai pas encore vu. Aujourd'hui, j'ai juste signé mon contrat et fait connaissance avec quelques collègues.

— C'est super ça ma puce, dis-moi tu viens pour quelle heure demain ?

Mais non enfin, elle n'imagine pas que je vais passer tous mes week-ends à la maison ?

— Demain ? Maman j'ai emménagé hier, j'ai encore des cartons à déballer et je n'aurai pas le temps de passer.

— Bien sûr, je comprends ma puce. Dans ce cas, nous allons venir t'aider avec papa, et puis je vais demander à Steven, le fils du voisin, de venir avec nous. Il est grand et fort, il pourra nous aider à monter tes meubles.

Ben voyons Steven, encore et toujours !

— Stop maman ! J'ai loué un meublé, je te rappelle. Vous n'avez pas besoin de venir m'aider avec papa, et surtout pas avec ce lourdaud de Steven.

— Tu es injuste Jess ! Steven est un gentil garçon, il ferait un très bon gendre.

Et voilà, c'est reparti ! Ma mère se cherche un gendre, et accessoirement pour moi un mari.

— Maman, plutôt que de te choisir un gendre je préférais que tu me laisses choisir mon mari. Mais pas maintenant, s'il te plaît.

— Tu sais mon poussin, moi à ton âge j'étais déjà mariée et enceinte de ton frère. Ton horloge biologique tourne ma chérie.

— Maman, j'ai seulement 22 ans !

— Oui, mais bon… Sinon pour quelle heure viens-tu dimanche ?

— Écoute, je ne viendrai pas ce week-end j'ai des achats à faire demain et je…

— Oh, c'est une super idée ça, une journée shopping entre filles ! Cela faisait longtemps. Ton père me déposera à 9 h demain matin.

Comme ça, je t'apporterai des croissants tout chauds. J'ai hâte d'être à demain, ma puce.

— Maman ? Maman ? Je n'y crois pas, elle a raccroché.

Typique des conversations avec ma mère, elle raccroche toujours avant que tu ne puisses objecter. Adieu journée chips canapé. Demain, ce sera shopping.

*

Jessica

Mon réveil a décidé de s'activer alors que je suis en week-end. J'appuie sur toutes les touches, mais le bruit strident ne cesse pas. Soudain, mon téléphone se met à vibrer entre mes mains et se joint à la fanfare. Je déteste cette sonnerie, c'est une chanson d'Henri Salvador, « le loup, la biche et le chevalier » (une chanson douce). C'est encore un sale coup de mon frère, qui a configuré cette sonnerie avec le numéro de ma mère. Fatiguée, j'appuie sur le bouton pour accepter l'appel. Bien qu'il ne soit que 7 h 30, je sais que si je ne réponds pas à maman, je m'expose à voir débarquer les pompiers dans les 15 minutes suivantes.

— Allo, maman, pourquoi m'appelles-tu aussi tôt ?

— Je suis bien obligée de te téléphoner vu que tu ne réponds pas à ton interphone !

Ahgrr, voilà le coupable de la douleur ressentie dans mes oreilles. Je dois prévoir de réduire le son de mon interphone, voire même de le détruire si je n'y arrive pas.

— Maman, il est 7 h 30, tu devais venir pour 9 h, je grogne.

— Je sais mon bébé, mais papa avait des choses à faire, et ou il me conduisait maintenant, ou je devais attendre cette après-midi, et nous n'aurions pas eu assez de temps à passer ensemble.

Bien sûr, nous sommes samedi, papa avait sûrement une partie de golf de prévue. Maman ne conduit pas, elle a son permis, mais c'est un vrai danger public. Selon elle, le rétro sert à rectifier son maquillage et à rien d'autre. Papa ne veut plus lui acheter de voiture et, soit il l'accompagne quand il doit lui-même se déplacer, soit il fait appel à une compagnie de taxi.

Au début, mon frère et moi avons pris cette décision comme une preuve d'amour paternel, mais nous avions tout faux. C'est son agent d'assurance qui l'a menacé de plus couvrir sa Mustang si maman continuait à conduire.

Sa voiture étant la chose la plus importante de sa vie, il n'a pas hésité longtemps. Il a menacé maman de monter un faux dossier d'accusation pour alcoolémie au volant, si elle continuait à vouloir conduire. Il la connaît bien sa femme, une telle honte aurait été un coup d'arrêt à sa position sociale, alors elle a cédé.

J'aimerais bien, moi aussi, avoir un moyen de pression pour refréner l'enthousiasme de maman quant à mes projets d'avenir, mais je n'ai pas encore trouvé, alors je me lève pour lui ouvrir la porte de l'immeuble. Sachant que l'ascenseur est en panne, il me reste quelques minutes pour rendre mon appartement présentable. Je me suis un peu laissé aller hier soir. Quoique peu importe les efforts que je vais pouvoir faire, je sais déjà que rien ne va convenir à maman.

Nous n'avons pas la même vision de la vie et ma mère représente tout ce que je ne veux pas devenir plus tard. Une femme au foyer avec deux enfants, un garçon et une fille, le choix du roi, alors que rêver de mieux ! Une belle maison, un beau jardin, plein de robots ménagers pour se donner l'illusion d'être une bonne cuisinière, et des activités de bénévolat par-ci par-là. C'est bien plus pour donner le change dans les dîners mondains où elle se rend avec papa, que par charité pure, mais ça, aucun de nous ne se risquerait à lui dire ! Maman ne vit qu'à travers le regard des autres et ne prend jamais de décision sans s'être demandé auparavant ce que les gens en penseront. Alex et moi trouvons tout cela pathétique, mais nous avons abdiqué. Nous n'arriverons pas à la changer.

Bien plus vite que je ne l'aurais cru possible, elle frappe déjà à ma porte. Je soupire, et n'ayant plus le temps de ranger plus mon nouveau chez moi, j'opte pour la technique de mon frère. Je pousse mon tas de linge sale sous le canapé, et vais ouvrir à ma mère.

— Ma chérie, comme tu m'as manqué !

Maman me prend dans ses bras, et me souffle des baisers au-dessus de mes joues. Elle ne m'embrasse jamais vraiment pour ne pas gâcher son rouge à lèvres.

— Maman, je n'ai quitté la maison que depuis hier matin, tu exagères.

— Eh bien justement, c'est bien trop long pour une mère une journée sans nouvelles. Comment vas-tu ma cocotte ? Tu as de petits yeux, tu n'es pas malade quand même ! Je suis sûre que tu as attrapé un rhume. Tu sais je peux appeler ton père pour qu'il vienne t'ausculter si tu n'es pas bien.

— Maman, arrête-toi deux minutes et reprends ton souffle. Je ne suis pas malade, et si j'avais attrapé un rhume, je n'irais pas voir papa qui est neurochirurgien, je me ferais plutôt une bonne tisane. Maintenant, rassure-toi, je vais très bien, je suis seulement fatiguée, il est 7 h 30 et…

— Tu es fatiguée ! Tu vois, je le savais, tu ne devrais pas travailler autant ce n'est pas fait pour toi. Tu sais que Steven va devenir avocat dans moins de 6 mois et il va s'associer avec son père. Quelle vie rêvée tu aurais à ses côtés ! Tu n'aurais plus qu'à t'occuper de vos enfants. Steven t'aime tellement qu'il ne te laisserait jamais te fatiguer.

Elle n'est pas croyable ! Ma mère a cette faculté de parler sans faire de pause pour respirer. Pour réussir à la faire taire afin qu'elle m'écoute, j'opte pour ma méthode favorite, je me mets à siffler. Je sais à quel point cela l'agace.

— Jessica arrête de faire l'enfant, je te parle là !

— Mais non maman, tu parles toute seule, c'est différent ! Pour parler ensemble, il faut écouter l'autre et toi tu ne m'écoutes pas. Ça ne peut pas être le travail qui me fatigue, je n'ai même pas encore commencé. Si je suis fatiguée, c'est juste que je n'ai pas assez dormi, et concernant Steven il serait temps que sa mère et toi cessiez de vous faire des films. Je ne suis pas et ne serai jamais amoureuse de lui, c'est compris !

Maman me regarde un peu choquée, non pas par mes paroles, mais plutôt par le ton de ma voix. Sagement, elle préfère battre en retraite.

— OK, ça va je ne t'en parle plus pour aujourd'hui. Va prendre ta douche, je vais nous préparer du café. J'ai pris des viennoiseries avant de venir.

— Super programme, je fais vite, dis-je en me penchant vers elle, pour lui déposer un baiser sur la joue.

Car oui, moi mon rouge à lèvres, je m'en fiche. Je n'en mets quasiment jamais d'ailleurs, alors si je veux faire un bisou à maman je ne m'en prive pas. Cela la fait toujours un peu râler, mais je sais qu'au fond d'elle, cela lui fait plaisir que j'aie des gestes de tendresse.

Je suis ravie d'avoir clos cette discussion sans trop de heurts. Mon absence de vie amoureuse au profit de mes études, est une source de conflit permanente avec maman. Autant mon frère aurait bien voulu une vie d'oisiveté, mais il est la relève de la famille Martin, et dans la famille les hommes sont médecins de père en fils, Papa le lui répète depuis son entrée en maternelle. Autant moi, je suis une travailleuse acharnée, je veux avoir un métier et ne pas déprendre d'un mari.

Mon père, lui, a plutôt bien accepté mon choix. Il est fier de commenter la réussite de sa fille auprès de ses amis, bien plus que d'avouer que son fils a choisi de se spécialiser en chirurgie plastique. Le jour où Alexandre l'a annoncé à notre famille, j'ai bien cru que mon père allait faire une crise cardiaque. Il ne cessait de le presser de prendre sa décision alors qu'il lui avait répondu :

— J'ai pensé à la gynécologie pour voir des chattes toute la journée, mais la plupart de celles qui défileront dans mon cabinet seront mariées et déjà engrossées, alors je vais devenir chirurgien plasticien. Comme ça si je tombe amoureux d'une femme à petite poitrine, je pourrai toujours la modeler selon mes fantasmes, et pour pas un rond en plus !

Papa avait recraché son vin sur la belle nappe de la table de la salle, et je m'étais à moitié étouffée avec mon plat, tant j'essayais de calmer ma crise de rire. Quant à notre mère, elle avait souri à son fils et tout en nettoyant les taches laissées par son mari, elle lui avait demandé s'il lui ferait des prix préférentiels pour les liftings de ses amies.

Je ris encore quand je pense à cette scène. Tout en m'habillant après ma douche. J'ai choisi des vêtements confortables, et surtout faciles à enfiler, car je sais qu'elle va vouloir me faire faire de multiples essayages, lors de notre virée shopping. J'apprécie beaucoup ces moments passés toutes les deux, même si je n'ai jamais mon mot à dire. Maman a un goût très sûr en matière de mode, et mon armoire manque cruellement de vêtements adaptés à ma nouvelle vie professionnelle. Je sais que dans ces conditions, nous arriverons à nous mettre d'accord.

Toute guillerette, je suis attirée par l'odeur du café et des croissants tout chauds. Maman aura réussi à me faire un vrai café traditionnel vu que ma machine à dosette est en miette. Je sors de ma chambre quand je me fige devant une vision d'horreur…

Ma mère se tient sur le canapé du salon, m'attendant avec ma jupe déchirée dans les mains…

— Jessica, Dolorès, Suzanne Martin, peux-tu m'expliquer ceci ? As-tu reçu la visite de Steven ?

Les yeux de maman me lancent des éclairs, je me sens toute penaude. L'emploi de mon patronyme complet n'est jamais bon signe pour moi, je n'ai pas envie d'avoir un nouveau sermon sur mon ménage, et avant mon café en plus !

— Hein ? Mais quel rapport avec Steven ? Maman, je ne l'ai pas mise au linge sale, car j'ai cassé ma jupe dans les escaliers hier soir et…

— Dans les escaliers ! Ma fille a eu des ébats dans les escaliers, et ce n'est pas avec Steven en plus ! Je suis très déçue de toi, je croyais que tu te préserverais jusqu'au mariage. Tu es devenue une femme, maintenant je le sais. Mais pourquoi avoir laissé de faux espoir à Steven ? Et puis franchement, faire une telle chose dans les escaliers maintenant que tu as ton propre appartement, cela doit être un vrai sauvage.

Je suis sans voix, ma mère ne me sermonne pas pour l'absence d'entretien de son appartement. Elle croit que moi, sa fille, j'ai eu une relation avec un garçon, et qu'on s'envoie en l'air dans les escaliers !

— Mais maman, tu délires complètement ! Je n'ai rien fait de tel, et surtout pas dans les escaliers, la jupe c'était un accident.

— Un accident, un élan de passion oui, ne me prends pas pour une oie blanche, j'ai eu deux enfants je te signale ! Tu as quelqu'un dans ta vie, fort bien je dois l'accepter. Je vais devoir annuler notre sortie, je dois absolument le dire à ton père. Je te préviens, je te laisse un mois pour nous le présenter. Il est hors de question que nous le rencontrions au saut du lit, un matin en passant te voir. Puisqu'il doit devenir mon futur gendre, je veux une présentation officielle. Bon, je te laisse, je vais prendre un taxi pour rentrer à la maison. Je suis vraiment heureuse pour toi, ma fille, mais je ne te comprends pas ! Je suis assez ouverte d'esprit pour que tu me présentes ton fiancé quand même ! Ce n'était pas la peine de faire toutes ces cachotteries. Par contre un petit conseil ma cocotte, la culotte qui était avec ta jupe, c'est une vraie faute de goût. Maintenant que tu as enfin perdu ta virginité, nous irons à la boutique du Victoria Secret de la galerie commerciale. C'est un peu polisson, mais vu son entrain, je suis sûr qu'il va adorer.

Bon là, j'ai besoin de m'asseoir ou mieux, de boire un verre. Maman me serre dans ses bras, et sort de mon appartement. Je ne sais pas ce qui est le plus fou dans cette histoire. Que maman m'imagine capable d'avoir fait l'amour dans un escalier, qu'elle m'ait crue vierge jusqu'à aujourd'hui, ou qu'elle veuille me faire acheter de la lingerie.

Déboussolée, je vais me servir un café dans ma cuisine, car je sais que ma journée va être très longue. Il va sûrement me falloir répondre à l'appel de mon père et lui expliquer la situation. Je ne cherche pas plus loin quand j'ouvre mon placard, et que je vois que ma nouvelle tasse préférée n'y est plus. Je vais directement la récupérer au fond de la poubelle. Après un bon nettoyage je me sers un enfin un café, et tend la main pour prendre un croissant. Ne le retrouvant plus sur la table, je lève les yeux à la recherche du sac de viennoiseries, acheté par maman pour accompagner mon café. Je me rends compte qu'elle est repartie avec, sans même me laisser un croissant !

*

Jessica

Comme je l'avais prévu, la nouvelle de mes fiançailles a vite fait le tour de ma famille. C'est Alexandre, mon grand frère qui a débarqué le premier, à 10 heures du matin.

— Bonjour Marie catin, c'est ton grand frère préféré, tu m'ouvres ? Je me gèle les boules là.
— Nan tu avais qu'a resté couché au lieu de venir me faire chier un samedi matin.
— J'aurais bien aimé tu peux me croire, mais maman m'a sorti du lit avec des croissants, pour une histoire de couleur de faire-part. Je me suis dit que tu devais avoir besoin d'une bonne cuite.
— Salaud, c'est toi qui as mangé mes croissants ! Tu as raison, j'ai besoin de me changer les idées. Je ne t'ouvre que si tu as des munitions.
— Ouep, tequila sœurette.
— Alex, je t'aime.
— Je sais, moi aussi, alors magne-toi, j'ai froid.

J'ouvre la porte de mon bunker, et j'attends de retrouver les bras réconfortants de mon grand frère. Il faut avoir été élevé par Dolores Martin, pour comprendre ce que je ressens actuellement.

Alex sort de l'ascenseur qui a dû être réparé pendant la nuit, et me serre fort contre son torse. Ma charmante voisine ouvre la porte de chez elle en me jetant un regard noir, pendant que je suis bien au chaud, lové dans ses bras d'Alex. Bon, je la comprends un peu, je lui montre ma culotte hier soir, et ce matin, je suis dans les bras d'un charmant jeune homme. Elle doit imaginer que sa nouvelle voisine a des mœurs plus que légères. Je ne vais pas la blâmer, elle ne me connaît pas et les apparences peuvent être trompeuses. Mon frère m'attrape sous les genoux et me porte jusqu'au canapé. Il fait un détour vers la cuisine pour aller chercher des verres avant de s'installer à mes côtés.

— Tu m'expliques et on se bourre la gueule, ou on se bourre la gueule et tu m'expliques ?
— Maman est folle.
— Tu ne m'apprends rien, soit plus précise.
— Elle a débarqué à 7 h 30 ce matin pour me voir, et pendant que je prenais ma douche, elle a voulu faire du rangement. Malheureusement, elle est tombée sur la jupe qui est là.
— Et ? Elle toute mignonne cette jupe, c'est quoi le problème ?
— Regarde par toi-même.

Alex attrape ma jupe. Et se met à rire à gorge déployée.

— Oh bordel, tu t'es envoyée en l'air hier soir et tu ne m'as rien dit.
— Tu ne vas pas t'y mettre toi aussi. J'ai craqué ma jupe dans les escaliers, car l'ascenseur était en panne. Je suis rentré en collision avec un mec, et j'ai fini en petite culotte devant lui et mes voisins de palier. La honte de ma vie. Enfin, je croyais, mais il y a pire, maman veut m'accompagner et choisir des sous-vêtements au victoria secret. Je ne vais pas y survivre, je crois.

Alex n'en peut plus de rire devant mes explications, je me mets à le frapper avec mon coussin.

— Mais arrête de te bidonner comme ça.
— Pardon, ma poulette, mais là c'est trop. Tu t'es retrouvé à poil devant tes voisins ?
— Pas à poil, crétin, j'étais en culotte.
— Ouais, c'est presque pareil ! Mais pourquoi maman veut te choisir de la lingerie coquine ? Alors là, je ne suis pas un accro de shopping surtout quand c'est avec maman, mais je ne veux pas louper ça.

— Tout ça parce que j'avais mis une culotte haute en coton blanc. Mais c'est hors de questions qu'elle me traîne là-bas, elle est capable de me faire défiler dans le magasin pour avoir l'avis des autres clients.

— Sinon, il était beau le mec qui t'a défoncé ? me demande mon frère avec un petit sourire narquois.

— Mais tu arrêtes avec tes sous-entendus, il ne m'a pas défoncé, il m'a percuté ! C'était un régal pour les yeux, des abdos en béton et un ego plus grand que le tien, bref un connard fini.

— Waouh, et tu vas faire comment maintenant pour calmer maman ?

Je ramène mes genoux sous mon menton, je me sens complètement perdue.

— Je n'en sais rien, elle croit que je suis fiancée et même si j'arrive à lui faire comprendre que c'est faux, elle va me prendre pour une salope qui a attendu d'être partie de chez elle pour avoir des aventures. Résultat, je suis bonne pour retourner vivre chez eux, pour sauver ma réputation, mais surtout la leur. Elle veut que je fasse une présentation officielle sous un mois et même si nous lui expliquons tous la situation, elle n'en démordra pas.

— Tu veux que je te prête un mec ?

— Tu es gay toi maintenant ? Alors là, c'est le pompon maman ne va pas s'en remettre ! lui dis-je en me bidonnant.

— Nan, mais ça ne va pas ! Je parlais d'un de mes potes, je suis sûr que je peux trouver un volontaire pour jouer le gendre idéal un dimanche midi.

— Non merci, mais tes potes je les connais. C'est tous des obsédés comme toi, alors partager ma salive avec un gros naze pour faire bonne figure devant maman, c'est au-dessus de mes forces. Je pourrai peut-être embaucher un escort.

— Eh, tu n'as pas toujours pensé ça ! Je sais que tu t'es déjà tapé au moins un de mes potes. Pour l'escort c'est une mauvaise idée poulette. Si tu franchis la porte de la maison familiale avec un mec, tu sais qu'avant d'arriver au dessert papa aura reçu son curriculum vitae complet via un détective privé. Et s'il se rend compte que tu as fait appel à une agence d'escort, tu finiras déshéritée ou pire mariée à Steven.

— Oui et si je viens les mains vides, maman va inscrire mon profil sur Meetic pour me consoler de mon chagrin d'amour et ne me lâchera plus jusqu'à ce que j'aie la corde au cou. En même temps, vu qu'elle m'aura obligé à rentrer à la maison, il y a des chances que je finisse par accepter de me marier, juste pour lui échapper.

— Alors on fait quoi ?

— Je ne sais pas on se bourre la gueule et on avise.

— Moi ça me va, mais il va falloir que tu mettes ton portable en mode avion, et que tu débranches ton fixe, car toute la famille va y aller de ses félicitations.

— Fais chier, mais pourquoi ce n'est pas toi qu'elle vise.

— Parce que moi ma poulette, il me faut une bonne situation avant qu'elle me colle une greluche dans les pattes alors que toi c'est l'inverse.

— Il faut que j'envoie un message à papa, tu crois ?

— Pour lui dire quoi ? Que sa femme se fait des films ? Il s'en fout, lui du moment que je finis médecin et que tu ponds des gosses pour occuper maman tout lui va.

— Tu es d'un tel réconfort !

— À quoi ça sert de se mentir entre nous. Je suis le chromosome y qui doit faire perdurer la tradition des Martin, faire médecine, trouver une gentille épouse docile qui me fera autant de gosses que possible jusqu'à ce que j'aie un fils, et qui laissera croire à maman que son ossu bucco du dimanche midi est la meilleure chose qu'elle n'a jamais mangée.

— Et moi, je suis le chromosome x, tout juste bon à écarter les jambes devant un fils de bonne de famille pour faire le plus de petits enfants possible afin de remplir son portefeuille de photos à montrer à ses amis du club de golf.

— Voilà, c'est exactement ça. Si j'ai un fils qui veut faire médecine plus tard, je le déshérite.

— Et moi, le jour où je deviens grand-mère, je déménage à 500 bornes de chez mes gosses histoire qu'ils ne me les collent pas le week-end.

— Grand-mère ignoble

— Père indigne.

Alexandre éclate de rire et me serre fort dans ses bras.

— Je te propose de commander une pizza pour ce midi. Passe-moi ton téléphone.

— Alex, il est à peine 10 h 30, on a le temps.

— Je sais poulette, mais quand on aura faim, on sera tellement fait que l'on sera bien capable de commander une végétarienne au lieu d'une 4 fromages.

— Tu as raison, appelle-les, je prépare le chèque. Comme ça quand ils viendront livrer, je ne me tromperai pas dans le montant.

— Je sais, j'ai toujours raison.

Je souris face à la remarque de mon frère. Tant pis pour ma journée shopping, je vais me faire une journée tequila pizza, glace et replay débiles à la télé avec la personne la plus importante de ma vie. Mon frère est un gros lourdaud macho, qui me fait honte à chaque fois que l'on sort ensemble, mais c'est le seul qui est capable de tout plaquer pour venir me remonter le moral. Et même si parfois j'avais voulu naître dans une autre famille, je n'aurais échangé Alexandre pour rien au monde.

*

Jessica

Une odeur fétide me sort de mon sommeil. J'ouvre les yeux cherchant le cadavre d'un rat mort, quand je vois le pied de mon frère encore vêtu de sa chaussette, pratiquement collé sur mon nez. Agacée, je cherche à le pousser pour me dégager, mais j'ai l'impression qu'il pèse 1 tonne ! Je fais un mouvement brusque, mais une nausée se rappelle à moi.

Mon Dieu, j'ai le choix entre mourir asphyxié ou me vomir dessus.

Il y a des situations où il faut savoir prendre la bonne décision. En l'occurrence, je ne peux pas me débarrasser du corps de mon cachalot de frère sans le réveiller, alors je lui envoie un coup de genou dans l'estomac.

— Arghhh, mais tu es complément malade ! beugle-t-il.

— Non Alex, pas encore, mais d'ici 5 minutes je sens que je vais l'être. Je me laisse glisser sur le sol, étant dans l'impossibilité de me lever.

— Putain tu m'as démonté le foie là...

Bon c'est vrai, je le reconnais, j'ai dû y aller un peu fort. Mon frère se tient le ventre, et il a le teint plutôt vert. Mais je suis sceptique quand même, il a bu autant, voire plus que moi hier soir.

— Je crois que c'est plutôt l'alcool qui te tord les boyaux.

Mon frère a l'air bien malade et, en temps normal, je me serais inquiétée pour lui, mais tout de suite, c'est plutôt chacun ses problèmes. Le mien étant d'arriver à me rendre jusqu'aux toilettes pour renvoyer mes excès de boisson. Je progresse à genoux, car, dès que je me redresse un peu, j'ai la hantise de m'écrouler au sol.

Enfin arrivée à destination, je sens les douces mains d'Alex prendre mes cheveux. J'ai envie de le remercier pour sa délicate attention, mais je n'en suis pas capable. Après tout, je l'ai réveillé en le frappant à l'estomac et lui, il est là, à me soutenir dans ce moment difficile de lendemain de beuverie. Soudain, je sens sa prise sur mes cheveux se faire plus forte et il me repousse brusquement loin de la cuvette des w.c. pour prendre ma place !

Le fourbe, il n'a même pas pu attendre son tour pour être malade. N'ayant pas d'autre issue, je me précipite au-dessus du bac à douche et vomis à mon tour. Dans mon malheur, j'ai la chance que la douche soit dans la même pièce que les w.c.

Alex et moi sommes restés longtemps allongés sur le sol de ma salle de bains avec la désagréable sensation d'être dans la cellule de fort boyard, vous savez, celle avec le plafond qui descend.

— Je vais mourir, Alex, je gémis alors que nous sommes tous les deux à même le sol. Donne-moi ta main, ça tangue.

— Pourquoi ? Parce que tu as trop bu ou à cause de maman ? me répond-il en souriant.

— Vire ce sourire débile de ta face ! Ça revient au même ce que tu dis, c'est à cause de maman que j'ai trop bu.

— Yep, c'est vrai. Mais on va trouver une solution.

— J'ai trouvé, tu n'as qu'à lui présenter une fiancée. Elle sera tellement heureuse qu'elle me lâchera un peu.

— C'est mort cocotte, c'est ta merde pas la mienne. Moi je veux bien me soûler la gueule pour te soutenir, mais je ne me ferai pas passer la corde au cou, même pour tes beaux yeux.

Je lui lance mon regard le plus noir.

— Pfut, et ça se dit frère.

— Arrête de me regarder comme ça, tu n'es pas crédible. Tu ne ferais même pas peur à un nourrisson et cesses de gémir ça sert à rien ! Il faut juste te trouver un mec prêt à jouer le gendre idéal.

Bon, là je crois que mon frère a irrémédiablement noyé ses neurones dans la tequila.

— Génial et j'arrête où la plaisanterie, avant ou après la bague au doigt ? Parce que tu as l'air d'oublier que je ne veux pas me marier.

Alexandre me regarde avec un grand sourire. Celui qu'il avait toujours petit, quand il avait trouvé une nouvelle connerie à faire.

— Et si tu lui trouves l'antigendre idéal ?
— Hein ? Un motard genre Bad boy tatoué et percé ?
— Cliché ! Non, un play-boy sur le retour déjà marié 3 fois et père de plusieurs rejetons. Le genre de mec dont elle ne pourra jamais s'enorgueillir pour sa petite fille chérie.

Oh là oui, ça, j'adhère ! Je m'imagine déjà ma mère, s'étrangler avec son ossu bucco. Rien de définitif non plus, n'oubliez pas que nous sommes entourés de médecins dans la famille. Ils sont rompus aux gestes des premiers secours.

— Oh, Alex, tu es un génie ! Mais je la trouve où, ta perle rare ?
— Mais partout cocotte, c'est un profil bien plus facile à trouver que le prince charmant, tu peux me croire ! Je vais t'aider à te mettre en chasse, le profil Meetic, on oublie tout de suite, papa finirait par le savoir. Je vais plutôt t'emmener dans une boîte réservée aux plus de 50 ans.
— D'où tu connais des endroits comme ça toi ? Tu chasses la cougar ?

Alex me regarde, horrifié.

— Mais pas du tout, retire-toi toute de suite ça de la tête. Je garnis ma clientèle là-bas. Un chirurgien plastique qui se respecte doit être connu dans ce milieu, et ce n'est pas la clinique de papa qui va se charger de faire ma pub.
— Non ! Je viens de comprendre. Tu es un génie publicitaire en fait.
— Exactement, je me laisse draguer et je leur laisse ma carte professionnelle. J'ai déjà redressé pas mal de paires de seins comme ça et fait plusieurs liposuccions aussi.

— On peut dire que tu vas chercher ta clientèle à la source.

— Tout à fait. Ce n'est pas facile d'aborder une femme dans un supermarché en lui disant madame vos seins s'écroulent, mais je peux faire quelque chose pour vous. Alors qu'en boîte, quand je lui ai fait les yeux doux, mais qu'elle n'a rien obtenu de plus de part de la galanterie, la nana elle cogite. Et quand elle lit, Alexandre Martin, chirurgien plasticien sur ma carte, la moitié du chemin est fait. Après, il y a celles qui prennent rendez-vous, car elles avaient toujours eu envie de le faire, mais jamais osé faire la démarche. Généralement, cela se termine par une rhinoplastie ou des prothèses mammaires. Et puis, il y a les autres. Ces femmes qui ont du mal à admettre qu'avec moi, c'est mort. Je ne les mettrai pas dans mon lit. Elles en viennent à comprendre que je peux devenir la solution à leurs problèmes en les remodelant un peu, pour pécho un autre jeunot.

— Mais c'est dégueulasse, tu détruis leur confiance en elles ! Je m'exclame. C'est normal de vieillir. Les femmes sont belles à tout âge.

Si je ne connaissais pas mon frère, je lui aurais mis un coup de poing dans le nez ! Enfin, j'aurais pensé à le faire, car là, étendu par terre, j'ai à peine la force de le serrer mon petit poing, alors de là, à pouvoir le soulever pour lui flanquer dans la figure.

— Mais bien sûr ma cocotte, mais les femmes qui viennent dans ce genre de boîte, c'est différent. Tu ne connais pas ces endroits, mais crois-moi, celles qui m'abordent, elles ont tout sauf envie de vieillir. Quand une bourgeoise de plus de 50 ans me regarde comme si j'étais un bout de viande, je sais que j'ai affaire à une cliente potentielle, alors je ne me prive pas.

— Oh si papa t'entendait, on dit patiente pas cliente, la médecine n'est pas un rapport à l'argent. C'est une vocation de sauver des vies. Je le gronde en essayant d'imiter la grosse voix paternelle.

Alexandre pouffe.

— Je bosserai en hôpital, je pourrais peut-être me prendre pour le grand Marc Sloane de Grey's Anatomy.

— La série grave lobotomie comme l'appelle papa.

— Oui, mais la différence, c'est que moi, je bosse à mon compte et juste pour le flouze. Je ne me suis pas fait chier à faire autant d'études pour faire dans le social.

— Rapace

— Mais à fond ! Mon rêve est de me faire assez de fric pour clôturer mon cabinet à 40 ans et profiter de la vie après.

— Sans femme ni enfant ?

— Pour moi, ce n'est pas une obligation, si j'en trouve une qui me botte et qui partage ma conception de la vie, je l'épouse directe, mais hors de question de me coltiner une des pintades à maman. J'ai fait assez de concessions pour pouvoir faire mes choix tout seul.

— Si seulement je pouvais être comme toi…

— Tu y arriveras petite sœur, quand tu te seras affirmée dans ton boulot, ça te semblera plus facile de t'imposer auprès des parents, tu verras.

— Oui, peut-être. Tu as faim ?

— Ouais, ça me ferait tu bien de manger un truc et à toi aussi.

Alexandre se lève, me prend dans ses bras pour sortir de la salle de bains, et me dépose sur mon canapé. Mon frère est vraiment un super héros, je suis incapable de tourner ma tête pour le regarder et lui, il me porte.

— Dors un peu, tu en as besoin pour l'instant. Moi, je vais nettoyer nos conneries, et nous préparer un truc à manger. Je te réveillerai quand ce sera prêt.

— Merci, tu es un amour.

Il dépose un doux baiser sur ma joue.

— Juste avec toi ma cocotte, juste avec toi, car, tu es la seule qui le mérite.

*

Jessica

Après ma beuverie du samedi, j'ai passé un dimanche plutôt tranquille. Alex est parti manger chez mes parents comme prévu, et je ne doute pas que ma mère va le passer sur le grill.

J'ai employé ma journée à choisir mes vêtements pour mon premier jour de travail. Je me suis retrouvée face à un problème, je n'ai plus qu'un seul escarpin. J'ai longuement hésité, puis me suis décidée à le chercher dans les escaliers. On ne sait jamais.

Vêtue d'un jeans, et d'un sweat à mon frère, je me suis fait un chignon rapide, et suis partie à la recherche de ma chaussure.

J'ai bien croisé ma voisine la coincée, mais aucune trace de mon Louboutin. Ça, c'est la tuile.

Hors de questions d'aller faire du shopping pour dépenser le premier salaire que je n'ai pas encore gagné, dans une paire de chaussures.

Tant pis, je porterai des ballerines demain. Je mettrai mon tailleur pantalon et je demanderai à Alex de me trouver une nouvelle paire d'escarpins. Il doit bien avoir ça dans sa garçonnière, vu le nombre de nanas qui y passe, et la vitesse à laquelle il les met dehors une fois son affaire finit. Il doit bien y en avoir quelques-unes qui ont oublié leurs chaussures.

Quand il était étudiant, il me rapportait des soutiens-gorge différents toutes les semaines. Maman ne voulait m'acheter que des brassières, et moi je rêvais de soutien-gorge à balconnets. Alors pour me faire plaisir, Alex me rapportait les objets trouvés de sa chambre d'étudiant. Un jour, il m'a donné le string assorti, mais j'ai refusé, c'était trop pour moi. Il a rigolé et m'a dit que les filles qu'il sautait étaient plus string que shorty, et encore quand elle portait une culotte. Mais il voulait bien faire un effort pour se faire une coincée si vraiment j'y tenais. J'ai dû lui expliquer que ce n'était pas le fait de porter un string qui me gênait, mais plutôt de savoir qu'une autre l'avait porté avant moi.

J'ai passé le reste de ma journée, avachie sur mon canapé, à regarder des émissions débiles en replay à la télévision. J'ai une semaine pour dresser le profil de l'antigendre idéal, et je compte bien réussir ma mission. Vendredi, mon frère me sort dans sa boîte fétiche, alors je dois savoir quel genre de cible je peux draguer. En attendant, je coche les défauts que je trouve aux personnages de téléréalité, qui pourraient rendre chèvre ma chère maman.

Lundi matin, enfin le grand jour ! J'ai pris mon temps pour me laver, m'habiller, puis déjeuner. Je suis attendu à 9 heures, mais dans la panique d'arrivée en retard, je me retrouve devant la société où je vais travailler alors qu'il n'est que 8 h 15.

Une jolie petite blonde me regarde avec un grand sourire, puis m'invite à rentrer avec elle.

— Bonjour, je suppose que vous devez être la nouvelle assistante junior ? Je suis Clélie, la secrétaire de M. Saint-Alban, ne restez pas dehors, venez plutôt prendre un café.

— Oui, c'est bien moi, enchantée Clélie, je m'appelle Jessica, Jessica Martin.

Je suis vraiment surprise de l'accueil qui m'est fait. Cette fille a l'air vraiment sympathique, cela me change des regards un peu faux que j'ai reçus lors de la signature de mon contrat.

Nous nous asseyons dans la salle de pause et je lui demande.

— Comment avez-vous su qui j'étais ? Il y a vraiment beaucoup d'employés ici.

— Oui, mais travailler auprès de monsieur Saint-Alban vous apprend à bien ouvrir les yeux. Vous êtes en avance, et ici à part moi, personne n'arrive en avance. Si nous savons à quelle heure commence notre journée, nous ne savons jamais à quelle heure elle se finit. Nous avons les taux de divorce les plus élevés de la capitale, vous savez.

— Ça ne sera pas un problème pour moi, je suis célibataire, mais dites-moi pourquoi venez-vous en avance, alors ?

— Oh, c'est simple, depuis que je suis la secrétaire du patron, je n'ai plus de vie sociale. Je ne vis que pour mon boulot alors, je viens quand je suis prête.

— Vous me faites marcher, rassurez-moi ?

Clélie éclate de rire.

— Mais oui, bien sûr que je vous fais marcher. Je viens plutôt, car je finis avant tout le monde. Gabe est un patron exigeant, mais plutôt cool avec sa secrétaire. Et puis, je ne suis pas une cadre payée au forfait s'il me faisait faire autant d'heures sup, ça lui coûterait cher.

— Gabe ?

— Oui, Gabriel de Saint-Alban, notre patron.

Je suis perplexe, et ce que ma bouche ne demande pas, mes yeux semblent le faire, car Clélie rit à nouveau.

— Non, je ne suis pas une intime de notre patron, mais comme je suis sa secrétaire c'est plus facile pour moi de l'appeler ainsi. Il n'a jamais beaucoup de temps à me consacrer, alors je dois faire des phrases courtes. Si je commence par monsieur de Saint-Alban, avez-vous eu le temps de regarder votre carnet de rendez-vous, c'est fini, je l'ai perdu. Alors je lui dis, Gabe restaurant 12 h 30, et on se comprend.

— Oui, je comprends mieux. Dites-moi comment est l'ambiance entre collègues ici ?

— Du côté des hommes, ça va, mais les femmes entre elles, c'est plus compliqué.

— Pourquoi ça ?

— Gabe est célibataire et toutes les femmes ici, craquent pour lui. Alors, si vous n'êtes pas soit moche, soit mariée, soit lesbienne, inutile de compter vous faire des amies, elles seront toutes contre vous.

— Magnifique, ça me donne vraiment envie tout ça ? Mais vous alors pourquoi êtes-vous sympa avec moi ?

— Normal, je ne connais pas encore vos orientations sexuelles, alors je vous laisse le bénéfice du doute, minaude Clélie en posant sa main sur mon genou.

J'éclate de rire, mais je n'avais pas fini de boire ma gorgée de café. Résultat, je m'en suis mise partout. Son geste ne m'a pas choqué du tout. Cette fille est 100 % hétéro, j'en suis sûre, mais cela m'a tellement détendue que j'ai fait n'importe quoi.

Clélie vient me taper le dos, croyant que je m'étouffe, mais pas du tout. Je n'arrive tout simplement pas à arrêter de rire.

Me calmant enfin, je réalise les dégâts que j'ai faits. Mon chemisier blanc est plein de taches maronnasses, il y en a même sur mon pantalon. Mon visage est tout rouge, et Clélie m'a tellement secoué pour me réanimer, que mon chignon ne ressemble plus à rien.

Je regarde ma montre il est 8 h 45. Il est trop tard pour rentrer chez moi, mais je peux encore essayer de réparer un peu les dégâts, avant de rencontrer mon patron.

— Clélie, vous êtes là ?

Oh mon dieu ! Mon patron est déjà arrivé, et aux bruits de ses pas, il ne devrait pas tarder à rentrer dans la salle de pause. Je regarde autour de moi, il n'y a qu'une porte, je ne peux donc pas m'échapper. Le canapé est collé au mur, impossible de me cacher derrière, et la table devant laquelle je suis assise est en verre.

Je suis piégée, je regarde Clélie. Mais elle semble tout autant affolée que moi.

Je ne vais quand même pas rencontrer mon patron dans cet état ? Eh bien si…

*

Gabriel

Comme chaque vendredi, je passe voir ma grand-mère à son domicile. Elle habite un superbe appartement à Paris, depuis le décès de mon grand-père. Elle aurait voulu rester dans la maison familiale, mais celle-ci revenant à mon père, elle a dû déménager au plus vite. Il était impossible pour elle de songer à cohabiter avec son fils, en plus, celui-ci ne l'aurait d'ailleurs, jamais permis. Je la soutiens complètement, j'ai moi-même fui mon foyer le jour de mes 16 ans pour venir vivre auprès de mes grands-parents. J'ai alors pu commencer à travailler avec eux, au cabinet d'architecte Saint-Alban, fondé par mon arrière-grand-père. Mon père aurait bien voulu occuper ma place, mais il n'en a jamais eu l'envergure, et après des essais catastrophiques pour les affaires, mon grand-père lui a offert un placard honorifique soit, mais un placard quand même. Quand j'ai commencé à monter en grade, j'ai mis mon père en retraite anticipée, car sa jalousie envers moi devenait un problème dans nos rapports avec nos salariés.

Grand-père l'avait parfaitement compris, et pour calmer les choses, il a choisi de me léguer l'entreprise, et la demeure familiale à mon père. Étant fils unique, je sais qu'elle me reviendra plus tard, car si mon père décide de la vendre, il doit selon les dispositions du testament me la proposer en priorité, et j'ai assez d'argent pour me l'offrir. Sinon, il me suffirait d'attendre d'en hériter à mon tour. Selon grand-mère, cela ne devrait pas être très long, car mon père est alcoolique depuis son mariage avec ma mère. Un mariage qui n'a que peu duré, celle-ci étant partie quelques mois après ma naissance, pour épouser un meilleur parti. Je peux reprocher beaucoup de choses à ma mère, mais sûrement pas son manque de clairvoyance. Il ne lui a fallu que quelques mois pour comprendre que papa ne serait jamais à hauteur de ses ambitions.

Ma mère est une femme magnifique, mais elle est aussi maléfique. Durant mon enfance, je n'avais aucun intérêt pour elle, sinon d'être l'héritier Saint-Alban. Quand je suis devenu PDG, son instinct maternel s'est soudainement réveillé et je suis devenu le fils prodigue qui fait la fierté de sa maman. Cette femme perfide n'a fait que deux choses de bien dans sa vie, moi bien sûr, et ma demi-sœur Lola.

Depuis l'emménagement de ma grand-mère, je viens passer tous mes vendredis après-midi avec elle. Nous parlons de l'entreprise, mais aussi de nos souvenirs et de mon avenir. Grand-mère sait que je suis un coureur de jupons, et cela ne la dérange pas tant que je n'épouse pas n'importe qui comme l'a fait mon père. Je ne souhaite de toute façon pas me marier, mais je suis d'accord pour avoir des enfants dans quelques années. Si je n'ai pas trouvé la mère idéale d'ici là, je prendrais une mère porteuse, ce sera aussi bien.

En arrivant dans l'immeuble de grand-mère, j'ai croisé le garnement du dernier étage qui collait une étiquette ascenseur en panne sur la porte, avant de remonter dedans pour retourner au 14e étage. Cela m'a bien fait rire, il fait le même coup à chaque nouveau locataire.

Après notre partie de Scrabble hebdomadaire, je suis reparti chez moi. J'ai hésité à appeler l'ascenseur, mais je ne voulais pas casser la blague du gamin, alors j'ai pris les escaliers. Je suis plutôt sportif, ce ne sont pas 13 étages qui me font peur. J'avais un peu la tête ailleurs quand je me suis fait percuter par une petite chose.

J'ai levé les yeux, et ai vu une belle brune qui semblait vouloir imiter le papillon. Quand j'ai compris qu'elle allait tomber, je l'ai rattrapée d'un coup en la tirant vers moi. Je n'avais pas prévu que mon sauvetage allait craquer sa jupe.

Au lieu de s'excuser pour m'avoir bousculé, et de me remercier pour l'avoir aidée, elle m'a incendié.

Il fallait la voir, une vraie furie ! Je l'ai regardé droit dans les yeux pour la calmer, mais je suis homme aussi. Alors je n'ai pas pu résister longtemps à poser mes yeux sur ses jambes. Aussitôt, je les ai imaginés autour de ma taille, et je me suis senti à l'étroit dans mon pantalon.

Elle s'est penchée pour récupérer quelque chose, et c'est son collant qui a craqué. Sans cette culotte de coton blanc et ses yeux assassins, j'aurais pu prendre ça pour une invitation.

J'ai essayé mon petit numéro de charme, mais je n'ai récolté que des noms d'oiseaux et un Louboutin au talon cassé que je me suis pris sur la tête. Cette nana est une vraie sauvage, j'adore !

J'ai pensé à elle plusieurs fois dans le week-end, même quand j'ai couché avec fille rencontrée en boîte. C'était une chouette nana, bien roulée, mais c'est en pensant à cette jolie brune à la langue bien pendue que j'ai eu mon orgasme.

Lundi matin, retour à la réalité du boulot, et en plus je dois accueillir une nouvelle assistante junior. C'est grand-mère qui a sélectionné son dossier, comme toujours d'ailleurs. Tout ce qui touche au recrutement de la société est toujours passé par elle, et je continue à lui porter tous les dossiers de candidature que l'on reçoit. Évidemment, grand-mère sélectionne, mais elle ne fait pas passer les entretiens, c'est mon RH officiel qui s'en charge, mais disons qu'elle lui évite de recevoir 80 personnes pour un job de standardiste. Elle garde trois dossiers au maximum que je remets aux ressources humaines, sans même les regarder. J'ai une entière confiance en leur jugement.

Je sais juste que la nouvelle employée est fraîchement diplômée, major de sa promo et qu'elle a signé son contrat vendredi.

C'est pourquoi je suis un peu en avance ce matin, j'imagine déjà qu'elle sera des 9 heures devant la porte de mon bureau et j'ai envie d'avoir le temps de prendre un bon café avant de la recevoir. Je rentre dans les locaux encore vides de ma société et me dirige vers la salle de pause.

— Clélie, vous êtes là ?

C'est une question inutile, car Clélie, ma secrétaire arrive à 8 h 15 tous les matins.

Je rentre dans la salle de pause, et je me retrouve face à un spectacle ahurissant.

Ma secrétaire est bien là, et à ses côtés, il a cette fille qui peuple mes rêves depuis 2 jours. Elle est complètement décoiffée, ses joues sont rouge pivoine et son beau chemisier blanc est taché de café. Même dans cet état, je la trouve magnifique. Je ne comprends pas sa présence, vient-elle pour sa chaussure ? Impossible, elle ne peut pas avoir su qui je suis ni m'avoir trouvé toute seule. Et si elle avait interrogé tout l'immeuble ? Non, grand-mère m'aurait prévenu.

Se pourrait-il que oui, le karma soit avec moi ? L'objet de mes fantasmes qui se trouve devant moi, serait-elle ma nouvelle assistante ?

*

Jessica

Mais ce n'est pas possible ! Mais qu'est-ce que j'ai fait pour mériter un truc pareil ? Comment est-ce que le connard arrogant de vendredi peut-être mon patron ? Je voudrais être une autruche et cacher ma tête sous le sable. OK, il verrait encore mon cul, mais de toute façon, il a déjà vu ma culotte, alors ce ne serait pas un drame.

— Bonjour Clélie. Dites-moi, est-ce que je risque ma vie si je me sers un café ?

— Bonjour Gabe, bégaie Clélie, non bien sûr que non, pourquoi cette question ?

— Eh bien, si j'en juge à la tête de votre nouvelle collègue, soit votre café est mauvais, soit il est trop chaud. Alors, je me demande si je dois courir le risque d'avoir la même tête.

L'enfoiré, il se moque de moi alors que je ne peux rien lui dire ! Je pince très fort mes lèvres pour empêcher une grosse connerie d'en sortir et je pense au regard noir de mon père si je me fais virer dès mon premier jour de travail.

— Bien, n'oubliez pas mademoiselle que je vous attends dans mon bureau à 9 heures. Et, je suis particulièrement attaché à la ponctualité.

Je regarde Clélie, rassurée qu'il soit sorti, quand je percute, c'est moi qu'il attend dans son bureau !

Sur l'échelle de la honte, je croyais avoir gravi tous les étages ce week-end. Que nenni !

Je suis au bout de ma vie, et il me reste 5 minutes pour sauver ma réputation et peut-être mon job.

— Clélie, bloquez la porte s'il vous plaît.

Elle s'exécute sans comprendre, et je commence à déboutonner mon chemisier.

— Euh Jessica je vous faisais marcher tout à l'heure, vous êtes très mignonne, mais je ne suis pas attirée par les femmes.

Bien que le moment ne soit pas venu de rire, je ne peux m'empêcher de pouffer devant son air gêné.

— Pas de panique j'avais bien compris, mais je ne peux pas me présenter dans bureau du patron avec cette chemise.
— Si je peux me permettre, pas en soutien-gorge non plus.
— Vous êtes trop drôle, je ne vais pas rester en sous-vêtements, prêtez-moi votre gilet, s'il vous plaît.
— Hein, mais pourquoi ?
— Pour cacher ma honte et accessoirement essayer de conserver mon job ?
— OK, je vous bien vous aider, mais je pense que nous n'avons pas vraiment la même taille.

Je sais bien que la petite blonde qui se tient devient moi doit s'habiller en taille 36, là où il me faut une taille 42 pour rentrer ma poitrine, mais je n'ai pas vraiment le choix.

Clélie enlève son gilet qu'elle portait par-dessus une petite chemise, et je me dépêche pour le mettre à mon tour. J'ai trop peu de temps devant moi, pour refaire mon chignon alors j'enlève ce désastre capillaire pour laisser mes cheveux à l'air libre. J'essaie de les coiffer avec mes doigts, mais il est déjà 8 h 58, et j'entends des bruits de pas dans le couloir. Mes nouveaux collègues vont arriver, et je dois aller affronter mon patron. Je me retourne vers Clélie.

— Souhaitez-moi bonne chance.

— Après t'avoir vue à moitié nue, on va se tutoyer. Quand je te regarde habillée comme ça, je crois que c'est plutôt à Gabe que je dois souhaiter bonne chance. Tu vas le retourner comme une crêpe.

Je lui fais un sourire et me dirige vers le bureau du boss. Extérieurement, j'ai tout de la femme fatale, mais à l'intérieur, je suis morte de trouille.

Mon patron est assis derrière son bureau et bien qu'il me fasse signe pour m'inviter à m'asseoir, j'ai l'intention de rester debout. Non, ce n'est pas de la rébellion, mais juste une question de survie.

Le gilet de Clélie est vraiment trop petit pour ma poitrine. À chacune de mes respirations, je m'attends à voir craquer ce bouton qui dissimule mes seins. C'est complètement indécent, il ne couvre même pas complètement ma peau, et laisse voir un peu de mes hanches.

Mais le pire, ce sont mes cheveux, ils sont indomptables. Ils forment une masse brune qui m'arrive plus bas que les épaules, et quand ils sont libérés de mon chignon, ils frisent et me donnent l'air de sortir tout de mon lit.

— Monsieur Saint-Alban, enchantée, je suis Jessica Martin, la nouvelle assistante junior.

Je prends la main qu'il me tend tout en retenant ma respiration ; je n'ai pas oublié qu'il a déjà vu ma culotte, alors j'aimerai garder un peu de dignité. Maman m'a appris qu'en cas de honte la politique de l'autruche n'est pas une option, le mieux c'est le déni. Alors, autant faire comme si c'était notre première rencontre.

— Mademoiselle Martin, j'ai lu votre dossier et je suis impressionné par votre parcours scolaire. Néanmoins si vous restez dans cette tenue vous risquez de perturber vos collègues masculins, mais aussi vous attirer les inimitiés de vos collègues féminines. Veuillez vous retourner s'il vous plaît.

Me retourner ? Aucun problème ! Je préfère parler à un mur plutôt que de lui montrer mon soutif !

— Vous pouvez vous retourner Jessica.

Encore ? Je vais finir par rendre mon petit-déjeuner à force de faire des tours sur moi-même. Je note quand même qu'il me parle de mes collègues, c'est peut-être le signe qu'il ne va pas me virer. Je m'exécute, prête à m'excuser pour ma tenue quand je vois ce qu'il tient dans sa main.

Il se fout de ma gueule ! Il a profité que j'ai eu le dos tourné pour changer de chemise, et maintenant, il me la tend. Mais quel connard, je suis peut-être une assistante junior, mais sûrement pas sa femme de ménage !

— Je ne crois pas que ce soit dans mes attributions de m'occuper de votre linge sale, Monsieur Saint-Alban.

Mon ton est mordant, mais visiblement je ne fais pas peur à mon patron, car il affiche un grand sourire.

— Gabe, appelez-moi Gabe, et vous avez tort sur un point ma chemise n'est pas sale, je l'ai mise ce matin. Je ne vous la donne pas pour aller au pressing, mais pour que vous la mettiez à votre tour.

— Mais enfin, je ne vais pas mettre votre chemise.

— Bien sûr que si, je dois vous présenter dans 15 minutes à la conférence du matin. Je doute que vous souhaitiez y aller avec le gilet de Clélie. Vous n'avez qu'à rentrer ma chemise dans votre pantalon, et cela fera l'affaire. Je vais me retourner pour que vous puissiez vous changer tranquillement.

Je suis abasourdie, j'attrape la chemise de mon boss et je commence à déboutonner mon gilet. C'est vrai qu'il est trop petit pour moi et que je serai plus à l'aise avec une chemise, mais quand même. Il aurait pu me laisser celle qui était dans son tiroir au lieu de me donner la sienne. Et en plus, je dois me changer dans son bureau. Bon en même temps, c'est sympa de sa part, je ne sais pas encore où se trouvent les toilettes alors si je dois sortir de son bureau les seins pratiquement à l'air, bonjour la réputation ! Je me dépêche de m'habiller, car j'ai un peu peur qu'il se retourne, avant que j'aie fini. J'ai déjà eu un aperçu de sa goujaterie hier, et même s'il semble un peu plus gentleman avec son costume de patron, comme dirait Alex : un connard est un connard qu'il soit à poil ou en costard.

— J'ai terminé.

Je suis fière de moi, j'ai fait vite et je dois reconnaître que je suis plus présentable comme ça.

Mon boss se retourne et me regarde avec son petit sourire que je rêve de lui faire ravaler.

— Vous êtes parfaite comme cela, si vous voulez, vous pouvez passer dans ma salle de bains pour attacher vos cheveux.

— Oui, merci

Je me dirige vers la porte qu'il m'a désignée, et me fais une queue-de-cheval, devant le lavabo, quand tout à coup je réalise. L'enfoiré, il m'a fait me changer dans son bureau alors qu'il a une salle de bains privée…

*

Gabriel

La satisfaction, vous savez ce sentiment que l'on éprouve gamin, quand on a déballé au pied du sapin le cadeau tant attendu. C'est exactement ça que j'éprouve en ce moment, quand je la vois sortir de ma salle de bains, vêtue de ma chemise. Elle a relevé ses cheveux avec une simple queue de cheval, et je suis ravie de savoir qu'aucun autre mâle de la société ne va voir le spectacle de sa chevelure libérée sur ses épaules.

Oui, mais voilà, à la satisfaction s'ajoute la frustration, car la fabuleuse femme qui est devant moi, je n'ai pas le droit de m'amuser avec.

Je n'ai pas l'habitude de l'ambivalence de mes sentiments. J'ai été élevé avec un masque de froideur, à ne jamais laisser son ennemi lire mes émotions. Enfant, j'ai dû apprendre à avaler du jus de citron sans grimace, comme si c'était un verre d'eau. Grand-père me donnait souvent des chewing-gums de sa confection, qu'il fourrait à l'oignon ou à l'harissa. Je devais rester imperturbable. Selon lui, c'était ainsi que je deviendrai un grand dirigeant, en apprenant à cacher mes émotions.

Quand grand-mère l'a su, elle lui a fait un scandale. Moi, j'ai parfaitement compris ce que grand-père voulez me faire comprendre et je lui en suis reconnaissant.

Oui, mais voilà, à côté de cette superbe brune dans l'ascenseur qui nous conduit à la salle de réunion, j'ai bien du mal à contrôler mon envie de la plaquer contre la paroi. Je m'imagine revivre la scène d'un célèbre livre et ça me fait marrer.

Il faut savoir que je suis célibataire, plutôt bien fait de ma personne et riche à millions. C'est un tableau qui me rend plus que séduisant pour une bonne partie de la gent féminine. Lors du succès de ce fameux livre, plusieurs de mes employées le laissaient sur leur bureau comme si c'était un message subliminal qu'elles m'envoyaient.

Mais jamais aucune ne m'a donné envie de casser ce code d'honneur, le travail d'un côté, le sexe de l'autre. Je me dis que je pourrais licencier cette Jessica Martin, puis aller la draguer, vu que je sais où elle habite. Seulement, si je la vire, je sais que je n'aurais aucune chance de coucher avec elle. C'est le genre de fille qui me ferait bouffer mes fleurs si j'avais le malheur de lui envoyer un bouquet pour la consoler de la perte de son emploi.

Et vu le regard noir qu'elle me lance depuis qu'elle est sortie de ma salle de bain, je devine que c'est plutôt son poing qu'elle rêve de me faire bouffer.

Jessica

La colère, c'est ce sentiment que je ressens face à mon nouveau boss, et ce n'est pas bon, pas bon du tout. Je rêve de l'étrangler avec sa cravate. Il m'a carrément humilié en me faisant me déshabiller dans son bureau alors qu'il aurait pu me proposer sa salle de bains. Bien sûr, il était retourné, mais nous étions quand même dans la même pièce.

Mais le pire c'est l'air de coq qui l'a pris en me voyant avec sa chemise. OK mec, tu as vu mes jambes, ma culotte et maintenant je porte ta chemise. Mais crois-moi, cela n'ira pas plus loin, si tu m'imagines à genou sous ton bureau, je vais te transformer en chapon.

Je veux acquérir une reconnaissance professionnelle, pas une réputation de chaudasse qui s'envoie son patron et dès le premier jour en plus. Quand bien même ce patron serait le plus beau spécimen masculin que je n'ai jamais vu.

C'est pourquoi, quand dans l'ascenseur où s'entassent les différents cadres qui se rendent sûrement comme nous dans la salle de réunion, je me retrouve pratiquement plaquée contre lui. Je sens sa main frôler ma taille, et c'est plus fort que moi, je sais bien qu'il ne l'a pas fait exprès, mais je lui écrase quand même le pied. Oh comme je regrette mes Louboutin en cet instant, car avec mes petites ballerines je suis sûr qu'il n'a rien senti.

Après les présentations d'usages, j'ai dû écouter des cadres rapporter leurs occupations de la semaine, et je suis ravie de voir cette première réunion s'achever. Tout d'abord, j'ai faim et quand j'ai faim, je suis de mauvaise humeur. En plus, je n'avais connaissance d'aucun des sujets qui ont été exposés, du coup j'avais l'impression d'être sur les bancs de l'école. Non bien pire en fait, car à l'école je pouvais intervenir, poser des questions, là je me devais juste d'écouter. Je vais travailler en binôme avec une assistante-senior sur un projet d'aménagement d'un centre commercial. Je suis vraiment excitée à cette idée, car pour leur montrer mes capacités, je vais devoir monter un dossier comme si j'étais l'architecte principale, et il sera soumis à ma supérieure ainsi qu'à mon patron. En attendant, c'est Clélie qui va se charger de m'expliquer tous ceux dont j'ai besoin de savoir pour me mettre au travail.

— Je suis contente, c'est moi qui vais m'occuper de toi, me dit la jolie blonde quand je la rejoins dans son bureau.
— Ce n'est pas ton rôle d'habitude ?
— Non, c'est plutôt celui de Luc, l'autre assistant junior du cabinet, mais Gabe m'a envoyé un message pendant la réunion pour que je t'explique le fonctionnement de l'entreprise.
— Mais pourquoi toi, tu es sa secrétaire personnelle, non ?
— Oui, mais il a dû voir que l'on s'entendait bien ce matin, et Gabe privilégie toujours les rapports humains à la bureaucratie. Tu dois travailler avec Laurène, mais si vos visions d'un projet ne sont pas les mêmes, il n'hésitera pas à te faire changer de binôme pour ce projet-là. Il pense qu'il ne faut jamais travailler pour quelque chose auquel on ne croit pas ni avec quelqu'un avec qui on ne s'entend pas.
— C'est intéressant comme méthode de travail.
— Oui, mais là c'est l'heure de la pause, alors on va aller manger un truc toutes les deux et interdiction de parler boulot.
— OK, tu m'emmènes où ?
— Il y a un petit restau sympa pas loin d'ici, c'est super bon et comme il n'a pas pignon sur rue, tu n'y rencontreras aucun de nos collègues.
— Allons-y, je te suis.

Effectivement, quand je découvre le restaurant en question, je l'adore tout de suite. La cuisine y est simple, mais savoureuse et le décor me donne l'impression d'être dans un chalet de montagne. Après avoir commandé notre repas, je me décide à libérer Clélie, que je vois impatiente depuis que nous sommes sorties de l'entreprise.

— Allez va y, pose tes questions.

— Que fais-tu avec la chemise de notre patron sur toi ?

— Eh bien, il faut reconnaître que ton gilet était un peu trop petit alors pour m'éviter une honte totale il m'a prêté une chemise.

— Non, pas une chemise, mais sa chemise. Ce matin, en salle de pause, sa chemise était blanche, alors que pendant la réunion elle était bleu clair.

— C'est pareil, c'était juste pour que je puisse assister à la réunion sans être ridicule.

— Mouais, je ne suis pas convaincue, bon sinon parle-moi de toi.

— Ça va être rapide, tu as déjà vu mon CV ! Donc, j'ai un grand frère que j'adore, un père obsédé par son boulot et par le golf, une mère qui rêve de me voir mariée et femme au foyer et j'ai l'ambition de devenir architecte un jour.

— Célibataire ?

— Oui, et toi présente-toi aussi.

— Eh bien, j'ai 25 ans et je suis l'assistante de Gabe depuis 2 ans. Je suis la seule fille d'une fratrie de 5 garçons et ma famille vit à Marseille.

— Tu as 5 frères ? Je m'écris.

Clélie rigole face à ma réaction et me confirme que j'ai bien compris.

— Oui, j'ai 5 grands frères. Du coup, tu comprends pourquoi je suis toujours célibataire. Je suis venue à Paris pour leur échapper un peu, car il y en a encore 3 qui vivent chez nos parents, et j'avais l'impression d'être la fusion de la princesse raiponce et de cendrillon, le prince charmant en moins.

J'éclate de rire et nous commençons à manger. Cette fille est vraiment géniale, je passe un très bon moment en sa compagnie et pour moi, c'est une découverte. Je n'ai jamais eu d'amie autre que des filles choisies par maman, et j'espère vraiment que Clélie et moi deviendrons plus que des collègues.

*

Jessica

Cette première semaine de travail est passée à une vitesse folle, et nous sommes déjà vendredi.

Il faut dire que chaque soir, une fois rentrée à mon appartement, je me plongeais à fond dans mon dossier.

Je me suis beaucoup rapprochée de Clélie, nous mangeons ensemble tous les midis et envisageons des sorties ensemble, quand mon emploi du temps me le permettra. Je ne dois pas perdre de vue mon objectif, trouver le fiancé qui fera abandonner à ma mère tous ces projets de mariage me concernant.

Et oui, comme je le craignais, maman n'en démord pas, je l'ai eu trois fois au téléphone cette semaine et cela tourne toujours au dialogue de sourds.

— Viendras-tu seule ou accompagnée dimanche midi ?
— Je serai seule maman, d'ailleurs il faut qu'on en parle.
— Je ne veux rien savoir, je t'ai donné un délai, je ne vais pas t'importuner avec mes questions avant. Une parole est une parole Jess, et c'est valable autant pour toi que pour moi.

J'ai raconté mes déboires à Clélie, et elle m'a proposé de me prêter un de ses trois frères encore célibataires, vu qu'à ses yeux ils remplissent tous les critères requis pour être de parfaits repoussoirs à belle-mère, mais je ne veux pas la mêler à ça. Néanmoins, j'ai sollicité son aide pour trouver la tenue parfaite pour aller au club vendredi soir.

Il me faut une robe qui dira venez me draguer, mais n'espérez rien de moi ce soir. Bon ni dans les prochains jours, je ne vais pas coucher avec quelqu'un, juste pour faire plaisir à ma mère. Mais je ne veux briser le cœur de personne non plus, donc il va me falloir jouer franc jeu avec mes possibles prétendants.

Après plusieurs supplications, Clélie a accepté de se joindre à moi pour aller au club. Comme ça, elle pourra me donner son avis qui sera plus objectif, à ne pas douter que celui d'Alexandre.

Elle passera me chercher à 20 heures ce soir, nous irons d'abord manger au restaurant.

Gabriel

Je crois que j'ai passé la semaine la plus longue de ma vie. Tous les jours, je la vois, et elle m'obsède. J'ai demandé à Clélie de lui expliquer les rouages de l'entreprise, car je ne voulais pas la voir proche de Luc, l'assistant junior qui est normalement chargé de l'intégration des nouveaux membres du personnel. Quand je vois un homme lui sourire, je m'imagine déjà lui rédiger sa lettre de licenciement, pour châtier l'inconscient, qui a osé poser ses yeux sur elle. Je suis jaloux des attentions qu'elle donne aux autres, alors qu'elle ne m'en accorde aucune. Je ne comprends pas ce qui m'arrive, je n'ai jamais été comme ça, avec aucune de mes conquêtes. Je n'ai jamais réclamé de relations exclusives à qui que ce soit, mais elle, je la veux rien que pour moi.

Comme chaque vendredi, je me suis rendu chez ma grand-mère, qui n'a pas mis longtemps à comprendre, que quelque chose n'allez pas.

— Qu'est-ce que tu as Gabe ? Des soucis au travail ?

— Oui, enfin non, rien qui concerne la bonne marche de l'entreprise, rassure-toi.

— Je ne t'ai jamais vu comme ça mon petit, cela fait trois parties que tu me laisses gagner, où est passé ton esprit de compétition ?

— Mamie, je ne joue pas au Scrabble comme je gère nos millions, ne t'inquiète pas. C'est que je ne comprends pas ce qui m'arrive.

— Alors, explique-moi, si je peux t'aider, je le ferai, tu le sais mon petit.

— C'est la nouvelle employée.

— Quoi, je me suis trompé sur son profil ? Elle n'est pas fiable ?

— Mais non pas du tout, ce n'est pas elle le problème, c'est moi. Je pense tout le temps à elle, de jour comme de nuit, j'ai envie d'elle, voilà.

Je suis stupéfait d'avoir dit une telle chose à ma grand-mère. Jamais, je n'avais évoqué aucune femme auprès d'elle, par respect et par pudeur. C'est quand même ma grand-mère, et là, je lui parle de mes envies sexuelles ! Je suis horrifié.

Alors que je m'attends à me prendre une calotte, comme quand j'étais petit. Mamie me regarde souriante, avec des yeux attendris.

— C'est enfin arrivé, tu es tombé amoureux.
— Mais non mamie, tu sais bien ce que je pense de ça, je ne serai jamais amoureux.
— Mon petit, il y a ce que la raison veut et ce que le cœur décide. Toutes les femmes n'ont pas la perfidie de ta mère. Si cette fille te chamboule autant, alors pose-toi les bonnes questions. Ton grand-père disait qu'il a toujours sur cette planète quelqu'un qui nous est destiné, parfois on le rencontre, et parfois on n'a pas cette chance. Si ce qu'elle éveille en toi te transforme à ce point, alors ne la laisse pas passer.

— Elle ne me regarde même pas, je me sens comme une plante verte à ses côtés.
— Montre-lui qui tu es vraiment. Invite-la à sortir un soir.
— Elle ne voudra jamais, je suis son patron, je te rappelle.
— Alors, uses-en. Demande-lui qu'elle t'accompagne à une soirée officielle, sous couvert de lui apprendre son métier.
— Je ne sais pas, ça marchera tu crois ?
— Bien sûr, le but n'est pas qu'elle te tombe dans les bras, mais qu'elle te découvre, tel que moi je te connais ! Ainsi à force d'être près elle, tu verras si tu es vraiment amoureux.
— Je ne sais pas mamie, je vais y réfléchir.
— Il est tard, tu restes manger avec moi ?
— Non, désolé, je ne peux pas. J'ai promis à Lola de l'emmener à un concert ce soir.

— Oh, c'est bien que tu fasses des sorties avec ta demi-sœur. Embrasse-la pour moi, veux-tu, et dis-lui que je serai ravie de la revoir.

— Je n'y manquerai pas mamie, je dois filer. À vendredi

J'embrasse ma grand-mère, et je me sens plus léger d'avoir pu parler avec elle. Je suis dans mes pensées et quand l'ascenseur s'ouvre, j'ai une vision de paradis. Elle est là, vêtue d'une robe noire qui lui arrive aux genoux, avec un décolleté léger en forme de cœur. Ma bouche s'est asséché tout un coup, je n'ai plus de salive. Elle semble toute gênée, ne s'attendant pas à me trouver face à elle. Je reprends un peu contenance, et la salue.

— Bonsoir, Jessica, vous êtes en beauté ce soir.

— Monsieur Saint-Alban, que faites-vous chez moi ?

— Techniquement, je ne suis pas chez vous, mais dans un ascenseur. J'ai de la famille dans cet immeuble.

— Eh bien le monde est petit.

— Tout à fait, et je suis ravie de voir que les robes de soirée vous vont à merveille, car vous allez devoir en porter plus souvent à l'avenir.

— Je n'ai pas l'intention de venir au travail en robe, monsieur.

— Bien sûr, pas à l'entreprise, mais être architecte, c'est aussi soigner les relations publiques. Vous allez devoir m'accompagner à un gala la semaine prochaine. Je donnerai toutes les instructions nécessaires à Clélie, et elle vous les transmettra. Nous sommes arrivés, laissez-moi vous accompagner à votre voiture, il fait nuit et ce n'est pas prudent de sortir seule.

— Je vous remercie de votre sollicitude, mais je n'ai pas de voiture, et on doit venir me chercher.

— Bien, alors je vais attendre avec vous.

— Ce ne sera pas nécessaire, merci.

Je fulmine depuis tout à l'heure. Si j'étais heureux de la voir, savoir qu'elle s'est faite belle pour sortir, me mets en colère. Bien sûr que je vais attendre avec elle, pour sa sécurité et peut-être pour casser la gueule au jeune con, avec qui elle a prévu de sortir ce soir. Je suis rassuré quand je vois Clélie faire de grands gestes, dans notre direction, de l'autre côté du trottoir.

— Jess, je suis garée là. Oh Gabe, excusez-moi, je ne vous avais pas vu.

Les yeux exorbités de ma secrétaire et sa gêne évidente m'amusent beaucoup. Je sais que je l'impressionne, et je vais en profiter pour mener cela à mon avantage.

— Clélie, quelle surprise ! Je vois que vous prenez votre travail très à cœur, vous proposez de faire découvrir la ville à votre nouvelle collègue ?

— Oh pas du tout Gabe, moi je sors très peu. C'est Jessica qui m'a invité à aller dans un club avec son frère.

Je vois ma secrétaire devenir toute rouge pendant que Jessica, reste interloquée. Et oui ma belle, tu apprendras que j'ai un certain pouvoir sur les autres, et Clélie, est de celle qui ne savent rien de me cacher. Mais me voilà rassuré, elle va sortir avec son frère, tout comme moi je vais sortir avec ma sœur. Elle ne risque donc pas de se faire raccompagner par un homme, son frère y veillera.

— Eh bien, je vous souhaite une bonne soirée mesdemoiselles. À lundi, au travail.

Je les laisse monter dans la voiture, et vais chercher ma sœur. Je me sens beaucoup plus serein, sachant qu'elle sort avec un chaperon.

*

Jessica

Une fois mon patron parti, j'ai dû claquer des doigts devant le visage de Clélie, pour qu'elle referme la bouche.

— C'était bien Gabe ?

— Oui, c'était lui.

— Mais qu'est-ce qu'il faisait chez toi ?

— Il n'était pas chez moi voyons, il a de la famille dans mon immeuble, et on s'est croisé dans l'ascenseur.

— Quelle merveilleuse coïncidence ! Et c'est sûrement pour ça qu'il attendait avec toi sur le trottoir. Me répond Clélie, ironique.

— Ça doit être son côté chevaleresque.

— Chevaleresque, Gabriel de Saint-Alban ? On ne doit pas parler de la même personne. Ce n'est pas le genre à te tenir une porte, tu peux me croire. Depuis que je travaille pour lui, que j'aie les bras chargés ou pas, il ne m'a jamais retenu aucune porte, pas même celle de l'ascenseur.

— En clair, c'est un goujat, si je te comprends bien.

— Non quand même pas, c'est juste que ça ne lui traverse pas l'esprit. Il n'est pas du genre à s'inquiéter pour les autres, que ce soit homme ou femme.

— Je sens que le gala où nous devons nous rendre va être un vrai chemin de croix pour moi.

— Hein ? Mais qu'est-ce c'est que cette histoire de gala ?

— Super, tu es celle qui est censée m'expliquer selon lui, et je comptais bien t'assommer de question. Mais je vois bien que tu es autant dans le brouillard que moi.

— C'est la meilleure celle-là, j'ai de nouvelles attributions maintenant. Bon aller, fini de parler boulot ça va m'agacer. De plus, c'est ta soirée ce soir, on doit te trouver l'homme qui fera de toi une éternelle célibataire.

— Alléluia, je pris pour que cette perle existe.

— Oh, mais elle existe, je te rassure, j'ai même été élevé avec plusieurs de ces spécimens.

Je ris, et nous nous rendons, comme prévu, au restaurant.

Après un délicieux repas, nous retrouvons mon frère à son fameux club. Au bout de 15 minutes de présence, j'ai déjà envie de partir, quitte à accepter d'épouser Steven, c'est dire ! Je me sens comme un sac de marques, exposé dans la vitrine un jour de soldes. Les hommes qui me regardent me font penser à ses femmes prêtent à tout pour être la première à s'emparer du dit sac, à l'ouverture de la boutique. Mon frère avait raison, je n'ai que l'embarras du choix dans cet endroit, mais je ne peux pas être tombé aussi bas.

Alex nous a placés à une table, un peu à l'écart, pour que je puisse faire mon marché tranquillement, mais la mission me semble bien impossible.

— Tu as ta feuille des critères ? Me demande mon frère.

— Oui la voilà, je lui donne le fruit de ma réflexion, et il commence à lire.

— 45 ans maximum.

Au-delà, je ne pourrais pas m'afficher avec lui, j'aurais l'impression de sortir avec un ami de mon père.

— Père de 4 enfants minimum, et ayant subi une vasectomie de préférence.

Ce point est très important pour moi, ma mère tient tellement à avoir des petits enfants qu'elle fera tout annuler les fiançailles, si elle sait que mon futur mari est stérile.

— Une bonne situation financière.

Il faut que je puisse avoir des éléments pour défendre mon idylle face à ma mère. Je veux lui donner une leçon, donc il ne faut pas lui rendre les choses trop faciles, mon prétendant doit donc avoir quelques qualités à ses yeux.

— Égocentrique.

Ça, c'est capital, il doit commencer ses phrases par moi, je. Si mes parents n'arrivent pas à se mettre en valeur, ils vont le détester.

— Moche, mais pas trop.

C'est le point le plus compliqué. Il faut que maman ait honte que je me montre à ses côtés, mais qu'il soit quand même un petit côté attirant, car je ne suis pas vraiment une bonne comédienne. Si je grimace à chaque fois qu'il me prend la main, cela ne va pas le faire.

— Tu as oublié un détail capital, petite sœur.
— Lequel ?
— La taille de sa queue.

La réflexion de mon frère me fait recracher mon cocktail, sur la robe de Clélie, qui était juste à côté de moi.

— Mais tu es barge Alex je m'en fous de ça, je n'ai aucunement l'intention de coucher avec.
— Le sexe toujours le sexe, je vais commencer à croire que tu es une véritable obsédée, Jess. Si je parle de la taille de son service 3 pièces, ce n'est pas pour que tu joues avec, mais bien pour qu'il soit capable de les mettre sur la table devant papa. Si tu lui ramènes un pantin, il va être tellement content d'avoir un mâle à manipuler, que tu vas te retrouver marier avant d'avoir pu dire ouf, même si maman s'y oppose.
— Ouais, moi je pense quand même qu'il faut que tu restes dans des dimensions raisonnables, c'est quand même la deuxième fois que tu m'arroses alors tu dois avoir un problème avec ta glotte. Ajoute Clélie, avec un petit sourire narquois à mon encontre.

Je suis estomaquée, elle ne voulait quand même pas parler de ce genre de choses, non ? Mais à voir la tête d'Alexandre, et le fou rire qu'il essaie de contenir, je crois que oui. C'est exactement ce qu'elle voulait dire.

— Putain, quel sens pratique, 85 b.
— Eh, qui t'a donné ma taille de bonnet ! Je ne l'ai jamais dit à ta sœur.

Clélie me regarde suspicieuse, mais j'agite mes mains, pour lui faire comprendre que cela ne vient pas de moi.

— Désolé, c'est de la déformation professionnelle.
— Tu es vendeur de lingerie ?
— Non du tout, les soutifs, je ne les mets pas. Je les enlève.
— Nan, tu es acteur porno ?

J'adore la tête de mon frère à ce moment, un savant mélange entre l'effroi et la fierté, qu'elle puisse l'imaginer dans ce rôle.

— Oh putain Jess, celle-là, elle est formidable. Tu devrais l'inviter au café chez les parents.
— Au lieu de te foutre de ma gueule, tu pourrais me répondre, s'énerve Clélie.
— Non, je ne suis pas acteur porno, je suis un faiseur de miracles. Tu es plutôt mignonne comme nana, mais entre le 90 d de ma sœur et ton 85 b, il n'y a pas photo. Tu fais moins fantasmer. Je suis chirurgien plastique, et je peux t'augmenter ta taille de bonnet, pour faire de toi une vraie bombe. Je pourrai même te faire un prix.
— Hé, je suis entièrement naturelle moi, je ne suis jamais passé sous ton bistouri.
— Oh mon dieu, Jess ton frère ne vient quand même pas de me proposer de me refaire la poitrine, la ?
— Si, c'est exactement ce que je viens de faire, mais restons modestes. Tu peux m'appeler Alexandre pour l'instant, je serais ton dieu après l'opération si tu veux.

— Jess, tu as fini ton verre ?

— Non, pourquoi ? Je lui demande, incrédule.

— Pour ça.

Clélie prend mon verre encore à moitié plein, et le renverse sur la tête de mon frère.

— Eh, mais tu es folle ! s'écrie Alex.

— Non, et si j'avais eu un seau de glaçons, je te l'aurais envoyé à la tronche, dans l'espoir de faire réduire ton ego surdimensionné.

Alex bougonne, et se dirige vers les toilettes pour réparer les dégâts.

— Ton frère est, ah j'ai même pas les mots.

— Je sais, mais que veux-tu rien ne lui résiste alors la modestie, il ne connaît pas.

— Tu es mon amie ?

— Oui bien sûr, pourquoi ?

— Parce que je vais lui donner une bonne leçon, et j'espère que tu ne m'en voudras pas trop.

— Du moment que tu ne le blesses pas physiquement, ça me va.

— Non non ne t'inquiètes pas pour ça, juste dans son orgueil.

— Dans ce cas, tu as mon feu vert.

— Parfait, alors à tout à l'heure.

Clélie se lève et part en direction des toilettes. Ah que j'aimerais être une petite souris pour voir ce qu'elle va lui faire.

*

Alexandre

Alors ça, c'est la meilleure, je suis gentil, je la complimente. Je suis même prêt à lui faire un prix préférentiel pour son augmentation mammaire, et elle me balance un verre à la gueule.

Ma sœur n'a jamais eu l'occasion de me présenter une de ses copines, mais si elles sont toutes comme celle-là, je m'en passerai bien, merci.

Toujours en train de m'essuyer, j'entends la porte s'ouvrir. Purée, Miss casse-couilles m'a suivie jusque dans les toilettes pour hommes.

— En plus d'un psy, il te faut un ophtalmologue. Tu as des problèmes de lecture, ici ce sont les toilettes des hommes.

— Je sais, c'est toi que je viens voir.

— Tu as récupéré une arme, et tu veux me tuer sans témoins ?

— Bien que ce soit terriblement tentant, je ne suis pas venue pour ça.

Elle me prend la main et m'entraîne dans une cabine, dont elle tire le loquet derrière elle.

— Tu veux abuser de moi ?

— Ce ne serait pas un abus, je pense que tu te laisserais faire.

— Faut voir, montre-moi.

Elle prend ma main, et la pose sur son sein, pour que je la caresse. Je sens ma température monter. Cette fille est chaude comme la braise.

— Tu sens mon sein, comme il se transforme pour toi. Regarde comment il pointe, quand tu le caresses comme ça.

Je regarde sa poitrine et son petit téton délicieux, que j'ai très envie de mettre dans ma bouche. Mais, très vite, mon attention est portée sur sa main, qu'elle a glissée contre mon pantalon, pour me caresser tout doucement.

— Ils sont tout petits mes seins, mais ils te font de l'effet quand même. Ce n'est pas de la silicone que tu tripotes, c'est une vraie partie de moi. Déshabille-toi.

Je m'empresse d'exécuter son ordre et descends mon pantalon.

— C'est vrai, mais il ne fallait pas le prendre mal. Il faut juste savoir vivre avec son temps, la science a fait des progrès, pourquoi ne pas en bénéficier.

— Mais je vis avec mon temps, tes caresses m'ont beaucoup plu, et pourtant, ce n'est pas toi qui vas profiter. Mais, je te promets que ce soir, j'appellerai mon vibro Alex, ça te donnera la satisfaction de m'avoir presque fait jouir.

Je n'ai même pas le temps de comprendre qu'elle me plante là, et sort de la cabine. Je reste comme un con avec le sexe à l'air, et je ne peux même pas lui courir après, car je suis dans l'impossibilité de me rhabiller.

J'en suis réduit à patienter pour résoudre mon problème de pantalon, quand je reçois un texto de ma sœur.

« Je suis rentré avec Clélie, elle était pressée, et m'a dit que tu avais d'autres plans pour ta soirée. Tu aurais pu me prévenir. Au fait, je ne sais pas ce que tu lui as dit pour t'excuser, mais elle avait un grand sourire. Tu es génial comme grand frère, quand tu cesses de faire ton abruti. Je t'aime, à dimanche. »

Et voilà la deuxième douche froide, rien qu'à penser à ce que sa copine va faire avec son vibro en criant mon nom, mon problème me reprend. Je ne suis pas près de sortir de ces toilettes…

Jessica

Je suis dans la voiture d'Alex, pour aller chez nos parents. Clélie n'a rien voulu me raconter de leurs discussions de vendredi, et mon frère non plus. Par contre, son sourire est inversement proportionnel à celui qu'arborait ma copine à notre départ du club. Elle n'a pas dû faire dans la dentelle.

Je ronge mes ongles en silence, quand mon frère me pince la cuisse.

— Aïe ! Tu es fou tu m'as fait mal.
— Et je n'hésiterai pas recommencer, si tu continues ton cinéma. Si maman voit que tu te ronges les ongles, tu es bonne pour des séances chez le psy.
— Oui, mais je stresse.
— Pauvre petite fille, arrête de couiner comme ça. On va manger chez nos parents, pas chez la sorcière d'Hansel et Gretel.
— Facile à dire, ce n'est pas toi qui vas être passé sur le grill.
— Détrompe-toi, je leur ai donné un bâton pour me faire battre.

Je fais de gros yeux face à mon frère, je suis inquiète d'un seul coup, Alex n'est pourtant pas du genre à faire des choses irréfléchies.

— Explique-toi, tu me fais peur.
— J'ai fait le con vendredi soir, après être parti du club. J'ai fini en cellule de dégrisement. Papa a dû venir me chercher chez les flics.
— Mais pourquoi tu ne m'as pas appelé ?
— Ils ont trouvé le numéro des parents sur ma fiche d'urgence qui j'ai toujours dans mon portefeuille. Je ne l'ai pas mise à jour avec ton numéro, car tu viens juste de prendre ton appart.
— Punaise, mais tu as fait quoi ?

— J'avais bu comme un trou alors je suis rentré à pied. En chemin, je suis passé devant la maison de mon ancienne prof de maths, tu sais madame Truchard.

— Oui, je vois bien de qui tu parles.

— J'ai un peu vomi sur son paillasson, et uriné dans sa boîte aux lettres.

Heureusement que ce n'est pas moi qui tiens le volant, sinon je nous aurais mis direct dans le fossé, tellement je suis choquée. Et lui, il me raconte ça calmement, comme si on échangeait des recettes de cuisine.

— Mais tu es malade, qu'est-ce qui t'est passé par la tête ?

— Oh ça va, je n'ai pas brûlé sa voiture non plus ! Je n'ai juste pas eu de bol, que son mari soit en train de fermer ses volets au même moment.

— Et papa comment il a réagi ?

— J'ai pris une calotte, comme quand j'étais môme. J'ai eu le droit au couplet sur le sérieux de notre nom de famille, le quand dira-t-on et sa grande déception que je ne sois pas le fils qu'il avait rêvé d'avoir.

— Oui, rien de nouveau sous le soleil quoi.

— Voilà, mais l'avantage pour toi c'est que ce week-end ça va être ma fête. Il va devoir perdre au golf face au procureur pour que j'écope au pire d'un rappel à la loi, et au mieux d'un classement sans suite. Et tu sais à quel point, il déteste perdre.

— Oh ça oui, je sais. Je suis désolée, j'aurais dû rester avec toi au lieu de rentrer vendredi soir.

— Ce n'est pas ta faute bichette, j'ai besoin de personne pour faire des conneries, tu sais.

— Si tu veux, je te tiens le volant pour que tu te ronges les ongles.

— Tu es mignonne, mais si tu prends le volant, ce n'est pas mes ongles que je vais ronger, mais toute ma main.

— Hé, mais j'ai mon permis !

— Oui, depuis 3 ans et tu n'as pas conduit depuis, alors vu ton état de stress, il est préférable que tu continues de t'abstenir.

— Méchant, je ne vais rien faire pour t'aider face aux parents.

— T'inquiète, je n'ai pas besoin que tu t'en mêles, je vais les laisser causer, tu sais à quel point je me fiche de leur avis. Du moment que je t'ai toi, le reste, je m'en balance.

— Et tu m'auras toujours, je lui confirme.

— Même si je saute ta copine ? me demande-t-il, avec un petit sourire en coin.

— Oui, même si tu sautes ma copine, je lui réponds en soupirant.

Ma pauvre Clélie, je ne sais pas ce qui s'est passé entre vous, mais tu lui as clairement tapé dans l'œil.

*

Jessica

L'avantage quand mon père est furieux après mon frère, c'est qu'il se rappelle qu'il a aussi une fille. Alors, ce midi, je profite des attentions de mon papa. Alex avait raison, maman ne m'a rien demandé sur mon pseudofiancé, car papa ne l'a pas laissé faire. À chaque fois qu'elle a essayé de prendre la parole, il la rabrouait d'un « laisse ma fille tranquille ».

Avec Alex, nous avons un jeu, nous comptons le nombre de ses, tu me fais honte, et de mes, je suis fier de toi. Le perdant paiera le restaurant à l'autre.

Mais nous en étions au dessert, quand mon père a m'a offert la victoire, sur un plateau d'argent.

— Ma fille chérie, nous avons décidé avec maman de t'aider à prendre ton indépendance, alors nous t'avons offert une voiture.

Le bout de tarte que j'ai dans la bouche se bloque soudain dans ma trachée. Je voudrais remercier mes parents et les prendre dans mes bras, mais je n'ai plus d'air, et je me mets à paniquer.

Je me retrouve soudain, dans les bras de mon frère qui pratique la manœuvre de Heimlich, pour me sauver la vie.

Le morceau de tarte qui était en train de me tuer finit par atterrir sans grâce, sur la belle nappe immaculée de maman.

— Je vais finir par croire que ta copine avait raison quand elle parlait de tes capacités buccales, se moque mon frère.

Je le connais bien le bougre, il veut me rassurer, mais je lui ai vraiment fait peur. C'est gentil de sa part, mais bon, ce n'est pas très judicieux d'avoir un fou rire quand on vient de manquer de périr étouffé. C'est super douloureux.

Papa aussi est bouleversé, il nous prend tous les deux dans ses bras, et s'adresse à Alex

— Je suis fier de toi, mon fils.

Mon frère me regarde et me tire la langue.

— J'ai gagné, me murmure-t-il.

Et merde, nous avons parié que peu importe le nombre de compliments que j'aurais engrangé aujourd'hui, si Alex recevait un, je suis fier de toi par papa, il serait déclaré vainqueur par KO.

Cette andouille a été le premier à me sauver la vie pour gagner notre jeu. Je suis sûr qu'il l'a fait exprès. C'est vrai quoi, il aurait pu laisser faire papa, lui aussi, il est médecin.

Maman pleure dans sa serviette, mais avec Alex, on est dubitatifs. Elle est en larmes depuis notre arrivée, alors je ne suis pas sûr que ce soit la peur de me perdre qui est ravivée ses larmes, mais plutôt sa superbe nappe qui ne ressemble plus à rien.

Après le café que j'ai bu du bout des lèvres, papa m'annonce que ma voiture me sera livrée cette semaine, jeudi soir à mon domicile après le travail. Ils ont choisi une petite Toyota hybride de couleur blanche, et neuve en plus.

Le tableau de cette fin d'après-midi est fabuleux. Mon sourire me détruit les zygomatiques, Alex me surveille comme le lait sur le feu dès que j'apporte quelque chose dans ma bouche. Papa couve son fiston des yeux, à un tel point que j'en suis jalouse. Je suis sûre que si papa ne lui avait pas offert une Audi pour son anniversaire, il y a 3 mois, il aurait modifié l'adresse de la livraison de ma voiture pour celle de mon frère. Ses frasques du week-end sont complètement oubliées. Aujourd'hui, son fils a agi comme un vrai médecin. Quant à maman, elle frotte sa nappe, et pleure sans discontinuer.

Mon sourire ne m'a pas quitté lundi, quand je retourne au travail. Après un café vite avalé, avec Clélie, je me remets au travail. Mon projet avance bien et je pourrais bientôt le soumettre à ma supérieure. J'y ai passé toute ma journée de samedi, et je suis vraiment fière de moi.

Mon patron est absent pour trois jours, et je dois admettre que cela accentue ma bonne humeur. Mes collègues masculins se mettent enfin à me parler, ceux qui ne sont pas de grandes discussions non plus, mais je suis passé du signe de tête comme salut, à un bonjour mademoiselle, et ça fait du bien.

Bref, rien ne peut altérer ma bonne humeur, du moins jusqu'à ce que j'ouvre ma messagerie professionnelle, où je trouve, un mail de mon patron, que je m'empresse d'ouvrir.

Mademoiselle Martin Jessica

J'ai besoin de votre présence pour l'inauguration de notre nouvelle filiale lyonnaise.

Vous partirez jeudi pour 15 heures. Un chauffeur passera vous prendre au bureau, pour vous conduire directement à l'aéroport. Clélie se chargera de vous faire parvenir votre tenue, directement à l'hôtel qu'elle nous a réservé.

Gabriel de Saint-Alban

Mais non ! Je vais devoir me rendre à Lyon avec mon patron et jeudi en plus, alors que je devais recevoir ma voiture. Le pire, c'est que je vais devoir prendre l'avion. Je déteste l'avion, j'ai peur et en plus, j'ai le mal de l'air. À chaque fois, je dois prendre des anti-vomitifs, et ils ne font pas toujours effet.

Je vais tout de suite voir Clélie, pour qu'elle m'en dise plus.

— Clélie, tu as lu tes mails ?

— Oui, justement, je t'attendais, me répond-elle, avec un petit sourire en coin.

— C'est quoi cette histoire d'inauguration ? Je lui demande, inquiète.

— C'est une fête donnée pour l'ouverture d'un nouveau bureau, répond-elle, taquine.

— Grr, je sais ce que c'est qu'une inauguration. Mais je te parle plus précisément de celle de jeudi.

— Jeudi ? C'est celle de l'agence de Lyon.

— Clélie, je râle.

— Oui, Jess ?

— S'il te plaît ?

— Je suis chargée de prendre tes mesures pour te commander une robe, et j'ai réservé deux chambres à l'hôtel Mercure. C'est tout ce que je sais. Je ne me suis jamais rendu à une inauguration, alors je ne peux pas t'en dire plus.

— Pourquoi il me faut une nouvelle robe ? Et surtout, pourquoi, c'est toi qui dois la choisir ? Je lui demande en râlant. C'est vrai quoi, je ne suis plus une enfant, je suis assez grande pour choisir une robe toute seule.

— Ne t'offusque pas comme ça, ce n'est pas moi qui vais choisir ta robe, c'est une soirée très chic, et cela fait partie des frais de représentation de la société. Tu es une nouvelle assistante, c'est une prise en charge normale. Ce qui est plus surprenant, c'est que d'habitude, le styliste envoie un catalogue de propositions. Là, je dois juste fournir tes mensurations.

— Mais, alors qui va choisir ma robe ?

— Je n'en sais rien, enfin, je suppose qu'il y a un dress-code pour ce genre de soirée. Et puis, vu que le délai est court, le plus rapide, c'est sûrement de laisser faire les services compétents.

— J'ai un autre souci, jeudi, je dois me faire livrer ma voiture, peux-tu la réceptionner pour moi ?

— Bien sûr, elle doit être livrée directement chez toi ?

— Oui, je te donnerai les clés de mon appart pour que tu la gares à son emplacement réservé, car si je dois être absente 2 jours, je ne veux pas la laisser dans la rue.

— Ne t'inquiète pas pour ça, je m'en charge. Allez, maintenant place au boulot, je dois prendre tes mesures cendrillon.

Je lui tire la langue et me prête au jeu.

*

Jessica

Depuis mon réveil, je n'ai rien pu avaler. Je suis en stress total, je déteste prendre l'avion. J'ai préparé une petite valise, avec mes affaires de toilette, et une tenue pour demain. Je suis sûre de ne rien avoir oublié, car je l'ai défaite au moins 3 fois pour tout revérifier. J'ai préféré de ne pas prévenir ma famille de mon petit voyage, maman aurait été capable de venir avec moi.

Nous avons tout mis au point, avec Clélie pour la réception de ma voiture, cela me fait un souci de moins.

Depuis ce matin, j'enchaîne bourde sur bourde avec ordinateur, je dois me faire à l'idée que je suis incapable de travailler correctement, alors je vais rejoindre mon amie dans son bureau.

— Je t'ai donné les codes de mon immeuble ? Je lui demande, pour la troisième fois depuis mon arrivée au bureau.

Mon amie soupire et ferme son ordinateur, puis elle m'invite à m'asseoir.

— Oui, Jess, j'ai tout ce dont j'ai besoin. Tu m'as fait une feuille complète de recommandation, et nous l'avons déjà vérifié 2 fois hier.

— Je sais, j'exagère, mais comprends moi, je suis sûr que j'ai oublié quelque chose.

— Voyons voir, tu as ton billet d'avion, ton sac de voyage, tes cachets contre le mal du transport, et même ton carnet de santé. Peu importe ce que tu penses avoir oublié, cela n'a pas d'importance et pourra attendre ton retour.

— J'ai peur.

Je chouine un peu, mais c'est vrai, je suis super angoissée.

— Jess, c'est un petit voyage, tu ne pars pas pour un vol long-courrier. Tout va bien se passer.

Allez, je vois bien que tu n'es pas en état de travailler sur ton projet, alors tu vas m'aider à mettre de l'ordre dans mes dossiers.

Je ronchonne pour la forme, mais je suis bien contente de rester avec ma copine. Cela me permet de penser à autre chose qu'à un éventuel crash d'avion.

Nous travaillons dans la bonne humeur, et quand mon chauffeur arrive pour me conduire à l'aéroport, je panique, je n'avais pas vu les heures tourner.

Clélie m'a pratiquement jeté dans la voiture avec mon sac de voyage. Pour me détendre, j'avale deux cachets contre le mal des transports.

Ma copine a bien briefé le chauffeur, au lieu de me déposer, il m'a accompagné jusqu'à la porte d'embarquement. Je crois qu'elle avait bien compris que j'avais l'intention de me cacher dans les toilettes, jusqu'au départ de mon vol.

Sans trop comprendre ce qui m'arrive, je me retrouve dans l'avion assise sur mon siège.

J'ai le bonheur d'avoir à côté de moi, un petit garçon d'une dizaine d'années, montées sur ressorts. Il me raconte qu'il va rejoindre ses grands-parents, et me fait l'organigramme complet de son arbre généalogique. J'adore les enfants, mais celui-là, je voudrais juste le faire taire.

Passer 1 h 30 à l'entendre me parler de grand-tata Louisette, non merci. Pour me détendre, je prends un troisième cachet, avec l'espoir de dormir un peu, comme ça je serais en meilleure forme pour ce soir.

Quand nous arrivons enfin à Lyon, il n'y a pas plus heureuse que moi. Non seulement je n'ai pas été malade, mais j'ai réussi à faire face à l'insurmontable bavardage de mon petit voisin. Il faut dire que le fait que ce soit un enfant y a beaucoup contribué. Au lieu de lui enfoncer mon paquet de Kleenex dans la bouche pour le faire taire, je me suis répété tout le voyage, que c'était un enfant innocent, et que chacun fait ce qu'il peut pour surmonter son stress.

Mais, quand juste après l'atterrissage, il m'a regardé d'un air hautain, j'en suis venue à regretter ma mansuétude.

— Si tu étais mon amoureuse et que je t'attendais à l'arrivée, je partirais sans toi.
— Pardon ? Je lui fais de gros yeux.
— Ben oui, tu verrais ta tête, tu es moche à faire peur.
— Sale gosse !

Il me tire la langue, et part retrouver une dame, que j'identifie très vite comme étant sa mère quand il lui dit.

— Tu avais raison maman de m'envoyer près de la dame, plutôt que de rester à côté de toi. Elle avait vraiment peur et heureusement j'étais là pour la rassurer. Maintenant que j'ai été bien sage, tu vas me l'acheter ma console ?

La dame en question me fait un petit sourire compatissant, et j'en viens à regretter de ne pas avoir demandé au gamin, son numéro de billet quand je l'ai vu s'asseoir auprès de moi.

Dans le hall, j'aperçois un chauffeur avec une pancarte à mon nom. Cela me rassure d'un seul coup, j'avais peur que mon patron ait oublié ce détail, et que je doive me débrouiller seule, dans une grande ville inconnue.

Arrivée à l'hôtel, je suis ravie de constater que tout est en place. Une grande housse m'attend sur le lit, ainsi qu'une boîte à chaussures. Voilà ce que j'avais oublié, les chaussures ! Clélie ne m'a pas demandé ma pointure, et il n'en a jamais été question dans mes mensurations. Je regarde mes petites ballerines, et suis rassurée à l'idée de ne pas avoir à les porter ce soir. Cela aurait été vraiment ridicule.

Ma robe est telle que je l'espérai, longue, noire, et sobre, excepté la fente qui part du genou. Mais bon, sans elle, vu la coupe de la robe, j'aurais eu l'impression de marcher avec une queue de sirène et j'aurais sûrement fini les 4 fers en l'air.

Pour les chaussures, j'ai la surprise de découvrir une paire de Louboutin, identique à celle que j'ai perdue dans mes escaliers. Je suis perdue dans leur contemplation, quand j'entends un bruit de gorge derrière moi.

— Que faites-vous là ? dis-je en me retournant.
— Je suis venu vous chercher, il est déjà 20 heures.
— Déjà, je n'ai pas vu les heures passées, veuillez m'excuser. J'enfile mes chaussures, et je suis prête.
— Fort bien, je préfère vous voir avec cette merveille aux pieds plutôt qu'à la main. C'est une arme redoutable, que le talon d'une femme.
— Si vous n'aviez pas été un tel goujat, je n'aurais pas eu besoin de me défendre.
— Devant un tribunal, votre argumentation ne tiendrait pas une seconde. Dois-je vous rappeler que tvous m'avez envoyé votre chaussure, alors que je prenais la fuite ?

Le bougre, il a raison en plus, l'envoi de ma chaussure, c'était un vilain mouvement d'humeur, mais un jury féminin pourrait me comprendre, ou me condamner à bien pire, pour avoir détruit mes Louboutin.

— Non merci sans façon, je préfère oublier tout de ce jour-là. Je lui réponds en agitant ma main devant mes yeux.

Gabriel me sourit, puis prend ma main dans la sienne.

— Je m'engage à l'oublier aussi, si l'on se tutoie et que tu m'appelles Gabe, ou Gabriel, me dit-il, d'une voix chaude.

Quand il me parle de cette façon, sa voix entre en contact directe avec mes hormones féminines et j'oublie que c'est mon patron et un connard de surcroit. Il va falloir que je prenne un amant, si je veux continuer à travailler sereinement en sa compagnie.

Je balbutie que j'essaierai, et il m'entraîne à sa suite.

L'inauguration est à l'image que je m'en étais faite. Un monde fou, tous désireux de serrer la main de mon patron, et la mienne, vu que j'ai ordre de ne pas le quitter d'une semelle.

Les discussions pompeuses s'enchaînent, et la tête commence à me tourner. Si le champagne coule à flot, le petit serveur au petit cul bien bombé, avec son plateau de petits fours ne passe que trop rarement. D'ailleurs, depuis que j'ai un peu admiré son postérieur, il ne passe presque plus, et m'évite consciencieusement. J'en viens à me demander, s'il n'a pas vu mon petit manège, et si je ne l'intéresse pas du tout. Cela fait très mal à mon ego, l'idée que je ne puisse pas lui plaire, même un petit peu. Pourtant, au début de la soirée, il était souriant avec moi.

L'alcool commence à faire son effet, et les médicaments que j'ai pris dans la journée ne doivent pas arranger les choses.

La tête me tourne, et j'attrape un peu vivement, le bras de mon patron.

Il se tourne vers moi, surpris, et me demande en murmurant.

— Quelque chose ne va pas, Jessica ?

— Je suis désolée, j'ai très mal à la tête, et je crois que je vais être malade.

Mon patron nous excuse auprès de ses convives, en inventant un coup de fil important que nous devons passer, puis m'entraîne vers les étages. J'ai bien compris qu'il veut trouver des toilettes au calme, pour m'éviter une humiliation publique. Si je pouvais parler, je le remercierais, mais il vaut mieux pour nous deux que je garde ma bouche fermée, jusqu'à la cuvette. Mes jambes flanchent un peu, et sa prise se fait plus ferme sur mes hanches. Mes oreilles bourdonnent, et des flashs de lumières blanches m'éblouissent. Une fois passée la porte de l'étage privé, mon patron me soulève dans ses bras, puis me conduit, aux toilettes les plus proches. Cela me rappelle les bras de mon frère, et soudain, je me souviens.

— Alex, j'ai oublié de prévenir Alex, on devait se voir ce soir…

Je n'ai pas le temps de dire autre chose que tout devient noir autour de moi, et je m'évanouis.

*

Alex

Ma journée me paraît bien longue. Je viens de finir ma deuxième rhinoplastie, et je n'ai qu'une envie, aller retrouver ma petite sœur. Ce soir, on fête l'arrivée de sa voiture. J'ai prévu léger, champagne et pizza. Bien que notre péché mignon soit la tequila, hors de question d'abuser en semaine. Demain, on bosse tous les deux, et même si je peux me permettre de dissimuler une gueule de bois dans une matinée de classement administratif, je doute que ce soit la même chose pour ma sœur. Je ne dois pas oublier qu'elle est encore en période d'essai. Mais bon, champagne quand même, car on fête bien plus qu'une voiture neuve, on fête surtout la reconnaissance d'un père, de sa fille.

Notre modèle familial semble classique, un papa, une maman et leurs deux enfants. C'est une image d'Épinal. La réalité, c'est un père qui ne vit que pour son travail, et vu que son fils perpétuera son nom, il lui accordera toute son attention. C'est une mère qui n'aura jamais son mot à dire sur l'éducation de son fils, et à qui il fera un second enfant qui par bénédiction sera une fille, et sur laquelle, elle aura tout pouvoir. Il y a aussi un homme et une femme qui n'ont rien en commun que d'avoir chacun un enfant de l'autre. Puis, il y a ma sœur et moi, qui au lieu de nous déchirer face aux injustices flagrantes, qui ont ponctué notre enfance, avons décidé de rester unis, quoi qu'il arrive, et de ne jamais laisser la jalousie nous envahir.

C'est pourquoi le fait que papa lui offre une voiture, c'est carrément la remise en cause de notre schéma familial.

J'ai eu ma première voiture à mes 18 ans, avant même l'obtention de mon permis, et l'achat de mon appartement pour la remise de mon diplôme. Jess, de son côté, a obtenu le cautionnement de papa pour son premier appartement, et encore, elle ne saura jamais que j'ai dû menacer de faire un crédit afin de lui offrir moi-même, pour que mon père appose sa signature sur les documents de l'agence immobilière.

Je suis surexcité pour ma sœur, sûrement plus qu'elle, d'ailleurs. Je m'attendais à être bombardé de messages, elle ne m'en a pas envoyé un seul de la journée.

Ayant fini mes rendez-vous, je décide de me rendre directement chez elle, pour préparer notre petite soirée. Je suis prévoyant, j'ai préparé toutes mes affaires afin de dormir sur place.

Elle ne sera pas là, avant une bonne heure, ce qui me laisse le temps de prendre une bonne douche.

Clélie

J'ai été plus que productive au travail aujourd'hui. Il faut dire que Jessica m'a bien aidé. Elle était tellement stressée, qu'elle est restée avec moi toute la journée. Le concessionnaire m'ayant prévenu qu'il aurait de l'avance, j'ai fini plus tôt et je me retrouve actuellement devant l'entrée de son garage. La transaction est rapide, à peine quelques minutes et je n'ai plus qu'à aller déposer les clés et les papiers, dans l'appartement de mon amie.

Une fois devant sa porte, quelque chose m'intrigue. Elle n'est pas fermée à clé. Mon Dieu, et s'il y avait un cambrioleur ! Quoi que, vu l'état de stress de ma copine, cela pourrait être, un oubli de sa part. Si j'appelle la police alors que je me trompe, c'est moi qui vais finir au poste, vu que je n'ai rien à faire là. J'ai bien une bombe aux poivres anti-agression dans mon sac, je la récupère et me décide à rentrer.

L'ordre qui règne dans l'appartement me rassure un peu, mais j'entends un bruit bizarre. De l'eau, il y a de l'eau qui coule dans la salle de bains. Je me fais plusieurs scénarios dans la tête, un tueur en série qui a assassiné les voisins et se lave pour cacher son forfait ? Oui, mais pourquoi se laver dans un autre appartement ? Et si Jess avait oublié d'éteindre sa douche en partant ce matin. Je sais que ça paraît gros, mais vu l'état dans lequel elle était, cela reste possible. J'hésite entre m'enfuir, et entrer dans la salle de bain. Mon grand sens de l'amitié prend le dessus et j'entrouvre la porte, bombe à la main, au moment même, où l'eau se coupe.

— Ahhh !

Un homme nu est dans la salle de bains de mon amie. Dans la panique, j'attrape ma bombe, et j'appuie dessus.

— Oh la garce ! Oh putain ! Mais, tu es une folle, ce n'est pas possible.

Merde, je reconnais cette voix. C'est Alexandre le frère de Jess, mais c'est un peu tard...

— Désolée, je croyais que c'était un cambrioleur, je ne savais pas que c'était toi, je suis vraiment désolé.
— Je peux faire quelque chose pour t'aider ? Je lui demande doucement.
— Surtout pas ! Ou plutôt si, trouve-moi des glaçons.

Je pars en courant vers la cuisine, tout en m'insultant de cruche, en silence. Je n'ai pas besoin de le faire à haute voix, Alex le fait très bien pour moi, tout en faisant des sauts de cabris dans la salle de bains. Je lui mets des glaçons dans une serviette propre et me précipite pour lui donner.

— Tiens, tu peux le faire tout seul, ou tu as besoin que je t'aide ?

Alex me regarde avec des yeux ahuris. Il faut comprendre un détail, ce ne sont pas ses yeux que j'ai visés, c'est son sexe. Ce n'est pas de ma faute non plus, d'abord, je suis petite, 1 m 55 et lui doit faire plus d'1 m 90. Donc si j'avais voulu lui atteindre les yeux, il m'aurait fallu un escabeau. En plus, je n'ai pas fait attention à son propriétaire, j'ai vu une queue inconnue devant moi, alors j'ai tiré pour me défendre.

— Ne me regarde pas comme ça OK, c'était une mauvaise idée de te proposer mon aide.
Va t'installer sur le canapé avec tes glaçons. Je vais nettoyer tout ce bazar et t'apporter tes vêtements.

Après avoir remis la salle de bain en état, je le rejoins dans le salon.

— Tu te sens mieux ? Je lui demande timidement.

— Ouais, si tu veux savoir si je peux encore m'en servir, il va falloir attendre un peu. Cela ne me dit pas ce que tu fais seule chez ma sœur, me répond-il plutôt menaçant.

— Comme tu l'as dit, on est chez ta sœur, pas chez toi. C'est elle, qui m'a demandé de venir pour réceptionner sa voiture.

— Impossible, c'est bien trop important pour elle, de plus, nous avons prévu de nous voir ce soir, alors elle n'irait pas faire des heures supplémentaires aujourd'hui, je te le redemande, gentiment. OÙ EST MA SŒUR ?

Son cri me fait mal aux oreilles, mais il est malade, si j'avais encore ma bombe, je lui en ferais avaler. Il s'est levé d'un bond du canapé et le sac de glaçons a glissé. Il se tient, tout nu devant moi, le regard noir, les poings serrés et le zizi tout riquiqui. Car, oui le froid ça contracte. Je prends sur moi pour ne pas rire, et lui redonne son sac de glace.

— Ta sœur est à Lyon, ne te fais pas de soucis, elle va bien.

— Lyon ? Mais qu'est-ce qu'elle fout là-bas ?

— Elle a pris l'avion cet après-midi, pour se rendre à l'inauguration de notre nouvelle succursale.

Alex se lève et attrape ces clés.

— Dépêche-toi, prends tes affaires, tu vas me conduire à l'aéroport.

— Mais, ça ne va pas bien, bordel, tu ne peux pas de sortir comme ça, tu es tout nu !

— Merde, c'est vrai, file-moi mes fringues, magne-toi.

— Bon stop, ça suffit les conneries, tu n'as pas besoin d'aller la rejoindre en plus de ça, tu n'auras pas de vol pour partir ce soir. Elle rentre demain, tu la verras à son retour.

— Tu ne comprends rien, je suis sûr qu'elle est encore à l'aéroport, elle doit se cacher quelque part, je dois aller la chercher.

Je ris, j'ai bien eu raison de me méfier de ma copine.

— Mais non, j'ai tout prévu, quand j'ai vu comment elle était paniquée, j'ai demandé au chauffeur de la conduire jusqu'à la porte d'embarquement et de prévenir les employés de ne pas la laisser sortir.

— Tu la connais bien alors, sais-tu, si elle est bien arrivée ?

— Oui, un chauffeur la conduite à son hôtel, j'ai reçu un message de confirmation. Vous faites quand même une belle brochette de cinglés, tous les deux, entre ta sœur qui préférerait passer la nuit dans les toilettes d'un aéroport, et toi qui allez sortir la chercher à poil.

Je pouffe derrière ma main, mais l'image mentale est trop drôle alors j'éclate bientôt de rire, suivie par Alexandre.

— C'est vrai, j'aurais sûrement fini au poste. J'avais prévu de passer la nuit ici, tu veux partager un bout de pizza avec moi ?

— C'est gentil, mais je ne veux pas te déranger.

— En fait, tu ne déranges pas, c'est juste que j'ai déjà commandé et qu'elle ne va plus tarder à être livrée. Et tel que tu me vois là, je ne peux pas encore enfiler de pantalon pour aller ouvrir.

— Je rêve où tu veux m'utiliser ?

— C'est exactement ça, mais je ne te la ferai pas payer, je l'ai réglée par CB quand je l'ai commandé.

— OK, mais couvre-toi un minimum quand même. Ça me fait bizarre de te voir comme ça.

— Et tu veux que je mette quoi le déshabillé en soie mauve de ma sœur ? Jamais de la vie ! Je tiens à ma virilité quand même.

— Tu sais, je t'ai vu nu après 30 minutes de glace, alors ta virilité ne craint plus rien avec moi ce soir.

Sans que j'aie le temps de réagir, Alex me fait tomber sur le canapé et colle sa langue dans ma bouche.

Qu'est-ce que je disais déjà ? Je ne sais plus, mais s'il arrête de m'embrasser, je le mords ! Tout à coup, on entend la sonnerie de l'interphone.

— Merde, la pizza.

Je cherche à me relever, mais Alex se fait plus lourd sur mon corps.

— Si on arrête maintenant, tu crois qu'on pourra reprendre après manger ?

— Je ne sais pas.

— Moi non plus, alors on continue et on s'en fout de la bouffe.

Je le sers fort contre moi et lui attrape les fesses à deux mains.

— Tu as raison, on s'en fout de la bouffe…

*

Gabriel

J'ai toujours eu un problème avec la fée des vœux. Tout petit, j'avais demandé un tigre, et j'ai eu un chat. J'ai voulu une moto, et j'ai eu une trottinette. Je vous voulais un frère, et j'ai reçu une demi-sœur. Alors quand j'ai souhaité voir Jessica dans mon lit, j'aurais dû préciser que je ne la voulais pas inconsciente.

Après son malaise, j'ai paniqué, je nous ai fait excuser discrètement, et vue qu'elle respirait, je suis passé par la sortie de secours pour rejoindre notre hôtel.

Le médecin que j'ai fait sortir de son lit est formel. La jolie fille qui ronfle, comme une bien heureuse dans mes draps, dort comme une souche. Il faut dire que l'examen des poches de sa veste nous a bien aidés. Nous avons trouvé une boîte de médicaments contre le mal des transports, achetés la veille, si on s'en réfère au ticket de caisse qui l'accompagnait, où il manquait non pas 1 ou 2 cachets, mais 3 ! Cette fille est folle, vu sa morphologie, un demi-comprimé aurait suffi à l'assommer, alors la dose qu'elle a prise, associée à l'alcool, c'était limite suicidaire !

Toutes ses constantes sont bonnes, mais je préfère la surveiller de près, alors je la garde dans ma chambre. De plus, je ne suis pas près de trouver le sommeil. Je ne sais pas qui est cet Alex, dont elle m'a parlé avant de sombre, mais aussi, car je suis persuadé d'avoir reconnu le mari de ma mère au gala de ce soir. J'ignore ce qu'il faisait là, mais connaissant la perfidie de ma génitrice, sa présence n'augure rien de bon.

Le bip incessant de mon portable me prouve bien vite que j'avais raison. J'ai fait mettre une alerte sur les sites people quand mon nom est cité, et là, cela semble être l'escalade.

Fébrile, je regarde sur mon smartphone.

La salope ! Ma mère a vendu la photo de ce soir où l'on me voit soutenir Jessica, sous le titre « le très convoité Gabriel de Saint-Alban, enfin fiancé ». C'est vrai que l'angle de la photo est tel, que l'on a l'impression que je l'embrasse.

J'imagine déjà, lancer mon armada d'avocats contre ma mère, quand je reçois un appel inattendu, mon père !

Inquiet à l'idée qu'il ait pu arriver quelque chose à ma grand-mère, je décroche aussitôt.

— Papa ?
— Espèce d'enfant de salaud…

Bon, visiblement, il est encore sous l'emprise de l'alcool, d'ailleurs il ne se rend pas compte qu'il s'insulte lui-même.

— C'est moi-même, que puis-je faire pour toi ?
— C'est ma maison, tu m'entends et tu ne l'auras pas.
— Je croyais qu'on avait réglé ce détail devant le notaire…
— Tu savais que si tu te mariais dans l'année qui suit son décès, cela annule le testament et j'étais obligé de te rendre la baraque, tu le savais bordel.
— Mais de quoi tu parles ?

Je m'énerve

— Je ne te laisserai pas faire, tu n'épouseras pas cette gamine, et la maison restera à moi. Jamais ma salope de mère, ne remettra un pied dedans, je t'en fais la promesse. Ils m'ont viré de l'entreprise, cassé mes rêves, alors je ne lui ferais pas de cadeaux. Tu sais le pire, c'est que cette maison, c'était tout pour elle. Tu te souviens de la petite stèle dans le jardin ? Je t'ai toujours fait croire que c'était un chien enterré là, mais c'est un gosse. Son gosse, le frangin que j'aurais dû avoir, celui qui aurait été leur fils prodigue. Il a claqué à la naissance, et son utérus avec, alors ils ont dû se contenter de moi. Je suis condamné à voir mon fils à ma place, elle est condamnée à ne plus jamais voir le sien. C'est donnant donnant.

Je fulmine, si je l'avais devant moi, je lui démonterais la gueule, père ou pas. Mais à l'écoute de ses propos d'alcoolique, je comprends que j'ai beaucoup mieux contre lui, que de la violence physique.

— Papa, l'alcool ne t'a jamais réussi, tu sais ? Tu viens de faire la plus grosse erreur de ta vie. Je ne savais rien de cette clause, mais je te promets que dans moins de six mois, je serai marié. Je te ferai parvenir un faire-part avec un lot de cartons de déménagement, histoire que tu comprennes bien ce qui t'attend. J'aurais pu te proposer de te racheter la maison, mais puisque je peux la récupérer sans te verser un centime, je ne vais pas me priver.

Je n'attends pas sa réponse, que je raccroche violemment. Comment mon grand-père a pu lui laisser la maison sachant l'importance qu'elle avait pour ma grand-mère ? Oh, je sais bien pourquoi, pour moi, pour que mon père ne puisse pas s'opposer à ma prise de contrôle sur l'entreprise, mais je ne méritais pas un tel sacrifice. Je te promets, mamie, que tu vas la récupérer ta maison, même si je dois me marier pour cela.

En voulant me nuire, ma mère vient de me faire un beau cadeau. Oublié les avocats, je vais m'empresser de confirmer la nouvelle. Enfin, il va quand même falloir que j'en parle à la principale intéressée.

Je me vois bien la réveiller avec une fleur et une bague ! C'est pour du coup qu'elle va me refaire un malaise.

En plus, je ne sais même pas si elle est célibataire, c'est qui cet Alex dont elle parlait. Je ne peux pas l'interroger vu son état, mais je peux toujours fouiller dans ses affaires, elle n'est pas près de me surprendre.

Je vide son sac à main sur la table. Cette fille est vraiment incroyable, quel adulte se promène avec son carnet de santé dans son sac ! Pas de maquillage, ni tampons, préservatif ou autre culotte de rechange. Elle n'a donc pas l'habitude de découcher. Je trouve son iPhone dans ses affaires, il est éteint, mais c'est un modèle à empreintes. Je m'approche de ma nouvelle fiancée, et lui attrape la main. Je dois appuyer assez fermement sur son doigt, car dans l'état quasi végétatif ou elle se trouve, elle ne m'est d'aucune aide.

Son portable regorge de messages de « mon autre moitié », cela commence à me désespérer, mais leur lecture me rassure. Il s'agit de son frère et effectivement, il devait se voir ce soir. Alors comme ça, son père vient de lui offrir une voiture. Il va falloir que je trouve une autre idée de cadeau de fiançailles.

Sa vie est une vraie misère sociale, pas de compte sur les réseaux sociaux et une petite douzaine de contacts dans son répertoire. Papa, maman, mon autre moitié, Clélie, tient, elle semble particulièrement proche de mon assistante, et les numéros d'urgence, médecin, pharmacien, dentiste, etc.

Un seul contact semble sortir du lot et cela me fait m'étouffer de rire. Elle a noté, attention ne pas décrocher Steven le gros lourdaud. Je ne sais pas qui est ce mec, mais ce n'est clairement pas un rival.

Sa mère lui a laissé plusieurs messages que je ne tarde pas à écouter. Elle est ravie de connaître enfin l'identité de son fiancé, et elle ne comprend pas pourquoi elle a tant attendu pour lui annoncer. D'ailleurs, elle nous invite sans fautes. Dimanche midi, elle nous fera un osso buco.

Là, je suis décontenancé. Elle avait l'intention de présenter quelqu'un à ses parents ? Qui est ce crétin, qui veut me piquer ma femme ! Je ne vais pas me laisser faire !

Quand son téléphone sonne à nouveau, je sais ce qu'il me reste à faire, je dois devancer mon rival. C'est le moment de faire connaissance avec ma belle-mère.

— Allo, mon bébé, tu réponds enfin.

— Bonsoir Madame, ce n'est pas Jessica, je suis désolé la soirée a été en peu mouvementée et elle dort.

— Oh, vous êtes Monsieur Saint-Alban !

— Oui Madame, mais appelez-moi Gabriel, je vous en prie. Je suis confus que vous ayez appris notre relation de la sorte, nous voulions vous faire la surprise.

— Oh ! comme c'est gentil d'avoir voulu nous faire une surprise ! Elle n'est pas gâchée, ce n'est pas grave, mais appelez-moi Dolores, nous allons bientôt faire partie de la même famille. Mais dites-moi, les journaux disent que vous êtes fiancés, c'est vrai ?

— Si vous voulez savoir si j'ai l'intention de demander votre fille en mariage, c'est exact. Mais, permettez-moi de le faire dans les règles, et de d'abord m'adresser à votre mari.

— Oh, c'est formidable et tellement romantique ! Je ne vais pas vous embêter plus, je sais que vous devez être très occupé, dites à ma chouquette que je vous attends dimanche.

— Merci beaucoup, Dolores, j'ai hâte de vous rencontrer enfin.

— Et moi donc, à dimanche.

Lorsqu'elle raccroche, je me doute bien qu'elle va répandre la nouvelle. Peu lui importe qu'il soit 1 heure du matin. Bon, pour la belle-mère, c'est dans la poche. Ne reste plus qu'à convaincre l'heureuse élue.

Je disais donc des fleurs et une bague, il faut que je m'en occupe au plus vite, je prends les mesures de doigts de ma belle endormie tant que je le peux. J'ai comme dans l'idée, que la prochaine fois que je verrai sa main d'aussi prêt, je la sentirai sur ma joue, et pas pour une douce caresse.

Je vais lui choisir un très beau diamant, et je ne vais pas lésiner sur les moyens.

Après tout, c'est ma fiancée, et j'ai comme un petit truc à me faire pardonner…

*

90

Jessica

J'ai mal à la tête, je me sens vaseuse, et j'ai terriblement soif. Comme je n'ai pas la force d'ouvrir les yeux, je tâtonne avec ma main, à la recherche de la bouteille d'eau, que je garde toujours près de moi la nuit. C'est bizarre, je sens comme une étoffe sous ma main.

Oh, mon dieu, je ne suis pas seule dans mon lit. Je panique et en cherchant à me lever, je tombe sur le sol.

— Ça va ? Tu ne t'es pas fait mal ?

C'est la voix de mon patron, mais qu'est-ce que je fous dans un lit, avec mon patron !

— Nous ne sommes pas dans un lit, mais dans une voiture, me répond-il, en souriant.

— Je crois que j'ai pensé tout haut.

J'attrape la main qu'il me tend pour m'aider à me relever, car je suis un peu coincée sur le plancher arrière de la voiture.

— Oui, je crois aussi.

— La soirée est finie alors ?

Je parle avec une toute petite voix, car je n'ai pas souvenir d'être partie de la soirée. Je me sens un peu honteuse. J'espère que je n'ai pas fait n'importe quoi.

— La soirée, la nuit et presque toute la journée qui suit. Tu ne te souviens de rien ?

— Non pourquoi ? Que s'est-il passé ?

Je le regarde de plus en plus inquiète, il a l'air gêné. Comment j'ai pu oublier presque vingt-quatre heures. J'espère que je n'ai pas été trop ridicule. Je ne lui aurais pas fait du rentre-dedans quand même ?

Il se racle la gorge ce qui ne me rassure pas du tout.

— Tu as fait un malaise hier soir, ce n'est pas bon de mélanger les médicaments et l'alcool.

Il me fait de gros yeux, et je me fais toute petite sur mon siège.

— Je suis désolée, j'ai peur en avion et je n'ai pas fait attention que je prenais trop de médicaments.

— Tu aurais dû me le dire. Je la gronde un peu, mais j'ai besoin qu'elle se sente un peu coupable pour mieux accepter ce que j'ai à lui apprendre.

— Je suis sincèrement désolée, je n'avais pas réalisé que je prenais trop de cachets. Que s'est-il passé s'il vous plaît ? Je ne me souviens de rien ?

— Nous nous sommes fiancés.

Hein, il est fou, lui ! Je le saurais quand même si je m'étais fiancée, non ?

— QUOI ? Là, croyez-moi, je suis bien réveillée. Si j'étais au volant, j'aurais perdu le contrôle de la voiture, ça, c'est sûr ! Mon patron semble attendre que je me calme pour continuer, et je lui en serai presque reconnaissante, car je suis au bord de l'arythmie cardiaque. Mais la bombe, qu'il vient de me sortir, est trop forte, pour que je le laisse continuer à se taire plus longtemps.

— Mais expliquez-moi bon sang ! Comment avons-nous pu nous fiancer en une soirée ?

— Doucement, calme-toi. C'est plutôt simple, en fait. Il se trouve que tu as fait un malaise dans mes bras, les paparazzis nous ont pris en photo, et ma mère s'est empressée de déclarer nos fiançailles. Je m'apprêtais à démentir, mais j'ai appris une nouvelle bouleversante qui change tout, et je dois absolument me marier sous 6 mois. J'ai donc confirmé notre relation à la presse.

— Mais vous êtes fou, et mon avis à moi ? Cela vous arrange peut-être, mais pas moi ! Je ne veux pas me marier.

— Si tu n'avais pas pris autant de cachets, rien de tout cela ne serait arrivé. Tu es la première responsable de cette situation. Quant à tes impressions sur le mariage, il semble en profond désaccord avec ce que m'a dit Dolorès.

Dolores ! Non-pitié, mon Dieu ! Ne me dites pas que ma mère est au courant de cette mascarade ni qu'ils se sont déjà parlé…

— Dolores ? Maman, vous avez parlé à maman ?

— Oui, elle n'arrêtait pas de t'appeler et je ne voulais pas qu'elle s'inquiète. Tu as dormi pendant dix-huit heures. Je ne pouvais pas la laisser comme ça, sans nouvelle de ta part.

— Vous avez démenti ce qu'on écrit les journaux ? S'il vous plaît, dites-moi que vous lui avez démenti ?

— Bien sûr que non, puisque je viens de te dire que j'ai confirmé notre relation aux médias. Il faut que je marie au plus vite, je ne vais pas démentir alors que tu vas devenir ma femme.

— Mais mon avis à moi bordel ! Tu t'en tapes ou quoi ?

— Ah enfin, tu me tutoies. C'est un concours de circonstances, c'est tombé sur toi, comme cela aurait pu tomber sur une autre. Il y a des moments dans la vie où il faut faire des choix, c'est ce que j'ai fait.

— Eh bien, vous avez eu tort. Il est hors de question que je vous épouse.

Je lui tourne le dos et croise mes bras. Non, mais oh ! Il croit quoi monsieur beau gosse, que je vais l'épouser parce que ça l'arrange !

— Ta réaction est très puérile, tu sais. Ce n'est pas en boudant qu'on résoudra tes problèmes.

— Puérile ! Non, mais je rêve, bien sûr que je boude ! Mince alors, je me réveille, j'ai mal à la tête, et j'apprends que je suis devenue votre fiancée pendant la nuit. Excusez-moi d'être en colère.

Monsieur mon patron, me regarde et se met à siffloter comme si je n'étais pas là.

— Grr, répondez-moi bordel !

— Je fais faire une exception, et te répondre pour que tu comprennes bien. À partir de maintenant, tu as deux choix, ou tu me tutoies et je t'écoute, ou tu me vouvoies et je t'ignore.

— Connard !

Bon, oui, OK, c'est mon patron, mais là, en cet instant précis, c'est surtout un homme que je rêve de réduire à la taille d'un insecte et de l'écraser sous mes semelles.

Il souffle et prend ma tête dans ses mains pour la tourner vers lui.

— Écoute, ce ne sera pas un vrai mariage d'accord ? J'ai besoin que l'on fasse ça sous six mois pour que ma grand-mère récupère sa maison.

— C'est une noble cause, mais je suis sûr que vous pouvez trouver une autre candidate.

— Non, si j'épouse quelqu'un d'autre sous 6 mois alors que tous les journaux ont annoncé nos fiançailles hier soir, les avocats de mon père dénicheront la supercherie et je ne pourrai pas rendre sa maison à ma grand-mère.

— Mais je ne veux pas me marier.

— Je sais, je suis désolé de te forcer la main, mais je ne serai pas ingrat, je te laisserai la gestion entière d'une de mes agences, ce sera mon cadeau de mariage.

— Mais ça ne va pas la tête, je ne suis pas une parvenue, je sors tout juste de l'école, je suis incapable de gérer une agence. Je ne veux pas de traitement de faveur. Je veux être reconnue pour mon travail et rien d'autre.

— Bien, alors dis-moi ce que tu veux, une villa ? Un bateau, de l'argent, je peux t'offrir tout ce que tu veux.

— Mais je ne veux rien de tout ça, je ne suis pas à vendre !

Mais sérieusement, il me prend pour qui là. Le pire, c'est qu'il tient toujours ma tête entre ses mains et je le trouve beaucoup trop proche, pour garder les idées claires.

Ses grands yeux m'hypnotisent, par Osiris et parapys, épouse-moi Jessica.

Oh là ! Il faut que je me reprenne, on n'est pas dans un album d'Astérix. Je pousse ses mains et me colle contre la porte, mais je reste face à lui, je n'ai pas envie qu'il se rapproche encore.

— Excuse-moi je ne voulais pas me montrer insultant, c'est juste que j'ai vraiment besoin que l'on se mari alors c'est normal que tu en tires profit aussi, c'est un gros sacrifice que je te demande, j'en ai conscience.

— Oh bordel, tout va trop vite là, ce n'était pas le plan du tout. Je devais trouver un fiancé qui soit, un beauf lourdaud, pour que ma mère fasse tout pour empêcher le mariage, pas quelqu'un comme vous !

— Bien, on avance, déjà tu ne penses pas que je ne suis pas un gros beauf lourdaud, me dit-il amusé.

— Eh, ce sont les critères de la mère, pas les miens !

Je ne vais pas quand même pas lui faire un compliment, il ne manquerait plus que ça.

— Je sais que cela ne va pas être facile pour toi, mais nous allons devoir agir comme un couple, même au travail.

Ben voyons, je sens que je vais me faire plein de nouvelles copines.

— Et si je refuse ?

— Alors je ferai une conférence de presse pour annoncer que j'ai rompu nos fiançailles, que tu es femme vénale, car que tu exigeais que je fasse de toi la directrice générale d'une de mes plus grosses agences de Paris.

— C'est un mensonge !

Je suis tellement outré, que je cogne mes petits poings contre son torse. Gabe m'attrape les deux poings avec une seule main et m'oblige à le regarder dans les yeux.

— Je le sais et tu le sais, mais qui crois-tu que les médias écouteront ? Tu te retrouveras sans emploi et avec une réputation qui te collera à la peau.

Sa voix est claire, c'est celle d'un véritable business man, qui sait ce qu'il veut et fera tout pour l'obtenir.

— Mais c'est du chantage bordel ! Je proteste encore, mais j'ai bien compris que je n'ai pas le choix.

— Oui, j'en suis désolé pour toi, mais je ferai tout pour ma grand-mère quitte à ce qu'il y ait des dommages collatéraux. Tu peux m'aider à récupérer la maison et crois moi, je ne serai pas ingrat. Tu obtiendras de ce mariage tout ce que tu veux, ou je peux ruiner ta future carrière professionnelle et ta vie personnelle avec.

— Tu es abject, tu me demandes juste de choisir entre t'épouser, ou voir ma vie foutue en l'air.

C'est trop d'émotions pour moi et je commence à pleurer. Ceux ne sont pas des larmes de tristesse, mais plutôt des larmes de rage.

— Non ne pleure pas s'il te plaît, si tu acceptes de m'épouser, je te promets que je ne te ferai pas de mal. Je suis sûr qu'on sera de bons amis, et puis quand tous les papiers seront faits et que ma grand-mère aura déménagé, nous divorcerons à mes torts exclusifs. Tu pourras me faire passer pour un salaud si tu veux, je ne contesterai rien.

— Super, j'aurai l'étiquette de la femme délaissée, et il faudra que je retourne chez mes parents. Connaissant maman, il faudra que j'épouse Steven en secondes noces, pour laver cet affront.

— Alors nous resterons mariés, si tu préfères. J'accepterai toutes tes conditions.

— Tu ne te rends pas compte de ce que tu dis.

— Si, crois-moi je mesure parfaitement tout ce qui se passe.

— Même si notre relation n'est pas réelle, tu vas devoir mettre un frein à tes conquêtes. Si mon père apprend que je suis cocu avant le mariage, il ne me laissera jamais t'épouser.

— Pas de soucis, je ne sors avec personne de toute façon.

OK coco, tu ne sors avec personne, mais tes coups d'un soir, tu oublieras aussi. Si tu me trompes, papa le saura vu qu'il te fera suivre par un détective privé, mais je vais bien me garder de te prévenir, c'est peut-être être ma porte de sortie.

— Je n'y crois pas, moi qui devais tout faire pour ne pas me marier, je me fais mettre le couteau sous le cou.

— On dit la corde au cou, non ?

Je lui adresse un regard noir, je sais quand même ce que je dis ! Mais vu qu'il n'a pas l'air de comprendre, je vais me faire le plaisir, de lui expliquer ma façon de penser

— Faut-il vraiment que je t'explique la différence, entre un suicide choisi et un suicide sous la menace ?

— Tu as une haute opinion du mariage à ce que je vois.

Il hausse les sourcils, et semble soucieux. Et oui, tu aurais peut-être dû te renseigner sur ta fiancée avant de t'engager.

Le mariage n'a jamais fait partie de mes rêves de petite fille.

— C'est sûrement grâce à mon modèle familial.

Je glousse, je crois qu'il va déchanter dimanche, il va peut-être vouloir tout annuler avec de la chance.

— Je te propose de me faire un petit topo sur ta famille, pour que je ne sois pas trop perdu et je te ferai la même chose pour la mienne. Ensuite, on mettra au point l'histoire de notre coup de foudre. Mais avant.

D'un seul coup, je me sens soulevée et je me retrouve en travers de ses genoux.

— Non, mais ça ne va pas !

— Au contraire, ça va très bien. Nous sommes fiancés, il va donc falloir nous montrer proches l'un de l'autre pour que tout le monde y croie. Nous allons être cernés par les paparazzis, alors je vais devoir t'embrasser, il va falloir t'habituer à mes gestes de tendresse.

— Nous ne coucherons pas ensemble.

Non, mais oh ! OK, il est beau et sexy, mais il reste mon patron quand même.

— Ne t'inquiète pas, ils ne nous suivront jamais à l'intérieur de mon appartement. Nous ne serons pas obligés d'en arriver là. Mais il faudra nous embrasser.

— Nous embrasser ? Oui, pourquoi pas. Mais comment ça ton appartement, je ne vais pas habiter avec toi quand même ?

— Pour l'instant non, mais quand nous serons mariés, il le faudra bien.

— Mais...

Je voudrais protester, mais il couvre mes lèvres avec les siennes…

*

Gabriel

J'ai posé mes lèvres sur les siennes pour la faire taire, mais je ne m'attendais pas à ça. Vous savez les papillons dans le ventre, ces trucs romanticoféminins là ? Eh bien, ce n'est pas du tout ce que j'ai ressenti. C'est plutôt une envie bestiale de lui dévorer la bouche, et lui faire l'amour sur la banquette arrière de la voiture. Il n'y a rien de romantique là-dedans.

Oui, mais, je me suis déjà comporté comme le dernier des derniers en la menaçant alors je vais modérer ma sauvagerie.

Quand elle entrouvre les lèvres, je mets fin à notre baiser, mais la garde serrée dans mes bras. D'abord, parce que je me sens bien avec son corps contre le mien, et ensuite, si je bouge, elle pourra se rendre compte que mon pantalon a comme subitement rétréci au lavage...

— Tu es prête à répondre à mes questions ? J'aimerais que tu me présentes chaque membre de ta famille en 3 mots, pas plus. J'en ferai de même pour la mienne.

Elle acquiesce de la tête, alors je me lance.

— Tu peux me parler de ton père ?
— Neurochirurgien, égocentrique, golfeur, et le tien ?
— Alcoolique, incapable et haineux, ta mère ?
— Maniaque, envieuse et obsédée par mon futur mariage.
— C'est super ça, on va bien s'entendre elle et moi.
Elle me donne une petite tape sur le torse, qui me fait sourire.

— Attends de la rencontrer, et on en reparle, ta mère à toi ?
— Menteuse, manipulatrice et vénale.

— Waouh, j'ai carrément envie de rencontrer mes futurs beaux-parents maintenant.

Et oui, j'ai le couplet gagnant ! Heureusement, mes parents ne font plus vraiment partie de ma vie.

— Rassure-toi aucun des deux ne sera invité au mariage. Ma vraie famille se résume à ma grand-mère et à ma demi-sœur, Lola.
— D'accord, alors ta grand-mère ?

Ah ma grand-mère, la femme la plus merveilleuse du monde, celle pour qui je donnerai ma vie.

— Aimante, bienveillante et curieuse.
— Ta sœur ?
— Loyale, travailleuse, pétillante, et ton frère ?
— Décidément, ma vie ne semble pas avoir beaucoup de secrets pour toi… C'est difficile de résumer Alex en 3 mots.
— Hé, c'est le jeu, ne change pas les règles.
— OK, alors je dirai, fou, protecteur, indispensable.
— C'est beau.
— Alex saura que toi et moi, c'est bidon, même si je ne lui dis rien. Quand il apprendra la vérité, il viendra te casser la gueule.

— J'en prends note et je le laisserai faire. Je ne suis pas fier de moi, tu sais, mais quand tu auras rencontré ma grand-mère, tu comprendras mieux mes motivations. Peut-être arriveras-tu alors à excuser mes actes.

— Que va-t-on dire à ta grand-mère ?
— Que l'on s'aime tout simplement, je ne veux pas qu'elle sache que nous faisons ça pour elle.
— Je ne le fais pas pour elle moi, je le fais, car tu ne m'as pas laissé le choix.
— Aujourd'hui oui, mais quand tu la connaîtras tu le feras aussi pour elle, tu verras.

Elle ne dit plus un mot et je savoure ce calme qui nous entoure. Je la sens de plus en molle entre mes bras et m'aperçois qu'elle s'est endormie. Il faut croire qu'elle n'a pas évacué l'effet des médicaments.

Il nous reste une petite heure avant d'arriver à Paris, alors je vais la laisser dormir.

J'ai demandé à mon chauffeur de nous conduire chez elle. L'avantage qu'elle habite dans le même immeuble que ma grand-mère, et que je possède les clés du parking. Je peux donc nous faire rentrer sans passer par le hall. Je ne sais pas encore si son nom ou son adresse ont été rendus publics, alors il vaut mieux être discret. J'ai beau essayer de la réveiller, c'est peine perdue. Ses cachets, c'est vraiment du lourd !

Je récupère ses clés d'appartement dans son sac, et la soulève avant de prendre l'ascenseur. Une fois arrivé à son étage, j'ai bien du mal à ouvrir sa porte, avec mon paquet dans les bras. Après une lutte acharnée, j'entre enfin chez elle.

Je suis attendu de pied ferme, par un grand gaillard, qui a les mêmes yeux que la femme que je tiens dans les bras. J'en déduis donc, que c'est son frère.

— Alex ?

Je lui demande.

— Lui-même et vous êtes ?

— Légèrement encombré, alors si vous aviez l'amabilité de vous pousser, afin que je puisse déposer votre sœur sur le canapé, cela m'arrangerait.

Le type me regarde la bouche ouverte, me laisse passe, puis se mets à crier.

— Non, pas le canapé, ne la posez pas sur le canapé !

OK, vu son ton effrayé, je vais l'écouter et garder mon fardeau, un peu plus longtemps dans les bras.

— Alors, ouvrez-moi la porte de sa chambre, que je la dépose sur son lit. Si vous êtes là, c'est pour qu'on discute et je ne vais pas le faire, avec ma fiancée dans les bras.

— Ce n'est pas votre fiancée, c'est de ma sœur qu'il s'agit, crache-t-il

— L'un n'empêche pas l'autre, vous savez. Au lieu de rester là, les bras croisés, aidez-moi à lui enlever ses chaussures.

J'attrape ses baskets sans précaution et je le vois blanchir.

— Mais doucement, vous allez la réveiller.

— Ne vous inquiétez pas, elle est en pleine hibernation. Elle a sacrément forcé la dose sur les médocs.

Je termine d'installer ma comateuse, confortablement dans son lit, et fais signe à son frère de me suivre.

À la vue du canapé, je me rappelle la réaction de son frère, alors prudemment je prends une chaise et lui en montre une, afin qu'il s'assoie à son tour.

— Je suis Gabriel de Saint-Alban, le fiancé de votre sœur.

— On voit votre tronche dans tous les journaux, alors votre patronyme, je le connais merci. C'est de la deuxième partie que je veux qu'on parle.

— Je vous écoute.

— Ma mère m'a réveillé en pleine nuit, pour m'annoncer que Jess allait épouser son patron. Et vu le niveau d'excitation de ma sœur quand il s'agit de mariage, je sais que c'est impossible.

— Pourquoi donc, cela serait-il impossible ?

— Parce que ce n'était pas le plan. Jess devait ramener un type, qui ferait tellement honte à ma mère pour sa fille, qu'elle ferait tout pour empêcher le mariage. Pas un bellâtre qui l'inciterait à choisir la couleur des dragées avant même de l'avoir rencontré, bordel !

— Et que faites-vous du coup de foudre ?

— Impossible, à l'instant même où elle aurait craqué sur vous, elle m'aurait téléphoné, et j'aurai assisté à votre premier baiser par FaceTime.

J'éclate de rire et décide d'être sincère, ou presque.

— Elle m'avait bien dit que vous seriez dur à convaincre. Alors je vais éclairer votre lanterne. J'ai besoin de me marier et surtout que l'on croit à la sincérité de ce mariage. Je n'ai rien provoqué du tout, votre sœur m'est tombée dans les bras, et les paparazzis ont montés l'histoire de toutes pièces. Elle est d'accord pour me rendre ce service, point.

— Point ? Vous vous foutez de ma gueule ? Je connais ma sœur, ce n'est pas mère Theresa.

— Mes motivations et les siennes ne vous concernent pas. C'est tout ce que j'ai à vous dire. Si vous avez d'autres questions, vous les poserez à Jessica.

Mon ton et sec et sans appel.

— J'en ai bien l'intention et elle me dira tout. Bordel, j'ai besoin d'un verre, vous en voulez un ?

Je vois bien qu'il préférait me coller la bouteille en pleine figure plutôt que de m'offrir un verre, mais tant qu'il n'aura pas parlé avec sa sœur, il essaiera de se contenir.

— Cela dépend, avec ou sans arsenic ?

— Je suis médecin, si je dois vous tuer, j'éviterai l'empoisonnement médicamenteux. Ou alors, je choisirai un produit indétectable.

— Vous préférez sûrement me casser la gueule, plutôt que de trinquer avec moi.

— Ce n'est pas faux, mais je vous le répète, je suis médecin, je ne vais pas m'abîmer les mains pour vous. Si vous avez fait ou faites du mal à ma sœur, je vous anesthésierai par ruse, et vous vous réveillerez après avoir subi une ablation des testicules.

Mon Scotch a du mal à passer soudainement, et j'imagine mon futur beau-frère avec un scalpel à la main. Je me fais la promesse de ne jamais rien accepter de sa part qu'il n'aura goûté avant.

Son sourire de joker quand il regarde mon pantalon me rappelle les chewing-gums à l'harissa de mon grand-père.

Merci, papi, tu avais raison de m'apprendre à rester stoïque en toutes circonstances.

Je regarde Alex sans ciller et lui demande.

— Et pour le canapé, quels sont vos plans ? Un nettoyage complet ou un échange standard ?

— Et dites-moi le héros où je peux trouver le même canapé sachant que c'est un meublé et que j'ignore où le proprio l'a acheté ? Ma sœur va me tuer.

Alexandre se passe la main dans les cheveux, visiblement inquiets. Je ne sais pas ce qu'il a fait, mais j'ai les moyens de lui rendre un service qui m'en fera peut-être, un jour, un allié.

— Je peux t'avoir exactement le même à l'étage en dessous.

— Tu veux parler d'un cambriolage ?

Je ne réponds pas à sa question, prends mon téléphone, et appelle Clélie.

— Allo, Clélie, c'est Gabe. J'ai besoin d'un service. Commandez-moi un canapé de relaxation, et faites-le livrer chez ma grand-mère. Vous direz aux livreurs de rapporter l'ancien canapé à l'étage du dessus, chez Jessica Martin. Je veux ça dans moins d'une heure. Merci.

Je raccroche pour voir Alexandre blanchir, je ne comprends pas. On dirait presque que je viens de le menacer de lui faire une ablation des testicules à mon tour.

*

Alexandre

Clélie bordel, il a fallu qu'il appelle Clélie pour faire changer le canapé ! Évidemment qu'il a son numéro, puisque c'est son patron. Moi, je n'ai même pas eu le temps de le lui demander, et vu la vitesse à laquelle je l'ai virée de chez ma sœur, je ne suis pas sûr qu'elle serait ravie d'avoir de mes nouvelles. Il faut préciser, à ma décharge, que ma mère a un peu cassé nos ébats avec son harcèlement téléphonique. Quand j'ai appris que ma sœur faisait les gros titres des sites people avec son fiancé, j'ai aidé ma jolie blonde à se rhabiller plus vite que je ne l'avais déshabillé, et je l'ai poussé sur le palier. Je sais bien que j'ai agi comme un rustre, mais dès qu'il est question de ma sœur, rien n'a plus d'importance.

Jessica va me découper en rondelles. OK, elle m'avait donné plus ou moins l'autorisation de sauter sa copine, mais sûrement pas chez elle, et encore moins sur son canapé. Même si je fais disparaître le corps du délit, je ne vais pas avoir le temps de mettre une version au point avec la belle blonde, et je cours le risque de me faire dézinguer par Jess.

En plus, je crois qu'elle aurait apprécié que je sois un minimum romantique avec sa copine, un ciné, un restau et pas un coup à la vite, enfin deux coups à la va-vite, car on a eu le temps de me remettre ça, avant d'être interrompu par ma mère.

Je demanderai bien à mon beau-frère en carton, l'adresse de sa secrétaire pour lui faire livrer des fleurs, mais je vais déjà lui être redevable, pour le nouveau canapé et je n'ai pas du tout envie de m'en faire un pote avant d'avoir eu une explication avec ma sœur.

L'ambiance entre nous deux, c'est un peu OK corral. Aucun de nous ne parle, mais nous ne nous quittons pas des yeux.

L'arrivée des livreurs interrompt notre duel de regard.
Gabriel se lève, et va ouvrir la porte comme s'il était chez lui.

— Bonjour, messieurs, on nous a demandé de vous livrer un canapé.
— Bonjour, c'est bien ici, mais il va falloir enlever l'ancien avant.
Les deux livreurs ont les yeux qui leur sortent des orbites.

— Euh, il doit y avoir une erreur, c'est le même monsieur.
— Non il n'y a pas d'erreur, je vous demande bien d'échanger les canapés.

— Il est tout neuf, monsieur.
— Je sais, mais je n'en veux plus, vous n'êtes pas obligé de le détruire, vous pouvez le garder pour vous si vous voulez.

Les deux livreurs échangent des regards entendus, et se mettent au travail.
Lorsqu'ils soulèvent un des coussins, un petit soutien-gorge glisse sur le sol et je me mets à rougir.
Gabe le prend dans les mains et le fourre dans la poche de sa veste.
Une fois l'échange terminé, il s'installe dans le canapé et tapote son veston.

— Jessica va être contente de récupérer son soutien-gorge. C'est marrant, je ne l'imaginais pas porter une lingerie pareille.
L'enfoiré, il sait très bien que ce n'est pas celui de ma sœur, et avec l'histoire du canapé, il me tient par les boules.

Je m'installe à ses côtés, et prends la télécommande. Puisque je n'ai pas le choix, je vais attendre avec lui, le réveil de Jessica, alors autant choisir le programme télé.

Jessica

C'est la deuxième fois que je me réveille dans le brouillard. Je jure que jamais, plus jamais on ne me fera prendre l'avion. J'ai du mal à remettre en ordre les évènements de la veille, mais je me souviens très bien que j'ai embrassé mon patron et qu'il nous a fiancés sans mon avis. J'entrouvre la porte de ma chambre, et j'entends deux voix dans mon salon.

Gabriel et mon frère.

Ils commentent ensemble un match de basket américain et se tapent dans la main, entre deux actions. Punaise ! les voilà copains comme cochons. Il sait y faire le beau gosse, il a même réussi à se mettre mon frère dans la poche.

J'ai besoin d'un café, ou peut-être même d'une cafetière. Après tout, j'ai deux mâles dans mon salon, alors autant en profiter.

J'ouvre franchement la porte de ma chambre et me dirige vers mon canapé. Je m'allonge la tête sur les jambes de mon patron et mes pieds sur les cuisses de mon frère.

— Doudou, tu me fais un café et tu reviens me faire un massage plantaire ?

— Tu vas bien ?

Oh, ça, c'est une de ces questions à double sens, dont Alex a le secret. Mon mal de crâne, il s'en moque, d'ailleurs, il se fera un plaisir de me l'augmenter avec un sermon sur l'abus de médicaments. Non, ce qu'il veut savoir, c'est s'il doit se débarrasser de mon fiancé, ou me féliciter.

— Oui Alex, je vais bien. Je sais que c'est surprenant, surtout venant de moi, mais j'ai besoin d'un café.

Je souris à mon frère pour le rassurer et me tourne vers le beau gosse.

— Mamour, donne-moi la télécommande j'ai envie de regarder autre chose. Oh et fais-moi un massage capillaire après, j'adore quand tu t'occupes de mes cheveux.

Mon frère se lève pour aller dans la cuisine, et mon patron me redresse.

— Mamour, s'étrangle-t-il, tu ne pouvais pas trouver mieux ?

— Chouchou, lapinou, bébé ?

— Si tu joues à ça, je vais y jouer aussi, mon chou à la crème.

Je déteste les surnoms alimentaires, ma mère m'appelle de temps en temps chouquette, et ça me rend malade.

— Beurk, tu as raison, on va éviter les surnoms ridicules, mais je veux la télécommande et mon massage.

Je me réinstalle correctement et pose ma tête sur ses genoux. Je le regarde en coin et m'amuse de son air outré. Eh oui mon coco, tu veux m'épouser, il va falloir donner de ta personne.

— Cendrillon

— Hein ?

— Je t'ai rencontré grâce à une chaussure, alors je peux t'appeler Cendrillon.

— Si tu comptes que je t'appelle mon prince, tu peux te brosser. Mon crapaud à la limite…

— Oh, on va mettre les limites tout de suite, arrête de regarder les lèvres de ma sœur comme si tu voulais l'embrasser.

Mon frère pose ma tasse de café sur la table du salon et me relève des jambes de mon patron, pour m'asseoir à ses côtés.

— Tu dois être assise correctement pour boire, à moins que tu aies besoin d'une perfusion ?

— Très drôle Alex.

Je prends ma tasse et savoure mon breuvage.

— On va devoir parler, tu sais

— Pitié pas un interrogatoire qui dure des heures, pose tes questions, mais va à l'essentiel.

— Tu vas vraiment te marier avec lui ?

— Oui

— Tu as eu le choix ?

— Oui.

Bon, je ne vais pas m'étendre sur les conditions, mais quand on propose la peste ou le choléra, ça reste un choix, non ?

— Tu l'aimes ?

Oups ! Ça, c'est la question piège. Je ne peux pas mentir à mon frère, mais je ne peux pas lui dire la vérité non plus.

— Tu l'as vu ?

Gabe lève les yeux vers moi. Il ne comprend pas où je veux en venir.

— Ben oui, il est devant moi.

— Il, il s'appelle gabe.

Mon pseudofiancé agite sa main pour se manifester, mais je le fais taire d'une petite tape.

— Je ne t'ai rien demandé gabe, c'est entre moi et mon frère.

Il se renfrogne et je suis fière de moi, j'ai fait taire le grand Gabriel de Saint-Alban. Ça claque ça, sur un CV. Bon, je ne suis pas sûre que je pourrais agir ainsi, dans une réunion professionnelle, mais j'ai le droit de rêver quand même.

— L'amour, je ne sais pas ce que sais, hormis toi et moi, mais ça, c'est unique. Lui, il a une enveloppe corporelle plutôt pas mal, du talent, ce n'est pas pour rien que je voulais apprendre à ses côtés. Je crois qu'on pourra toujours trouver des sujets de discussion, même si on ne doit parler que boulot. J'aurais pu trouver pire comme mari.

— Je ne sais pas comment je dois le prendre…

— Tais-toi, je parle avec ma sœur ! Ce n'est pas de l'amour ça cocotte, c'est presque de la résignation.

— Mais Alex, tu sais ce qu'est l'amour toi ? Je ne veux pas d'un mariage comme celui des parents, je ne sais pas s'il me rendra heureuse, mais je vais lui faire confiance.

— S'il te fait du mal, je t'aiderai à t'en débarrasser.

— Je sais Alex, et il le sait aussi. Alors, maintenant taisez-vous tous les deux et occupez-vous de moi, je suis malade et j'ai besoin d'être chouchoutée.

*

Jessica

Mes deux mâles ne sont pas restés très longtemps avec moi cette nuit. Il faut dire que je sais être particulièrement exigeante et désagréable quand je suis malade, et ils me l'ont bien fait payer. Mon massage capillaire ressemblait plus à du tirage de cheveux et mon massage plantaire, à de la torture qu'à de la réflexologie.

Mon frère sait que je lui cache quelque chose, mais il n'agira que si je lui demande. Il est comme ça, Alex, nous n'avons pas besoin de communication verbale pour nous comprendre. C'est pratique quand on n'est pas tout seuls, et que l'on veut se parler. Mais hier soir, j'aurais préféré des mots, plutôt que des maux. Il peut toujours se foutre de moi, mon crapaud charmant, mais aujourd'hui, Cendrillon a les pieds de Javotte et d'Anastasie, même en forçant, je ne rentrerai pas dans mes Louboutin. Je suis bonne pour traîner ma misère en chaussons toute la journée !

Je ne suis pas surprise de ne pas avoir de nouvelles de maman, nous allons manger à la maison demain midi et elle doit être en pleine organisation pour que tout soit parfait. Mais que je n'aie pas de nouvelles de la part de Clélie, je ne le comprends pas. Est-ce que mon patron, lui a interdit de me parler ? S'il a osé faire ça, je l'émascule. Pour en avoir le cœur net, je décide d'inviter ma copine, à manger à la maison ce midi, par texto. J'ai la flemme de cuisiner alors je téléphone à mon pizzaiolo préféré.

« Allo, Guido, c'est Jessica Martin.

Guido s'appelle en réalité René, mais il trouve que ça sonne moins glamour, René pizza, et comme c'est un grand fan de cars, il se fait appeler Guido.

111

— Jessica, ma plus bella, je me suis fait un sang d'encre pour toi, comment vas-tu ma bambina ?

Je ne comprends pas, pourquoi Guido s'est-il inquiété pour moi ? Ça ne peut pas être un coup de maman, notre addiction à Guido pizza, c'est un secret entre Alex et moi et aucun de nous ne trahira jamais l'autre, sur ses mauvaises habitudes alimentaires.

— Je vais bien Guido, pourquoi cette question ?

— Pourquoi ? Mais enfin pour jeudi soir. J'ai envoyé mon livreur avec les deux pizzas à 20 heures, comme convenu avec ton frère, mais tu n'as pas ouvert ta porte. Pourtant, tu étais chez toi, il y avait de la lumière et mon petit gars t'a entendu pleurer.

— Il doit y avoir une erreur, il a dû se tromper d'interphone.

— Tu nous prends pour qui ma jolie, quand il a vu que tu ne répondais pas à ton interphone, il a sonné ailleurs pour se faire ouvrir, et il est monté directement chez toi. C'est derrière ta porte qu'il t'a entendu pleurer. Enfin d'après lui, cela ressemblait plutôt à des miaulements de chats, mais moi, je sais bien que tu n'as pas de chat, et que tu ne refuserais jamais des pizzas offertes par ton frère.

Des pizzas offertes par mon frère ? Des miaulements de chats ? Je ne comprends rien du tout.

— Ne t'inquiète pas Guido, je vais très bien, je n'étais pas chez moi jeudi soir, et j'ai oublié de prévenir mon frère pour qu'il annule les pizzas. La dame qui gardait mon appartement a dû venir avec son chat et elle n'a pas osé ouvrir.

— Tu fais garder ton appartement quand tu sors ? Ce n'est pas nécessaire Bella, ton immeuble est sûr, et avec le nombre de commères qu'y habitent, les voleurs n'auraient pas le temps de descendre d'un étage que la police les attendrait déjà en bas. D'ailleurs, tes pizzas ont été rachetées par tes voisins de palier, du coup, je te les dois.

— Alors, je prends. Tu peux me les faire livrer pour 12 h 30 chez moi, je te promets que j'ouvrirai ma porte.

— Tout ce que tu veux bellisima. »

Que mon frère ait voulu qu'on fête ma nouvelle voiture avec des pizzas, rien de plus normal. Mais je connais bien Alex, il a les clés de mon appart, alors que je sois là ou pas, il aurait récupéré ses pizzas. Ce qui est vraiment bizarre, c'est que j'ai beau vérifier mon portable, je n'ai reçu aucun message de mon frère jeudi soir. Cela veut donc dire qu'il ne s'est pas inquiété pour moi, et d'un coup, cela fait tilt dans ma tête. Si Alex n'était pas inquiet, c'est que quelqu'un lui a dit où je me trouvais, et que j'étais en sécurité. Et ce quelqu'un ne peut-être que Clélie. Le vilain cachottier, il a vu ma copine jeudi soir et il ne m'a rien dit. Par contre, j'ignorais que Clélie avait un chat. Je ne vais pas lui reprocher de l'avoir emmené chez moi, elle a fait un ménage parfait derrière, il ne reste pas un seul poil.

D'ailleurs, cela m'embête dans cette histoire de ménage. J'ai fait une toute petite tache de café sur mon canapé, la semaine dernière et je ne la trouve plus. Je ne voulais pas la nettoyer, c'était un symbole de mon émancipation. C'est bizarre, je ne voyais pas ma copine comme une maniaque du rangement, en tout cas elle ne l'est pas avec sa voiture.

Je n'ai pas le temps de m'interroger plus longuement que l'on sonne déjà à ma porte.

— Bonjour Jess, tu m'attendais plus tard peut-être ?

Clélie se tient toute gênée devant moi, avec un gros paquet dans les bras.

— Non, tu es pile à l'heure, pourquoi ?
— Tu es encore en pyjama, alors je pensais.

Je la coupe.

— Ah ça, c'est normal, j'ai décidé de passer ma journée en pyjama, ça ne te dérange pas, j'espère ?
— Du tout, mais si j'avais su, j'aurais pris le mien, je n'ai jamais fait de soirée pyjama.

— Tu me fais marcher, une fille comme toi n'a jamais fait de soirée pyjama ? Ce n'est pas possible ! Allez zou, enlève-moi tes fringues, je vais te prêter un pyjama.

— J'ai reçu plusieurs invitations pendant mon adolescence, mais je te rappelle que j'ai cinq grands frères, alors si la fille qui m'invitait avait, soit un frère, un père ou un cousin, c'était niet. Il aurait même eu du mal à accepter, si une bonne sœur m'avait invité à dormir au couvent.

— Tu es de quelles origines ?

— Ma mère est sicilienne, alors mes frères ont ce sentiment de protection dans les veines.

— Et ils te laissent vivre toute seule à Paris ?

— Oui, et pour ça, je peux dire merci à ma mère, elle leur a fait la grève de la bouffe pour qu'ils me laissent partir vivre ma vie. Ma mère est exceptionnelle. Tiens, je t'ai apporté un petit cadeau, tu pourras l'installer pendant que je mettrai un de tes pyjamas, mais s'il te plaît évite de me prêter ta nuisette violette.

— Comment tu sais que j'ai une nuisette violette ?

Je lui demande, suspicieuse. Clélie devient toute rouge et bégaie un peu.

— Je ne sais pas, tu as dû me le dire.

— C'est possible allez suis moi, je vais te trouver un truc.

Je lui sors un pantalon de yoga, ainsi qu'un vieux t-shirt de mon frère. Elle regarde le t-shirt en deux fois, mais ne dit rien. Après tout, je suis habillée pareil. J'ai bien les pyjamas en pilou, que je portais chez mes parents, mais ils sont restés dans un carton. Quand j'ai emménagé, j'ai supplié mon frère de me donner de vieux t-shirt à lui pour m'aider à bien dormir.

Je laisse Clélie se changer et file ouvrir mon cadeau. Quand on est invité chez une amie à manger, on peut lui apporter le dessert, une bonne bouteille de vin, ou bien des fleurs. Mais là, non, Clélie m'a offert un plaid, pour mon canapé. Mais enfin, que soit ce qu'elle a avec mon canapé, d'abord elle le détache et maintenant elle le protège !

J'installe mon nouveau plaid et j'attends ma copine.

— Je te sers quoi ? Alcool ou pas alcool ?

— Pas d'alcool pour moi, j'ai encore les effets de ma gueule de bois.

— Ah bon, tu as bu hier soir ? Tu me sembles bien fraîche pour un lendemain de cuite.

— C'est parce que c'est un surlendemain, mais je n'étais pas belle à voir vendredi matin au boulot.

Clélie, se mord soudainement la lèvre, se rendant compte qu'elle en a trop dit.

— Finis de rire Clélie, tu vas tout me raconter maintenant. Que s'est-il passé jeudi soir ? Tu as vu mon frère ça, je le sais, sinon il se serait affolé de ne pas me voir rentrer à la maison.

— Je suis désolée Jessica, je ne voulais pas faire ça, c'est arrivé, c'est tout.

— Tu as couché avec mon frère ?

— Oui.

— Dans mon lit ?

— Non, sur ton canapé.

— Quoi ? Alors c'est pour ça que tu l'as nettoyé de fond en comble et que tu m'as offert un plaid.

— Pour le plaid, oui, mais le nettoyage, ce n'est pas moi, ton frère m'a mis dehors comme une mal propre, je n'ai même pas eu le temps de récupérer ni mon slip ni mon soutif.

— Tu plaisantes, il ne t'a pas jeté toute nue dans le couloir quand même !

Je lui demande horrifiée, à l'idée que mon frère ait pu faire une chose pareille.

— Non, il a eu la décence de m'enfiler ma robe à l'envers, me mettre mon manteau sur la tête, mes chaussures dans les mains et il m'a collé sur ton paillasson avec mon sac à main. Le tout a dû lui prendre trente secondes chrono, alors je n'ai pas eu le temps de faire du ménage.

— Quel mufle ! Mais comment as-tu fait, pour récupérer ton chat ?

— Mon chat ? Mais quel chat, je n'ai pas de chat.

— Mais ce n'est pas possible le livreur de Guido a entendu un chat derrière la porte. Oh, mon Dieu, je viens de comprendre, ce n'est pas un chat qu'il a entendu, c'est ta chatte.

Je suis pliée de rire, mais Clélie est mortifiée.

— Tu veux dire que le livreur nous a entendus faire l'amour ? Oh, mon Dieu, je ne pourrais jamais plus commander quoi que soit chez eux, j'ai trop honte.

— Mais non, il ne sait pas ce que vous avez fait puisqu'il t'a pris pour un chat. Sinon, tu as l'intention de revoir mon frère ?

— J'y compte bien, il a intérêt à me rendre mon soutif et ma culotte. Je ne sais pas si c'est un fétichiste qui collectionne les dessous de ses coups d'un soir, mais j'y tiens moi à ma lingerie.

— À l'université, oui il les collectionnait pour moi, mais je t'assure qu'il ne le fait plus.

— De toute façon, tu ne pourrais même pas mettre un sein dans mon soutif même en réunissant les deux bonnets, alors je ne vois pas à quoi cela pourrait te servir.

— Tu as son numéro ?

— Non, mais on a rien prémédité, tu sais, il était à poil à côté de moi et…

— Minute, mon frère était nu sur mon canapé, avant que vous ne couchiez ensemble ?

— Oui, mais c'est de ta faute aussi, je ne savais pas qu'il serait là, quand j'ai entendu du bruit dans ta salle de bain, j'ai eu peur alors je l'ai gazé.

— Tu as gazé mon frère ? Bordel ! Il a dû beugler, mais ça n'explique toujours pas, pourquoi il était à poil sur mon canapé. Il aurait pu se rhabiller quand même.

— En fait, je n'ai pas gazé ses yeux.

— Qu'est-ce que tu essaies de me dire ?

— J'ai gazé sa queue. Je te jure que je ne l'ai pas fait exprès, il est beaucoup plus grand que moi, et j'ai gazé la première chose que j'ai vue. Si on a fini ensemble sur ton canapé, c'est sûrement qu'il voulait vérifier, s'il pouvait encore s'en servir.

Mon Dieu, je crois que je n'ai jamais autant ri de ma vie. D'ailleurs, j'ai dû courir jusqu'aux toilettes pour éviter de faire pipi dans ma culotte. C'est cool, une soirée pyjama même quand, on la fait en pleine après-midi.

*

Jessica

L'après-midi en pyjama, c'est transformé en soirée, puis en nuit blanche. Et c'était une très mauvaise idée. Mon pseudofiancé n'a pas trop apprécié de nous trouver en pyjama allongés par terre, le sol jonché de papiers de bonbons. Son air de dogue associé au café, bien trop fort qu'il m'a préparé me l'a bien fait comprendre. Ma copine a eu plus de chance que moi, elle a réussi à s'enfuir avant que l'infâme breuvage ne soit fini de couler.

— Tu veux me tuer d'une crise cardiaque avec ton café ? Je lui demande, suspicieuse.

— Tu n'as pas besoin de ça, ce que tu imposes à ton corps entre l'alcool, les médocs et tes habitudes alimentaires, tu achèveras bien avant mon café.

— Non, mais ça va, je ne suis pas une droguée non plus !

— Une addiction reste une addiction, et si j'en juge aux paquets vides par terre, tu as un sérieux problème avec les M&Ms.

— Nous étions deux d'abord.

— Quelle mauvaise fois ! Clélie déteste les cacahuètes.

Mais il m'énerve à la fin ! Il se prend pour qui d'abord ? Ce n'est ni mon père, ni mon frère, ni mon mari. Enfin si bientôt, mais s'il compte réduire ma consommation de M&Ms, on ne parviendra jamais à cohabiter sans s'entre-tuer.

— Cela devrait te réjouir, ça te coûterait moins cher d'être veuf que divorcé.

— Ça reste à voir, ton frère me traînerait en justice pour éclaircir les causes de ta mort, je devrais recruter une nouvelle assistante junior, ma secrétaire tomberait en longue maladie pour dépression et pire que tout, je devrais refaire mon dressing pour troquer mes costumes gris contre du noir, pendant la période de deuil. Non, ton décès prématuré ne m'arrangerait pas.

— Oh la vache, tu as vraiment pensé à tout.
— C'est pour ça que je suis le meilleur, je ne laisse rien au hasard. Alors tu vas avaler ton café, prendre une douche froide et remettre tes neurones en place. Dans une heure, on doit être chez tes parents et on doit se mettre d'accord sur notre histoire.

Il m'agace ! C'est mon patron au boulot, mais sûrement pas chez moi. Néanmoins, je dois me rendre compte qu'il a raison. Nous devons être au point avant de rencontrer mes parents. Je touille la mixture noirâtre que je tiens dans mes mains, mais à chaque fois que j'essaie d'approcher la tasse de ma bouche, il me vient un haut de cœur.

— Je ne peux pas boire ça, c'est infâme.
— Goûte avant de juger.
Il est marrant lui, même Blanche-Neige avait eu la chance que la sorcière dissimule son poison dans une belle pomme. Moi, il veut que j'avale son tord-boyaux, sans filtre, c'est de la torture psychologique.

— Si je goûte, je vais vomir. Je suis sûr que tu as mis du sel dedans.
— N'importe quoi, quel serait mon intérêt de te rendre malade avant d'aller chez tes parents. Si ton corps n'en veut pas, c'est que tu frôles la crise de foie. Va prendre une douche, je vais te préparer une tisane au miel, tu as ça au moins dans tes placards ?

— Non, j'ai emménagé depuis peu, je n'ai pas eu le temps d'acheter du miel.
— Acheter de la nourriture saine ne prend pas plus de temps que d'acheter des cochonneries, c'est encore une fausse excuse. Je ne sais pas qui tu comptes tromper comme ça, mais il va falloir sérieusement travailler tes arguments.

Je file dans la salle de bains et claque ma porte bien fort deux fois, pour lui montrer mon mécontentement. Je sais, c'est puéril, mais ça fait du bien. Je ne manque pas de répartie, avec mon frère, je suis allé à bonne école. Comme toute forme de gros mots étaient bannis de la maison, sous peine de se faire laver la bouche au savon, nous organisions en douce des soirées à thème, pour apprendre à insulter en nous adaptant à notre environnement. On en a passé des nuits blanches à faire ces jeux de rôles ! Mais face, à Gabriel de Saint-Alban, je me sens complètement démunie. Il a toujours la bonne réponse, même aux questions que je n'ai pas encore posées.

La route pour se rendre chez mes parents est un calvaire. Nous avons eu du mal à nous mettre d'accord pour fixer la date de notre rencontre, mais nous y sommes parvenus. Il en allait de ma réputation, devais-je être la fille facile qui couche avec son patron le jour de la signature de son contrat de travail, ou la fille pistonnée qui trouve, comme par hasard, le job de ses rêves dans la boîte de son fiancé. Bref, salope ou vénale, pas facile de choisir ce que choquerait le moins ma famille.

Gabriel a eu l'idée de dire que nous nous fréquentions depuis 6 mois, ce qui correspond à mes recherches sur la thèse que j'ai faites sur un projet, monté par sa société. Nous dirons que nous nous sommes rencontrés dans ce cadre, mais que je ne lui ai jamais demandé de m'offrir un emploi. De toute façon, il est de notoriété publique qu'il ne se charge pas lui-même de recruter ses employés. Il m'a d'ailleurs confirmé que s'il avait dû trouver un emploi à sa fiancée, il ne l'aurait pas embauchée comme assistante junior, mais comme collaboratrice. Ma réputation professionnelle est donc sauve, devant ma famille. Je vais seulement passer pour une menteuse, car depuis 6 mois, j'ai toujours assuré à mes parents que j'étais célibataire.

Comme je l'imaginais, il a décidé de prendre sa voiture, et il faut reconnaître qu'entre ma Yaris et sa Jaguar F-Pace, je n'ai pas hésité longtemps. De toute façon, mon état vaseux ne m'a pas vraiment quitté, et vu que je n'ai pas conduit depuis plus de 2 ans, ce n'est peut-être pas le jour pour réessayer. Non, ce qui rend ce trajet si désagréable, c'est ce stress qui monte en moi, comme si j'étais sur le point de faire la plus belle connerie de ma vie. Depuis 2 jours que je suis prise dans cet engrenage, je n'ai pas eu le temps de réfléchir à toutes les conséquences. Il faut dire que je sors d'un semi-coma médicamenteux, ce qui a pu altérer mon discernement. Je n'étais peut-être pas obligé d'accepter son chantage, et j'ai bien conscience qu'à partir du moment où il franchira la porte de chez mes parents, je ne pourrais plus revenir en arrière.

— Arrête de te faire des nœuds au cerveau, et détends-toi un peu, c'est moi qui dois stresser, je suis celui qui va rencontrer ses futurs beaux-parents, pas toi.

— Je suis celle qui doit me faire à l'idée que je vais me marier alors que j'avais fait vœu de célibat.

— Tu voulais devenir bonne sœur ? Gabe se retourne vers moi, l'air vraiment étonné.

— Mais non voyons, tu me vois dans un couvent ? De toute façon, je n'aurais pas pu y rentrer même si je l'avais voulu.

— Parce que tu n'es plus vierge ?

— Non, mais ça ne va pas avec tes questions à la con. Cela n'a rien à voir, c'est juste que mon frère m'en aurait empêché en me séquestrant dans son appartement, jusqu'à ce que je revienne à la raison.

— Si cela avait été ton choix, il aurait fallu qu'il l'accepte.

— Je ne sais pas quel rapport, tu as avec ta demi-sœur, mais Alex et moi, c'est indéfinissable. J'ai déjà entendu que quand quelqu'un est amoureux, il pourrait mourir pour l'autre. Moi, je pourrais tuer pour Alex, il est mon tout.

— Je n'ai pas ce genre de relation avec Lola, nous n'avons jamais été élevés ensemble. J'essaie de la voir une à deux fois par mois, depuis qu'elle est ado. Plus jeune, je ne l'ai pas connu du tout. Pour la voir, elle aurait fallu que je fréquente ma mère, et égoïstement, j'ai préféré garder ma petite sœur à l'écart de ma vie, plutôt que de laisser ma mère, avoir encore une place dans la mienne.

— Ce n'était pas égoïste, si c'était une mesure de protection.

— Bien sûr que c'était égoïste, j'avais huit ans à sa naissance, j'aurais dû la protéger. Mais elle a eu la chance d'être très intelligente, et ma mère n'a que très peu d'influence sur elle.

— Que vas-tu lui dire pour nous ?

— Je l'ignore, j'ai envie de lui la vérité, mais j'ai peur que cela la mettre en situation de faiblesse, face à ses parents.

— Alors le mieux est de la laisser croire à notre histoire, jusqu'à ce que tu aies obtenu la maison de ta grand-mère.

*

Gabe

Je me suis rendu chez mes futurs beaux-parents confiants. Presque en terrain conquis, après ma petite discussion avec Dolorès, jeudi soir. J'aurais pu penser que celui, qui me montrerait le plus d'hostilité, serait Alexandre. Mais pas du tout, il se montre presque compatissant par rapport à mon beau-père.

Je sais repérer un dégagement de testostérone, quand j'en vois un. D'habitude, au jeu de celui qui pisse le plus loin, je suis le meilleur, mais là, je sais que je dois m'écraser et cela me fait royalement chier.

Tout a commencé quand nous sommes arrivés, les parents de Jessica nous attendaient dans la cour, c'était limite si sa mère n'avait pas sorti les banderoles. J'aurais voulu la jouer gentleman, et allé ouvrir la portière de la voiture à ma fiancée, mais j'ai à peine eu le temps de couper le moteur, qu'Alexandre avait déjà pris ma place au volant, tandis que Jessica se faisait étouffer par l'étreinte de sa mère. Son père m'a regardé avec une telle haine dans les yeux, que j'ai presque eu peur. Quand je me suis approché de lui pour le saluer, il a essayé de me broyer la main et m'a marché sur les pieds. J'avoue que son attitude m'a bien déboussolé, Jess ne m'ayant jamais parlé d'une hostilité particulièrement de sa part, à ce qu'elle se marie un jour. Je dois donc prendre ça, comme une attaque personnelle, il ne veut pas de moi pour sa fille. Ma belle brune n'est pas dupe des agissements de son père, mais elle semble aussi perdue que moi.

Pendant que le maître des lieux, tel un grand seigneur nous conduit au salon, j'attrape le bras de ma fiancée et lui murmure à l'oreille

— Dis-moi, il avait prévu un mariage arrangé pour toi, ton père ?

— N'importe quoi, hormis mes bulletins scolaires qu'il photocopiait pour frimer auprès de ses amis, et ma photo de classe qu'il changeait tous les ans dans son portefeuille, au cas où, quelqu'un lui aurait demandé à voir une photo de ses enfants, il sait à peine que j'existe.

Ce n'est ni le lieu ni le moment, pour continuer notre petite discussion, alors je laisse Jessica, me conduire au salon.

Je m'installe sur un canapé, entre ma fiancée et son frère. Leur père trône dans son fauteuil, devant nous.
Dolorès arrive avec une bouteille de champagne, dans les mains.

— Antoine, tu veux bien ouvrir la bouteille s'il te plaît.
— Pourquoi du champagne, tu fêtes quelque chose ?
— Ne sois pas grossier, s'il te plaît. Tu sais ce que l'on fête.
— Non, je n'en sais rien, tu m'excuseras de ne pas lire torchon-magazine.
— Papa, tente d'intervenir Jessica
— Tiens donc, tu parles toi maintenant. Tu as quelque chose à me dire ou tu en réserves la primeur aux paparazzi ?
— Monsieur Martin.
J'interviens à mon tour, pour défendre Jessica, mais son père me fait taire aussitôt.

— Chez moi, je décide qui a le droit à la parole et qui ne l'a pas. Si cela ne vous convient pas, vous pouvez rentrer chez vous.

J'inspire et j'expire pour me calmer. Oui, je pense à mon chez-moi, la maison de mes grands-parents, et c'est grâce à ça que je reste gentiment assis sur mon canapé. Grâce à cela, mais aussi grâce à la petite main que Jessica a glissée dans la mienne. Peut-être plus, pour empêcher mon poing de se refermer, et d'atterrir sur le visage de son père, que pour me soutenir, mais, quelle que soit sa motivation, cela me fait du bien.

— Bon, maintenant que tout le monde sait où est sa place, Dolorès sert moi un whisky.

— Laisse maman, je vais le faire.

Alexandre se lève et prend la bouteille des mains de sa mère. Son père émet un bruit de gorge proche du grognement, mais le laisse servir. Autant, il peut écraser sa femme et sa fille sans vergogne, autant, il ne s'opposera pas à son fils.

Vraiment, je ne comprends pas, j'ai pourtant tout du gendre idéal. Je suis jeune, beau gosse, sportif et multimillionnaire, je ne vois pas ce qu'on peut me reprocher. Bien sûr, il n'a peut-être pas apprécié d'apprendre notre relation par les médias, mais j'ai l'impression que le problème est bien plus profond que cela. Il aurait pu nous faire un petit sermon et fêter mon arrivée dans sa famille autour d'un verre. Mais là, non si Alexandre ne s'était pas chargé du service, mon verre serait resté vide, car il n'aurait pas autorisé sa femme à me le remplir.

Après cet apéritif si réjouissant, nous sommes passés à table. Je bénis mon grand-père d'avoir habitué mon palais à avaler tout et n'importe quoi, car je n'ai jamais mangé une viande aussi dure. Je finis mon assiette sous le regard narquois de mon futur beau-père qui me met au défi de finir mon plat sans me plaindre. Jessica et Alex prennent de tout petits morceaux de viande qu'ils mélangent avec une profusion de légumes qu'ils ont préalablement réduit en purée dans leur assiette. Le silence qui règne à présent à table n'est plus lié à la guerre que me mène le docteur Antoine Martin, mais à nos efforts pour finir notre viande. Dolorès nous regarde avec fierté. Mon Dieu, est-il possible qu'elle pense que nous nous régalons ? Elle s'est excusée en début de repas de ne pas prendre de viande, car elle est végétarienne.

Le docteur Martin repousse son assiette et fait craquer ses doigts.

— Bien, passons aux choses sérieuses. Pourquoi vouloir épouser ma fille ?

Nous y voilà. Je viens de retrouver mon droit à la parole, mais j'ai bien compris que c'est juste pour répondre à ses questions. Je ne vais bien sûr pas lui dire la vérité, je n'ai pas envie de finir dans son assiette dimanche prochain. Je prends une grande inspiration et avant d'avoir pu sortir un seul de ma bouche, j'entends Jessica répondre à son père.

— C'est simple, nous nous aimons.
— Je ne t'ai pas parlé à toi, c'est à ton mec de me répondre.

La main que Jessica avait posée sur la mienne pour que je la laisse parler se crispe et ses ongles me rentrent dans la peau. Ça fait un mal de chien, mais je me retiens de me plaindre, quand je croise son regard. Ses yeux sont noirs, pleins de colère. Ses joues sont rouges, mais là, nulles de question de gêne ou de timidité, c'est de la fureur. Je ne la connais pas vraiment, mais malgré tout ce que je lui ai imposé, je ne l'ai jamais vu dans un tel état. Je pose ma seconde main sur la sienne, dans un geste d'apaisement, mais c'est surtout un geste de survie. Elle va finir par m'arracher la peau, si elle continue.

— Monsieur, quand on trouve la femme que l'on veut épouser, on n'hésite pas, on se lance.
— Balivernes ! De notre temps, il n'est plus nécessaire de se marier pour coucher, alors trouver autre chose. Ma fille est belle, c'est normal, elle a de bons gènes. Elle est intelligente, j'en conviens. Qu'elle puisse être divertissante pour vous, je n'en doute pas, alors faite en votre maîtresse puisque visiblement, c'est déjà fait, et que je n'ai pas mon mot à dire là-dessus. Mais ne l'épousez pas bon sang ! Et surtout, ne venez plus étaler votre fric devant ma maison !

Je suis sans voix, c'est ça son problème, ma réussite professionnelle ? Je m'apprête à lui répondre, mais Jessica se met soudain à vomir, en plein sur la table.

— Espèce d'enfant de salaud, tu as mis ma fille enceinte, c'est pour ça que tu veux l'épouser.
— Quoi ? Mais non, voyons, elle n'est pas enceinte. Jess, ça va ?

Ma fiancée est incapable de me répondre, elle est recroquevillée sur sa chaise, et semble en état de choc. Je n'ai pas le temps de remettre mon futur beau-père à sa place, bien que j'en meurs d'envie. Je la prends dans mes bras, et interpelle Alex.

— Prends ma veste dans l'entrée et son sac à main, c'est toi qui conduis.

— Où allez-vous avec ma fille ? tonne son père, en m'empêchant de passer.

— Voir un médecin, bien sûr. Alors, poussez-vous.

— Je suis médecin.

— Vous êtes son père, et vous êtes en colère. Si vous vous étiez comporté en médecin, vous auriez vu que votre fille se sentait mal et au lieu de l'insulter, vous vous seriez inquiété pour elle. Alors je ne me répéterai pas, poussez-vous.

— Je vous préviens si vous avez mis ma fille enceinte, je vous obligerai à l'épouser. Mais si elle n'est pas enceinte, elle devra choisir entre sa famille et vous.

Je ne réponds rien, c'est inutile d'essayer de discuter avec une personne pareille et en plus l'état de Jessica me paraît suffisamment grave pour ne plus traîner.

Alexandre court jusqu'à ma voiture, et j'ai à peine le temps de m'installer à l'arrière, avec Jessica sur les genoux, qu'il démarre à la Fast and Furious.

— Si tu as mis ma sœur enceinte, je te casse la gueule.

— Elle n'est pas enceinte, alors tais-toi et conduis-nous à la clinique du parc monceau.

— Pourquoi là-bas ?

— Je connais bien le directeur, elle sera prise en charge toute de suite.

— OK, par contre si je prends des amendes, elles seront pour toi et les points aussi.

— T'inquiète pas pour ça, si mon permis est annulé, j'ai les moyens de prendre un chauffeur.

Une chose est sûre, s'il me faut un chauffeur, je ne proposerai pas le poste à Alexandre, entre sa conduite, les vomissements de sa sœur qui ont repris sur mon pantalon et le plancher de la voiture, et la viande indigeste que j'ai dû manger ce midi, je ne suis pas loin de vouloir vomir à mon tour.

*

Gabriel

Le coup de téléphone que j'ai passé à mon ami a été bénéfique. Une équipe médicale complète, nous attend à notre arrivée à la clinique.

Heureusement que j'ai embarqué Alexandre avec moi, car je suis incapable de répondre à toutes leurs questions. Évidemment que je ne connais pas ses antécédents médicaux ni même son groupe sanguin, je ne sais même pas sa date de naissance. Son frère a dû prendre mon silence pour de la panique, car il a tout pris en main. Le diagnostic a été très rapide, appendicite aiguë, et elle se trouve maintenant en salle d'opération. Sérieusement, une appendicite à son âge, je pensais qu'ils n'y avaient que les gamins pour faire ça ! Je suis quand même rassuré de savoir qu'elle n'est pas enceinte, cela aurait foutu en l'air tous mes projets. Je n'aurais jamais accepté de priver un enfant de mon père, même pour ma grand-mère.

Mes relations avec le propriétaire de la clinique nous ont permis d'attendre dans la future chambre de Jessica au lieu de la salle d'attente du bloc opératoire, et d'avoir le droit à du vrai café, pas le pipi de chat des distributeurs. J'ai pu prendre une douche, et je porte à présent une magnifique tenue bleue de chirurgien. Mes vêtements étaient dans un tel état que j'ai tout jeté. Je fais vraiment glamour, pieds nus, avec mes surchaussures, heureusement on m'a épargné la chemise de nuit des patients qui laisse le derrière a l'air, car même mon caleçon, j'ai dû le m'en débarrasser. Une fois propre, la tension qui ne m'avait pas quittée depuis notre départ précipité est retombée. Je me rends soudain compte que je suis seul avec Alexandre, dans la chambre.

— Tes parents ne sont pas encore arrivés ? Je m'interroge, tout en touillant mon café.

— Voyons voir, il est 16 h 30, papa doit-être au golf, et maman chez la voisine, pour prendre le thé. Me répond Alexandre, tranquillement.

Je suis sans voix, leur fille est à l'hôpital, ils devraient être avec nous.

— Tu les as prévenus au moins ?
— Non, et je n'ai pas l'intention de le faire.
— J'espère que tu ne comptes pas sur moi pour m'y coller, car je ne suis pas sûr de garder mon calme avec ton père.
— Ne te donne pas cette peine, Jessica décidera de ce qu'elle fera à son réveil.
— Et que vas-tu leur dire quand ils vont t'appeler pour avoir de ses nouvelles ?

Alexandre éclate de rire.

— Non, mais sérieux, tu penses vraiment qu'ils vont demander de ses nouvelles ?
— Mais bien sûr, c'est évident, leur fille vient de partir à l'hôpital, ils doivent être fous d'inquiétude. Je suis d'ailleurs surpris qu'ils ne nous aient pas suivis. Mais bon, à la vitesse où tu conduisais, tu les as sûrement semés.
— Nous suivre, un dimanche après-midi ? Impossible, mais si tu veux les voir, je t'ai dit où les trouver. Par contre, tu devras attendre qu'ils soient rentrés, à cette heure, ils sont injoignables.
— Quoi ? Il faut prendre rendez-vous, chez vous pour être malade ? Mais ils ne vont quand même pas chercher à avoir de ses nouvelles, quand ils vont rentrer ? Je demande, vraiment surpris.
— Visiblement, tu ne connais pas ma sœur. Sinon tu saurais qu'ils ne me téléphoneront pas. Mon père est persuadé que Jess est en cloque, il ne va pas s'affoler pour ça.
— Mais merde, il est médecin, il devrait s'inquiéter.

— Surtout pas ! Il serait obligé d'annuler sa partie de golf. Il part du principe que si quelque chose de grave arrive, il ne pourra rien y changer, alors autant le laisser finir sa partie tranquillement.

— Et ta mère, elle doit s'inquiéter, elle ?

— Ah, maman, pour elle, son mari est parole d'évangile, car il est le détenteur de la carte bleue. Elle ne s'opposera jamais à lui, du moins en apparence, car elle est tout aussi fourbe que lui. Je vais t'apprendre quelque chose sur ma chère maman, elle est autant végétarienne, que je suis gay. C'est du pipeau. Tout est parti d'un jour où elle a repris de la viande à un repas de travail de mon père. Il lui a fait une crise en rentrant, comme quoi, elle lui avait fait honte, et que les vraies femmes ne se resservaient jamais, et surtout pas de la viande. Depuis, elle est soi-disant devenue végétarienne et lui pourrit tous ses repas dominicaux, en foirant exprès son ossu bucco, car c'était le plat préféré de papa.

— Je me disais aussi que ce n'était pas possible de cuisiner aussi mal. Mais en faisant ça, elle vous punit aussi. Elle pourrait au moins vous préparer autre chose.

— Mais elle s'en fout de nous, nous sommes des dommages collatéraux dans toute cette histoire. Elle nous aime à sa façon, mais l'important, ce sera toujours elle, quoi qu'il se passe. Jess s'est cassé la jambe, au collège, elle a été transportée à l'hôpital. Maman a été prévenue alors qu'elle était chez l'esthéticienne, elle n'est venue qu'après la fin de sa manucure.

Si j'ai un accident, la première question de mon père sera quand pourra-t-il exercer de nouveau, pas comment va-t-il.

— Finalement, Jess et moi avons plus de choses en commun que je le pensais.

— Toi aussi, il te manque un bout d'intestin ?

— Crétin ! Non, j'ai seulement des parents pourris, mais des grands-parents formidables, il ne me reste que ma grand-mère, mais c'est une femme merveilleuse.

— Tu as de la chance. Chez nous, les grands-parents sont de la même veine que les parents. Les seules personnes formidables dans la famille sont ma sœur et moi. Tu aurais pu être cool comme beau-frère, c'est dommage.

— Pourquoi c'est dommage ?

— Tu as entendu mon père, il ne veut pas de toi dans la famille, sauf si tu as mis ma sœur enceinte, ce qui n'est pas le cas, visiblement.

— Ça va peut-être lui passer, il est colère à cause de la façon dont il l'apprit, mais...

Alexandre me coupe.

— Économise ta salive mec, il n'en a rien à foutre de l'avoir appris par les médias ou par un messager du pape. Ton nom est trop célèbre, et tu as trop de fric pour lui. Tu vas lui faire de l'ombre, et au club, on lui demandera des nouvelles de son beau-fils, et non pas de son fils. La réussite sociale doit être filiale et non pas matrimoniale, selon lui.

— Tu veux dire que c'est mort, c'est ça ? Je ne pourrais jamais épouser Jessica ?

— Sans engendrer un drame familial, non. À moins de lui faire un gosse.

— Non, je n'irais pas aussi loin. Je tiens à épouser ta sœur, pas à lui foutre sa vie en l'air.

— Bonne réponse mec. On va être franc toi et moi, votre histoire de rencontre que vous avez servie aux parents, c'est du pipeau. Alors si je dois me mettre ma famille à dos, car je serais toujours du côté de Jess, j'ai le droit de savoir pourquoi.

J'hésite à lui dire la vérité. Je vais avoir besoin d'un allié, si je veux faire plier son père, mais Alexandre est loin d'être un idiot. Si je lui mens et qu'il l'apprend, la situation sera encore pire que si je lui avoue tout. Mais si je parle, on risque de se battre. Je veux bien qu'il m'en colle une, je l'ai bien mérité, mais je me connais, je risque de lui rendre s'il en tente une deuxième.

— Tu vas me mettre ton poing dans la gueule, te casser la main et je serai banni à vie auprès de ta sœur.

— Tu viens de sauver sa vie, si tu n'avais pas réagi aussi vite, son appendice aurait éclaté et elle aurait pu mourir. Je te suis redevable, donc je ne te casserai pas la gueule.

Cela me rassure un peu, mais je sais que cela ne va pas durer.

— Tout est parti d'un quiproquo, Jessica avait abusé des médicaments, elle s'est écroulée sur moi, et la photo a été vendue aux médias par ma mère, qui a l'habitude de faire du fric en racontant n'importe quoi sur ma vie. Ça aurait pu en rester là, mais dans la série mon père est une ordure, je détiens la palme. Cet enfoiré est un alcoolique, pour sauver notre entreprise, j'ai dû le virer. Pour le calmer, mon grand-père lui a promis la maison familiale, après sa mort. Il était persuadé que son fils succomberait très vite d'une cirrhose, mais la gangrène, ça s'accroche. Il a obtenu une greffe de foie malgré son alcoolisme, et mon grand-père est parti avant lui. J'ai appris ce fameux soir que la jouissance de la maison me revenait, si je marier dans l'année qui suit son décès. Mais surtout que dans le jardin, reposait mon oncle, un bébé mort à la naissance. Ma grand-mère a passé sa vie à chérir cette tombe, sans jamais vouloir me dire qui s'y trouver. Elle a perdu son mari, sa maison, mais aussi le droit de se recueillir sur la tombe de son enfant.

Alexandre se lève, et se met à tourner dans la pièce.

— Ma sœur à de nombreuses qualités, c'est une philanthrope. Mais sa ligne rouge a toujours été le mariage, alors comment as-tu réussi à la convaincre ?
— Je l'ai menacé de ruiner sa réputation et sa vie professionnelle.

Alexandre se jette sur moi et m'attrape par le col de mon pyjama de chirurgien.

— Je devrais te tuer pour avoir menacé ma sœur, espèce de salopard.

Il enrage et je le comprends, je ne suis vraiment pas fier de moi.

— Je n'avais que ça comme moyen de pression, mais je ne l'aurais jamais fait. Il faut que tu saches que si je lui ai demandé de m'accompagner à Lyon, c'est parce qu'elle m'intéresse. Je ne comptais pas pour autant la demander en mariage, mais pour elle, j'étais prêt à revoir mon concept de ne jamais mélanger le sexe et le boulot.

— Tu comptais la sauter, puis la virer ?

— Je voulais apprendre à la connaître, mais peu importe où cela nous aurait mené, je ne l'aurais pas viré.

Alexandre relâche, ma veste. C'est moche comme tenue, mais plutôt solide. Malgré sa poignée, il ne l'a pas déchirée, juste détendue.

— Je suppose que je dois te souhaiter la bienvenue dans la famille.

— J'en doute, vu la réaction de ton père, Jessica va sûrement vouloir mettre un terme à tout ça, et je ne m'y opposerai pas.

— C'est plutôt le contraire, avec le cinéma qu'il vient de nous faire, elle ne va rien lâcher, juste pour le plaisir de voir sa tête, quand il la conduira à l'autel, s'esclaffe mon futur beau-frère.

— Vous êtes barré dans ta famille.

— Et encore, tu ne connais pas tout le monde !

Je termine mon café, en espérant pour ma santé mentale qu'ils ne soient pas trop nombreux dans cette famille…

*

Jessica

J'ouvre péniblement les yeux, je ne sais pas où je me trouve. Je dois sûrement être dans un hôpital, si je me fie au chirurgien qui est penché sur moi. Ils ont dû mettre la dose sur les médicaments qu'ils m'ont donnés, car je trouve que le beau médecin, au-dessus de ma tête, ressemble étrangement à Gabriel. Je lui attrape la main et lui murmure :

— Vous êtes le portrait craché de mon mec. Enfin, ce n'est pas vraiment mon mec, on n'a jamais rien fait. Il est plutôt chiant, mais il a un cul splendide, ça compense. Vous voulez bien vous tourner, que je compare avec le vôtre.

Le médecin se met à rire, j'essaie de me redresser pour mater ses fesses, mais la nausée me reprend et je lui vomis dessus. Le noir m'entoure à nouveau et je me rendors.

Gabriel

Elle m'a encore vomi dessus. Quand elle s'est réveillée, je n'ai pas compris pourquoi son frère est parti chercher un haricot, mais maintenant, je sais.

— Tu savais qu'elle serait malade ? Je lui demande un peu énervé.
— Je m'en doutais, c'est courant après une opération chez une personne qui a le mal des transports, me répond-il le plus naturellement possible.
— Putain, tu aurais pu me prévenir.
— Et louper ça, sûrement pas. En plus, si tu n'avais pas été aussi près d'elle, elle ne t'aurait pas confié baver sur ton cul.

Si je n'étais pas aussi sale, je ferais la roue comme un paon. Elle a flashé sur mes fesses ! Bon d'accord, elle a aussi dit que j'étais chiant, mais ce n'est qu'un détail. Maintenant que je sais que je lui plais, je n'hésiterais pas à m'en servir pour la séduire. J'envoie Alexandre récupérer un nouveau pyjama et file prendre une nouvelle douche. C'est seulement la troisième de la journée.

Comme je m'y attendais, mon beau-frère, m'a déposé un change dans la salle de bain, mais pas un pyjama de chirurgien, c'est la fameuse chemise de nuit qui se ferme par un lien autour du cou, et laisse tout le derrière a l'air.

— Alex, tu fais chier, je ne peux pas sortir comme ça, je suis à poil.
— Désolé mec, mais c'est tout ce que j'ai trouvé. Je n'ai pas tes relations pour avoir des fringues de médecins. Au pire, je peux aller me faire une infirmière, pour te récupérer une blouse, mais je ne suis pas sûr que cela t'aille bien au teint.

— Arrête de te foutre de moi, tu es médecin toi aussi, alors ne me fais pas croire que personne ne pouvait te prêter de tenue.

— C'est vrai, j'aurai pu, mais ma sœur est malade et je pensais d'abord à elle. A priori, elle aime ton cul, alors le lui mettre sous le nez ne pourra qu'adoucir sa convalescence.

— Le truc, c'est qu'il n'y a pas que mon cul qui est à l'air, et si je sors de cette pièce, je risque de te filer tes complexes.

— À d'autres mecs, je suis chirurgien plasticien, alors si la nature ne m'avait pas gâté, j'aurais pu y remédier.

Je passe la tête, par la porte.

— Ce n'est pas possible, il y a des mecs qui se font faire des extensions de pénis ?

— Ouais, pourquoi ça te branche ?

— Tu es trop con, bon si tu ne peux pas me ramener de pyjama, files m'acheter des fringues. Je te prête ma voiture si tu veux frimer.

Alexandre éclate de rire.

— Sérieux à moins que tu ne me transfères son titre de propriété, je ne remonterai pas dans ta voiture avant qu'elle ait été lavée et désinfectée de fond en comble.

Mais oui, c'est vrai, Jessica a vomi plusieurs fois dans ma voiture, et sachant que cela fait plus de trois heures que nous sommes là, je n'ose pas imaginer l'odeur.

— Ce n'est pas vrai bordel, ma Jaguar, comment je vais pouvoir la conduire après ça.

— Fais-la laver et donne-la-moi, tu n'auras pas besoin de l'utiliser à nouveau. Je serais bientôt ton beau-frère, je peux bien faire ça pour toi, conclut Alexandre avec un sourire carnassier.

Comme il y a des gestes qui valent bien plus que des mots, je lui adresse mon majeur, et m'empare de mon téléphone.

« Allo, Clélie, c'est Gabe. Je suis désolé de vous déranger un dimanche, mais j'ai besoin de votre aide. Il faut que vous alliez sur les champs, dans la boutique de Gino.

— Patron, oui bien sûr que je peux vous aider, mais on est dimanche, les boutiques sont fermées.

— Vos boutiques peut-être, mais pas les miennes.

— Bien, si vous êtes sûr, je vais y aller.

— Oui, Clélie, je suis sûr, sinon je ne vous le demanderais pas. Prenez-moi, un t-shirt, un jeans et un pull en cashmere. Il va me falloir aussi un caleçon, des chaussettes et des chaussures.

— Excusez-moi, mais vous avez bien dit un caleçon ?

— Oui, Clélie, j'ai bien dit un caleçon et non, je ne vous demande pas de le choisir, Gino connaît ma taille et mes goûts.

J'ai seulement besoin que vous les récupériez et que vous me le conduisiez à la clinique du parc Monceau.

— À la clinique, oh, mon Dieu ! Vous avez eu un accident ?

— Non rassurez-vous, je vais bien et avant que vous me le demandiez, Jessica va bien aussi. Je vous expliquerai tout à votre arrivée. Pouvez-vous me trouver le nom d'une entreprise de nettoyage pour voiture de luxe ?

— Oui, bien sûr, je m'occupe de tout ça, et je vous rejoins au plus vite.

— Merci, Clélie, vous m'êtes précieuse et je saurais vous récompenser. Pour le règlement, dites à Gino de le mettre sur mon compte personnel, pas celui de l'entreprise. Oh, une dernière chose, pour le jeans, prenez un slim. »

Je raccroche très vite avant que ma secrétaire ne m'interroge sur mes nouveaux goûts vestimentaires. Je lève les yeux vers mon beau-frère qui me regarde, en colère.

— C'est déloyal de faire venir Clélie, j'aurais su que tu étais prêt à faire ça, je l'aurais prise ta voiture, même pleine du vomi de ma sœur.

— Tu as voulu jouer, tu as perdu.

Jessica gémit dans son sommeil, elle semble souffrir, alors Alexandre appelle une infirmière. Celle qui nous rejoint dans la chambre ne correspond pas vraiment aux fantasmes que sa profession peut nous procurer. Elle est grande, et à des mains qui ressemblent à des battoirs, des poils au menton et vraisemblablement un pénis sous son pantalon.

Je me rapproche de mon beau-frère et lui chuchote :

— Tu es encore volontaire pour te taper l'infirmière afin que je récupère ses fringues ?

Alexandre m'envoie un coup de coude dans le ventre, et me répond.

— Ta gueule, sinon je lui fais croire que tu es un patient qui vient de s'échapper du service de psychiatrie.

Je me renfrogne, et je me tais. Il en est capable ce con, et j'aurais trop honte de traverser tout l'hôpital habillé comme je le suis, avant de pouvoir prouver mon identité.

L'infirmier termine d'écrire sur sa fiche, puis se retourne vers nous.

— Elle ne devrait plus tarder à se réveiller. Il va falloir rester près d'elle pour éviter qu'elle ne fasse un geste brusque, ou essaie de se lever. Elle était déjà inconsciente quand elle a été conduite en salle d'opération, elle ne sera donc pas ce qui s'est passé. Dites-moi, la Jaguar qui était à l'entrée des urgences, est-elle à un de vous deux ?
— Oui, c'est la mienne. Pourquoi c'était ? Quelqu'un est déjà venu la chercher ?

Il va vraiment falloir que je félicite Clélie, cette fille est vraiment efficace. Cela fait à peine quinze minutes que je l'ai prévenu. Je lui avais juste demandé les coordonnées d'une société et elle a réussi à les faire déplacer, en un temps record.

— Oui, la fourrière s'en est chargée. La police a dressé une contravention pour stationnement interdit, avant de la faire enlever, mais ne vous inquiétez pas, nous l'avons gardé à l'accueil pour vous éviter de la recevoir avec une surtaxe à votre domicile. Nous vous la remettrons avec la facture de la chambre à votre départ. Je vais appeler un brancardier pour vous raccompagner. Dans quel service faut-il vous reconduire ?

— Mais je ne suis pas un patient voyons ! Je suis Gabriel de Saint-Alban, j'accompagne ma fiancée.

Alexandre n'en peut plus de rire, et l'infirmier s'excuse pour sa méprise.

— Si ma sœur n'était pas sur ce lit d'hôpital, je te dirais que tu me fais passer la meilleure journée de ma vie.

Je le fusille du regard et rétorque.

— Attends que Clélie arrive, et on en reparle.

Je me réjouis de le voir blêmir. Moi je passe une journée pourrie, je me fais traiter comme un chien, par mon futur beau-père, ma fiancée m'a vomi dessus à 4 reprises, ma voiture qui doit être d'une horrible puanteur, est à la fourrière.

Mais pire que tout, je suis assis sur un siège en cuir, le service 3 pièces pratiquement à l'air.

*

Jessica

Mon deuxième réveil aura été le bon. Même si je ne me souviens que vaguement du premier. Mon frère était là, ainsi que Gabe et quand je l'ai vu, j'ai cru que nous avions eu un accident. Il avait l'air d'aller bien, mais il portait l'affreuse chemise d'hôpital, tout comme moi d'ailleurs. Alexandre m'a tout raconté, mon malaise chez les parents, mon arrivée ici en catastrophe et mon opération. Je l'écoute attentivement, puis lui demande.

— Tu ne les as pas prévenus ?

— Non, mais je peux le faire si tu y tiens.

— Surtout pas, papa ne doit rien savoir, après la honte qu'il m'a collée, je ne vais pas le détromper, s'il me croit enceinte, grand bien lui fasse.

— C'est peut-être un peu extrême, me coupe Gabe.

— Non Gabe, ce n'est pas extrême. Je ne vais pas lui mentir, en lui disant que je suis enceinte, je vais seulement le laisser le croire. En plus, il ne s'opposera pas au mariage comme ça.

— En parlant mariage, Jessica, j'ai tout raconté à ton frère et si tu veux stopper tout ça, je le comprendrais et ne m'y opposerai pas.

— Ah non alors, il est hors de question qu'il gagne encore ! Tu voulais m'épouser pour ta grand-mère, et maintenant, je veux t'épouser pour voir mon cher papa, manger son chapeau quand il me conduira à toi, devant l'autel.

Je le toise, en croisant mes bras.

— Tu veux un mariage religieux ! s'exclame-t-il surpris.

— Oui, avec la totale, la robe blanche, le voile et tous les membres de son foutu club.

Alexandre ricane.

— Je t'avais prévenu mec !

— Tu vois Alex, je l'ai trouvé mon antigendre idéal, bon ce n'est pas celui de maman, c'est celui de papa et c'est encore plus jouissif.

— Ça, petite sœur, tu me diras que quand tu l'auras vraiment essayé.

Il me fait rire ce con, mais ça fait super mal de rire.

— J'ai faim Alex, s'il te plaît.

— Je sais ma puce, mais après une opération comme ça, tu ne vas pas pouvoir manger autre chose qu'un bouillon, jusqu'à ce que tu sois allé faire cac...

— Tais-toi, je ne veux pas l'entendre. Va me chercher à manger.

Mon frère sourit et s'exécute. Il me ramène un bol d'eau chaude aromatisé à la pomme de terre, que le personnel de la clinique ose appeler potage.

Je mange donc ma soupe d'eau chaude, quand Clélie entre dans ma chambre. Gabriel arrache aussitôt la couverture qui était sur mon lit et s'enroule dedans.

C'est vrai qu'il est à moitié nu et si cela ne semble pas lui poser trop de problèmes avec moi, il n'en est pas de même avec sa secrétaire.

Dès qu'elle me voit, ma copine se précipite sur moi. Elle n'a pas le temps d'atteindre mon lit, que deux bras puissants la soulève du sol. Elle tente de se débattre, mais ne fait pas le poids face à la détermination de mon frère.

— Mais lâche-moi, abruti ! s'énerve-t-elle

— Je te lâcherai quand tu seras calmée. Tu allais sauter sur ma sœur, alors qu'elle vient juste de se faire opérer.

— Et comment je pouvais le savoir qu'elle vient de se faire opérer, personne ne m'a rien dit !

— Apprends à réfléchir avant d'agir, cela ne te fera pas de mal. Elle est dans un lit d'hôpital, c'est donc que quelque chose ne va pas.

Je me décide à intervenir avant que les choses ne dégénèrent. Clélie est à deux doigts de mordre mon frère !

— Vous allez arrêter votre cinéma tous les deux. Alex lâche ma copine et Clélie, range tes dents, la violence ne résout rien.

Alex grogne et la repose au sol. Clélie me rejoint aussitôt et me questionne.

— Comment tu as su que j'allais le mordre ?
— Tu bavais et tu grognais.

Je ne vais pas plus loin dans mes explications, car Gabe nous interrompt.

— Quand vous aurez fini vos enfantillages, est-ce qu'il me sera possible d'avoir mes vêtements ?

Clélie et moi le dévisageons soudain, il est enroulé dans ma couverture comme César dans sa toge. Je suis verte de jalousie, dans un cas pareil, je ressemblerai plutôt à une saucisse dans un hot-dog, mais lui, un rien l'habille.

Alexandre soupire et récupère le sac que Clélie a jette quand elle est rentrée dans la chambre. Il le dispose dans la salle de bains et nous annonce qu'il sort acheter à manger. Aussitôt, je m'emporte.

— Personne ne mangera dans cette chambre, tant que je n'aurais pas le droit à de la vraie nourriture. Si tu leur ramènes quelque chose, ils iront le bouffer dans une salle d'attente ou j'appelle la sécurité pour qu'il te mette dehors. Je ne plaisante pas, Alex. On se l'était promis, si je ne mange pas, tu ne manges pas.

Mon frère, soupire, puis viens m'embrasser le front.

— Jess, ça n'avait rien à voir. Tu avais 7 ans quand je te l'ai promis. Tu faisais la grève de la faim pour aller en colonie avec moi, évidemment que j'étais solidaire.

— Peu importe les circonstances, une promesse reste une promesse.

Alex se rassoit, en bougonnant.

— Tu fais chier Jess, tu as intérêt à remettre ton transit intestinal en route, rapide, sinon je vais te coller un laxatif dans ton bouillon.

Je ne lui réponds rien et le laisse bouder sur sa chaise. C'est normal quoi, je souffre, il souffre. Ça a toujours été comme ça entre nous. Je reporte mon attention sur ma copine et lui explique comment j'en suis arrivée là. Je ne lui épargne aucun détail de notre horrible déjeuner chez mes parents, jusqu'à notre départ en catastrophe. Mais je ne vais pas plus loin, car une fois dans la voiture, c'est le black-out.

C'est Alex qui complète mon récit, et j'apprends, horrifiée, que j'ai ruiné la Jaguar de Gabe ainsi que ses fringues, et qu'en plus la voiture est en fourrière. Mon patron, qui s'est joint à nous pendant ce temps, me dit que ce n'est pas grave, et quand j'irai mieux, on ne pourra qu'en rire. Mouais, je n'en suis pas si sûre, quand Alex parlait de l'état de la Jaguar, il avait des trémolos dans la voix.

— Comment vas-tu faire pour que papa continue de te croire enceinte ? me demande mon frère.

— Je vais laisser traîner un test de grossesse chez moi. Maman ne manquera pas de tomber dessus et elle se chargera de le prévenir.

— Ce n'est pas un peu risqué si elle prévient tout le monde ? intervient Gabriel.

— Ça n'arrivera pas, un enfant hors mariage est très mal vu dans notre milieu, elle fera tout pour étouffer l'affaire et accélérer nos noces.

— Et tu te sens capable de mentir à ta mère ?

— Je n'aurais pas besoin de le faire gabe, maman ne pose jamais de questions dont elle a peur de la réponse. Il suffira qu'elle me pense enceinte, et son caractère fera le risque.

— OK, cocotte, répond mon frère, mais il va falloir un peu plus qu'une boîte de test de grossesse vide au fond de ta poubelle pour convaincre maman.

— Qui te parle d'une boîte vide, c'est un test positif que je vais laisser traîner.

— Jess, aux dernières nouvelles, des tests qui affichent déjà un résultat positif, ça ne se trouve pas en vente libre.

— Je sais Gabe, mais c'est là que Clélie entre en scène.

— Hein, mais pourquoi moi, je ne suis pas enceinte, je peux faire pipi autant que tu veux sur ton machin, il restera négatif.

— Tu délires, Clélie n'est pas enceinte, renchérit mon frère. Comment veux-tu qu'elle t'aide ? Elle ne va pas braquer une femme enceinte avec son test à la main, faites pipi dessus ou je tire !

— Et ne compte pas non plus sur moi pour que je fasse les poubelles pour t'en trouver un, poursuit ma copine.

— Vous avez fini tous les deux ! Je ne te demanderai jamais un truc pareil, je pensais plutôt à ta belle-sœur.

— Ah oui, Claudia ! s'exclame la blonde. Mais je ne sais pas encore si elle est enceinte, mais sûrement vu que son dernier a 9 mois...

— Pourquoi en ferait-elle un autre, si elle a déjà un bébé ? nous questionne Gabe

— Elle n'a pas un bébé, mais quatre. Elle a épousé mon frère, il y a 5 ans et je peux vous garantir qu'ils n'avaient rien fait avant le mariage. Depuis, elle fait un gosse par an, voire deux dans les meilleures années, car elle en a eu un en janvier et un autre en décembre.

— Raison de plus pour arrêter là.

— Pour le commun des mortels oui, mais pour Claudia, hors de questions. Elle veut au moins une quinzaine de gosses et autant que la nature lui permettra d'avoir.

— Elle est folle !

— Non Alex, c'est une autre culture, c'est tout. Chez nous, nous sommes 6. Mon père a cessé de réclamer des gosses à ma mère quand je suis arrivée. Plusieurs versions se confrontent, mon père dit que ce n'était plus nécessaire, car il avait sa petite princesse, ma mère qu'après 5 essais ratés, elle avait enfin atteint la perfection et selon mes frères, ils avaient tellement peur d'avoir une seconde fille comme moi, qu'ils ont préféré arrêter là.

— Alors c'est réglé, tu l'appelleras dès que je serai sortie.

Clélie se mord les lèvres, mais acquiesce quand même.

*

Clélie

Je suis une secrétaire formidable.

Depuis deux ans que je travaille pour Gabriel Saint-Alban, je suis devenue impitoyable avec les prestataires de service qui ne se plient pas à mes demandes. Je peux me transformer en dragon quand il s'agit de changer un horaire de rendez-vous la dernière minute, ou de rajouter une table de 15 couverts à un restaurant affichant déjà complet. Mais quand il s'agit de ma famille, je suis une vraie chiffe molle. C'est sûr que si un employé de l'aéroport me voyait ce matin, je pourrais toujours me brosser pour faire changer une réservation !

Je commence à me demander si un braquage urinaire ne serait, finalement pas, une bonne idée. J'ai beau touiller et retouiller mon café, la solution ne se trouve pas dedans. Je le sais, elle est dans mon téléphone, qui me nargue à côté de ma tasse. Je me suis engagé auprès de ma copine et de mon patron, à passer ce coup de fil, et Gabe m'a même offert ma matinée, pour que je sois sûr de ne pas tomber sur mon frère.

Jess voulait qu'on soit tous réunis quand je contacte ma belle-sœur, mais je m'y suis opposée formellement. Hors de question que mon patron me voit dans cet état, il en va de ma réputation.

J'inspire, j'expire et je me lance.

« Allo, Claudia, c'est Clélie, ta belle-sœur.

— Maman ! Il y a tata Cléclé au téléphone. »

Je crois que mon petit-neveu vient de me détruire le tympan. Chaque fois que je vais chez eux, je ne comprends pas que mon frère et ma belle-sœur ne soient pas encore devenus sourds.

— Bonjour, Juan, tu peux me passer ta maman, s'il te plaît ?

— Non, car maman, elle est aux toilettes avec Miranda. Papa y veut pas qu'on emmène le téléphone aux toilettes depuis qu'il a fait tomber le sien dedans.

— Papa a fait tomber son portable dans la cuvette ?

— Oui, mais ce n'était pas sa faute, il est tombé quand il a baissé son pantalon, il avait oublié qu'il était dans sa poche.

— Il a dû râler très fort.

— Houla oui, il a dû mettre plein de sous dans la boîte à gros mot, et maman a dit qu'on aurait bientôt assez de sous dedans pour aller à Mickey. Avec Miranda, on fait exprès des bêtises qui l'énervent pour aller plus vite, mais il ne faut pas le dire à papa ni à maman.

Je rigole, mon frère aura bientôt des cheveux blancs, avec ces deux-là !

— Promis petit mec, je ne dirais rien.

— Avec qui tu parles Juan ? Redonne-moi mon téléphone.

— Bonjour, Claudia, c'est Clélie. Il me racontait l'histoire de son papa avec le téléphone, lui dis-je en me moquant.

— Ah ça, vraiment ton frère n'en manque pas une. Tu veux son nouveau numéro, c'est pour ça que tu m'appelles ?

— Oui, je veux bien que tu me l'envoies. Mais je venais aussi aux nouvelles, savoir si tu n'avais rien à m'apprendre.

— Il exagère, je lui avais dit d'attendre que j'aie passé le troisieme mois.

Je fais le v de la victoire, devant mon poisson rouge. C'est pratique un poisson rouge, ça ne demande pas à sortir quand il pleut, ça ne fout pas de poils partout, et c'est toujours d'accord avec toi.

— Angel ne m'a rien dit, je m'en suis douté, c'est tout.

— Je préfère ça, alors oui, je te le confirme, je vais avoir un cinquième trésor.

— Félicitations. Bon, je sais que tu risques de me prendre pour une folle, mais il n'y a pas trente-six façons de te demander cela. J'ai besoin que tu me prêtes ton test de grossesse positif.

— Oh, mon dieu Clélie, tu es enceinte ? s'écrit ma belle-sœur.

— Mais non, pas du tout ! Si j'étais enceinte, je ne te demanderais pas ton test, je prendrais le mien.

— Mais que veux-tu faire avec ?

— C'est très compliqué à expliquer, j'en ai besoin, c'est tout ce que je peux te dire.

— Tu ne veux pas faire chanter quelqu'un quand même ?

— Mais enfin Claudia, je ne suis pas comme ça. J'en ai besoin pour aider quelqu'un, il n'est pas question de chantage.

— De toute façon, je ne peux pas te le passer, je les garde tous pour les coller dans leur album de naissance.

— Tu peux peut-être en faire un nouveau ?

— Dans quoi tu veux m'embarquer Clélie ?

— Je te promets Claudia, je ne vais rien faire d'illégal avec. Si tu veux, mon amie peut, te téléphoner pour t'expliquer.

— Tu as un petit ami, mais c'est génial !

— Non Claudia, je n'ai pas de petit-ami. Je parlais de mon amie avec un e, celle qui en a besoin.

— Une amie avec e ? C'est pour ça que tu ne nous présentes personne. Je suis contente si tu as trouvé ton bonheur, mais cela ne va pas être simple de faire comprendre cela à ton frère.

— Mais pas du tout Claudia, c'est une simple amie, si je ne vous ai présenté personne, c'est que je n'ai pas trouvé le bon. C'est tout.

— Tu préfères quand même les garçons ? Car on s'est déjà posé la question avec ta mère.

— Oui, je préfère les garçons, c'est juste qu'après avoir vécu avec 5 frères, j'aspire plus au célibat qu'a une vie de couple.

— Bon, je vais t'aider, mais ce ne sera pas gratuit. Voilà ce qu'on va faire, tu te débrouilles pour venir à la maison le week-end prochain, avec ton amie, et tu m'apportes un test de grossesse. Si elle me confirme que c'est pour elle, je ferai pipi sur ton bâtonnet.

— Le week-end prochain, mais j'ai beaucoup de routes pour venir.

— Je ne veux pas le savoir, si tu veux ton test, tu te déplaces. Nous fêtons l'anniversaire de Juan samedi, alors je compte sur vous deux. Toute la famille sera là, ne me déçoit pas et vient. Je dois raccrocher, les enfants ont besoin de moi. À bientôt. »

Je soupire et me masse les tempes pour faire évacuer la migraine qui me prend à l'idée d'un week-end complet avec ma famille.

Je compose le numéro de Jess pour la tenir au courant, car je sais qu'elle est impatiente de savoir si j'ai pu me débrouiller.

« Allo, Jess, je viens d'avoir ma belle-sœur, et je vais encore devenir tata.

— Oh, c'est génial, elle est OK pour te donner son test ?

— Oui et non, elle veut bien en faire un si je viens pour les quatre ans de mon neveu, samedi prochain.

— Un petit week-end en famille, c'est cool ça, ricane ma copine.

Mais je la fais taire rapidement quand j'ajoute.

— Je suis ravie que cela te plaise, car tu n'es pas seulement invitée, ta présence est exigée, par ma belle-sœur.

— Quoi ! coasse-t-elle.

— Oui, sinon elle ne pissera pas sur le tube.

— OK, alors je vais venir.

— Super, bon, je te laisse, j'ai une matinée de congés et je compte bien en profiter. Je t'embrasse et tâche de ne pas mener la vie trop dure à notre patron. Il a une petite mine depuis que tu es malade. »

Jessica rigole, puis nous raccrochons chacune de notre côté.

Maintenant, je vais aller prendre un long bain relaxant, je l'ai bien mérité et il va falloir que j'emmagasine plein d'énergie positive, si je veux survivre au week-end qui s'annonce.

*

Jessica

Je suis enfin sortie de la clinique. Malheureusement, j'ai 15 jours d'arrêt maladie et comme je dois éviter mes parents, je me suis installée chez Gabriel.

Sachez-le, je suis une convalescente insupportable. Mon frère m'a fourni une petite clochette dont j'use et j'abuse avec mon colocataire. Comme Gabe faisait semblant de ne pas l'entendre, Alex, m'a aussi offert, un super écoute bébé dont le récepteur, ne quitte plus la poche du pantalon de mon servant. Mon patron n'étant pas là durant la journée, je me tiens tranquille avec son employée de maison, mais le soir je me lâche. Je le sonne pour qu'il m'apporte de la glace, qu'il remonte mon oreiller, ou bien qu'il me redonne la télécommande que j'ai fait tomber du lit. Évidemment, quand il est au travail, je me débrouille toute seule, je ne suis pas impotente, juste chiante !

Aujourd'hui, on est samedi, et Clélie va arriver pour m'aider dans les préparatifs du mariage. Cela n'a pas été facile de la faire venir, car elle avait peur d'aller chez son patron. J'ai dû lui promettre que gabe irez voir sa grand-mère pour qu'elle accepte de se déplacer. Bon, il se peut que j'aie omis de lui dire qu'il n'irait que ce soir, alors que je l'ai invité à 14 heures. Visiblement, c'est un détail qui n'a pas trop plu à ma copine, quand après avoir sonné, c'est Gabe qui venu lui ouvrir.

Je l'ai bien remarqué à sa façon de se tenir, à moitié assise sur son fauteuil, et je suis sûr que si je lui fais peur, elle finira les fesses par terre. Quand j'ai agité ma clochette, pour réclamer un verre de jus d'orange pour moi et une boisson pour Clélie, j'ai bien cru qu'on allait la perdre. Gabe est arrivé en bougonnant, a pris ma commande et est retourné en cuisine.

— Détends-toi Clélie, tu es toute rouge. Je lui dis en me marrant.

— Comment tu veux que je me détende, je suis sur le fauteuil de mon patron, dans la maison de mon patron et il va me servir un verre ! me répond ma copine, en chuchotant.

— Tu n'es pas payé en ce moment, donc il n'est pas ton patron. Tu es venue voir ton amie qui vit avec un beau mec, point. Alors si tu dois rougir, fais-le en pensant le voir ton servir ton verre avec un tablier sans rien dessous, plutôt que parce que tu es gênée, car hier, c'était toi qui lui servais son café.

— Mais tu es folle, je ne vais pas l'imaginer à demi nu, quand même. C'est n'importe quoi, en plus c'est ton fiancé.

— Niveau intimité, on a fait pire chérie, faut-il que je te rappelle que tu as couché avec mon frère, sur mon canapé ?

— Non merci, pas besoin de remuer le couteau dans la plaie. C'était une erreur qui ne répétera jamais, heureusement.

— C'était quoi l'erreur, le lieu où le choix du partenaire ? Je lui demande, curieuse.

— Les deux, mais surtout le partenaire.

— Alors c'est pour ça qu'il ne sort jamais deux fois avec la même femme, c'est un trop mauvais coup. L'essayer, c'est t'en dégoûter.

— Pas du tout, c'est le meilleur coup de ma vie, c'est ça le pire. C'est pour ça que c'est une erreur, quand tu as goûté au menu du restaurant gastronomique, c'est dur de revenir au menu de la cantine.

— Retourne goûter au menu gastro, alors.

— Tu es marrante, tu l'as dit toi-même, il ne baise jamais deux fois la même. Et puis même s'il accepte de me faire goûter à un nouveau dessert, le prix à payer serait trop lourd pour moi. Je ne suis pas capable de jouer avec le cul de ton frère, sans y laisser entrer mon cœur.

— C'est pour ça que tu es exactement la femme qu'il lui faut. Toi, tu l'aimeras vraiment, pour autre chose, que sa belle gueule ou son compte bancaire.

— Oui, je pourrais l'aimer, mais pas lui.

— Alex est blessé, il préfère faire mal avant qu'on lui fasse mal, mais il est capable d'amour. Il faut que tu le rendes jaloux, c'est un sentiment qu'il ne connaît pas, je vais t'y aider.

— C'est inutile, il n'a aucune raison de s'intéresser à moi.

— Le truc, c'est qu'il s'intéresse à toi depuis le premier jour où il t'a vu. Tu l'as laissé en plan, en boîte, et au lieu de terminer sa soirée dans un hôtel avec une pouffe, il a fait le con et a fini chez les flics. Vous avez couché ensemble dans mon appartement et crois-moi, ça, c'est une ligne rouge pour lui. Jamais aucune de ses nanas n'est entrée ni chez lui ni chez moi. Je sais que tu lui plais.

Clélie n'a pas le temps de me répondre que Gabe revient avec nos boissons.

— Voilà mesdemoiselles, vous faut-il autre chose ou je peux aller m'enfermer dans mon bureau pour bosser ?

— Ça ira, merci. J'ai juste une question à te poser. Si tu avais le choix, entre la cantine tous les jours où tu manges à ta faim, ou bien un restau gastro, une fois par semaine, mais devoir te faire des sandwichs entre deux pour te l'offrir, que ferais-tu ?

— Elle est nulle, ta question, je n'ai jamais eu à choisir et toi non plus.

— Ce n'est pas pour moi, c'est pour Clélie.

— Si c'est une façon déguisée de me dire que je ne la paie pas assez, je veux bien l'entendre, mais pas ici. Chez moi, je ne suis le patron de personne. Si Clélie veut une augmentation, je lui suggère de venir voir son supérieur lundi matin dans son bureau. Au fait Jessica, j'adore le son de cette clochette, je pense que je demanderai à mon assistante junior de me la prêter, quand elle sera de retour de son congé maladie.

Je déglutis, face à son sourire carnassier.

— Ce serait du harcèlement, Monsieur, et c'est puni par la loi.

— Heureusement, j'ai une merveilleuse secrétaire qui saura me trouver le meilleur des avocats. N'est-ce pas Clélie ?

Ma copine bafouille.

— Oui, bien sûr, je peux faire ça.
— Mais c'est déloyal. Je râle.

Gabe rigole, et se penche vers mon oreille.

— Tout, comme c'est déloyal, de suggérer à sa copine de m'imaginer nu sous un tablier. Si tu te demandes comment j'ai entendu, c'est facile. Tu as oublié d'éteindre l'écoute bébé que tu as fait acheter à ton frère, pour que je t'entende même quand nous ne sommes pas au même étage.

Gabe repart, et j'ai l'impression d'avoir encore son souffle dans mon cou. Je suis rouge comme un picot et Clélie n'a rien perdu de mon trouble.

— Qu'est-ce qu'il t'a dit pour te mettre dans un état pareil ?

Je ne peux décemment pas dire à ma copine que son patron a entendu ses confessions sur sa vie sexuelle. Elle serait super gênée et m'en voudrait à mort. Néanmoins, je dois surveiller mes propos, car il écoute toujours, le fourbe.

— Rien d'important, ne t'inquiète pas. Peux-tu aller dans la cuisine me chercher une cuillère ?
— Tu touilles ton jus d'orange toi maintenant ?

Vite, il faut que je trouve une excuse, j'ai trop peur de ce que Gabe pourrait entendre.

— Oui, car je rajoute toujours du sucre dedans, car j'aime quand c'est bien sucré.
— Beurk tu es spéciale, parfois, tu ne sucres pas ton café, mais tu sucres ton jus d'orange.

Clélie se lève et part en cuisine. Je sais qu'elle est gênée de devoir ouvrir les placards chez son patron, mais elle le serait encore plus, si je rappelle Gabe. Je profite qu'elle est éloignée pour attraper le récepteur de l'écoute-bébé et le cacher dans le coffre du canapé, sous les plaids qui y sont rangés.

À son retour, je suis obligé de me servir une pleine cuillère de sucre en poudre dans mon jus d'orange. Je le bois avec un grand sourire alors que je n'ai qu'une envie, c'est de le jeter dans la plante à côté de moi. Qu'est-ce que je ne ferai pas pour ménager la susceptibilité de ma copine. J'espère seulement qu'elle ne pensera pas qu'il faut sucrer toutes mes boissons quand je serais de retour au bureau.

Je repense à la réflexion de gabe, sur ma clochette et je réalise que depuis l'inauguration de l'agence de Lyon, j'ai eu un peu tendance à oublier, qu'il était aussi mon patron. Dans moins d'une semaine, les rôles seront inversés, et c'est moi qui devrais le servir s'il le demande. Bizarrement, je n'ai pas vraiment hâte de reprendre.

Ma copine me sort de mes pensées en agitant un catalogue sous mon nez.

— Tu es encore sous cachets pour avoir des absences comme ça.

— N'importe quoi, je réfléchissais, c'est tout.

— Alors, réfléchis à voix haute et dis-moi en quoi je peux t'aider.

— On doit trouver des modèles de robes de mariées pour que je montre à ma mère le style de robe que je veux.

— Pourquoi tu ne fais pas directement les boutiques avec elle ?

— Je vais le faire, mais je veux avoir déblayé un peu le terrain avant. Je n'ai que 3 mois devant moi, je ne veux pas les perdre à lutter pour ne pas ressembler à une meringue dans ma robe, ni porter une traîne de 5 mètres et devoir aller en groupe aux toilettes, avec mes demoiselles d'honneur.

— Alors là, tu peux compter sur moi, je vais t'aider, car il est hors de question que je tienne ta robe pendant que tu t'essuies les fesses.

— Rassure-toi, tu ne seras pas une de mes demoiselles d'honneur.

— Ah, me répond Clélie, un peu déçue.

— Non, car tu seras mon témoin avec Alex.

— C'est vrai ? Oh merci, c'est trop bien.

— Tu me remercieras encore plus qu'en tu verras les robes que ma mère va choisir pour les demoiselles d'honneur.

— Pourquoi ?

— Connais-tu le film 27 robes ?

Clélie secoue la tête en signe de négation, alors je poursuis.

— C'est un film ou l'héroïne, est régulièrement demoiselle d'honneur avec des robes qui pour certaines frisent le ridicule. Depuis mes 13 ans, je fais le pingouin aux mariages des enfants des relations de mes parents. Bien souvent, je ne connais même pas le nom de la mariée. Alors je vais joindre l'utile à l'agréable. Je vais charger ma mère de choisir mes demoiselles d'honneur et leurs tenues. Comme ça, elle se sentira vraiment investie dans mon mariage, et les voir dans leurs robes ridicules sera une douce vengeance.

— J'ai hâte de voir ça, ricane Clélie.

— Et moi donc…

*

Jessica

Ça y est, nous sommes samedi. C'est le jour de mon départ, pour le week-end dans la famille de Clélie. J'ai beaucoup réfléchi à comment m'habiller, car ce n'est pas simple d'arriver dans une fête de famille, ou l'on ne connaît personne. Ma copine m'a dit de la jouer cool, alors j'ai choisi une robe longue, un peu bohème, que j'ai achetée en Provence l'été dernier. La semaine dernière, j'ai envoyé Alex chez moi, pour qu'il récupère ma robe et qu'il fasse un brin de ménage. Comme je me suis installé chez Gabe, depuis ma sortie de l'hôpital, j'avais un peu peur de l'état dans lequel j'aurais pu trouver mon appartement, surtout que je n'y suis pas retourné depuis mon week-end en pyjama avec Clélie.

Ma robe est très longue et je me réjouis d'avoir choisi celle-ci, car, je n'ai pas pensé aux chaussures. Cet été, je la portais en tong ou pieds nus, mais là, je n'ai que mes Louboutin ou mes petites tennis en toile, que j'utilise d'habitude comme chaussons.

Clélie doit me rejoindre chez Gabe et il nous conduira à la gare. Nous prenons le train, car mon frère refusait de nous laisser faire la route toute seule. Quand ma copine a réalisé qu'il était sérieux, et prêt à débarquer avec nous dans sa famille, elle a accepté les deux billets de train qu'il nous a offerts.

Je suis vraiment excitée, alors, quand elle sonne à la porte, je me mets à courir dans le couloir, pour aller lui ouvrir. Aïe, dans ma précipitation, j'ai oublié qu'hier soir encore, je me plaignais auprès de mon patron, d'être trop faible pour aller porter mon assiette au lave-vaisselle. Lui par contre n'a pas oublié et aux yeux noirs, qu'il me lance, je sais que je peux dire adieu à ma petite clochette.

Quand j'ouvre la porte, je reste sans voix. Clélie, ma Clélie qui est toujours habillée si chic, se tient devant moi en jogging.

Gabe aussi est surpris.

— Bonjour Clélie, je suis désolée de vous demander cela, mais vous êtes sûres d'aller vraiment au même endroit toutes les deux ? lui demande Gabe, soupçonneux.

— Bonjour, Gabe, oui nous allons bien dans ma famille, mais nous n'avons visiblement pas la même définition du mot cool, Jess et moi.

— Mais tu es en jogging Clélie ! Un jogging, ce n'est pas un truc cool, c'est un engin de torture. Quand tu mets ça, tu sais que vas souffrir. Je te préviens si tu veux me faire suer, pas besoin d'essayer de me faire courir. Le seul sport que j'accepte de faire, c'est passer l'aspirateur.

Ma copine rigole.

— Tu tiens beaucoup à ta robe ?

— Non, pas particulièrement.

— Tu l'as payé cher ?

— Non, c'est loin d'être de la haute couture, mais c'est quoi toutes ses questions ?

— Avant la fin de la journée, ta robe sera tachée voir déchirée, alors si tu n'y tiens pas plus que ça, on peut y aller.

J'ai bien envie de lui répondre que je ne suis pas une souillon, mais je me tais, car je ne veux pas nous mettre en retard.

En m'installant sur le siège passager de la voiture, je croise mes jambes et Gabe aperçoit mes tennis en toile. Il éclate de rire.

— Jess, je crois que tu as oublié d'enlever tes chaussons.

— Ce n'est pas des chaussons, c'est mes chaussures, je n'allais pas mettre mes Louboutin avec une robe comme celle-là.

Clélie, qui est assise à l'arrière, passe sa tête entre nos deux sièges et me soulève la robe, pour mieux voir mes pieds.

— He ! Je proteste, en essayant de retenir ma robe. Elle a tiré tellement haut qu'on pourrait presque voir ma culotte.

— Elles sont parfaites tes chaussures, ne t'inquiète pas. Si tu avais pris tes Louboutin, je t'aurais obligé à les laisser dans la voiture, et tu aurais fini le week-end pieds nus.

Devant le ton autoritaire de Clélie, ni gabe, ni moi, ne pipons mot. Je me rajuste, et je ne suis pas loin de penser qu'elle a raison, si elle continue comme ça, ma robe sera déchirée avant la fin du week-end.

Le trajet a été rapide et plutôt silencieux. Mon patron a dû passer une mauvaise nuit, car il est particulièrement renfrogné, ce matin. Il attrape ma valise et nous suit sur le quai. J'ai bien essayé de la récupérer, car ce n'est qu'une petite valise et à roulette en plus, donc je ne risque pas de me faire mal avec, mais je n'ai récolté qu'une tape sèche sur la main, quand je lui ai pincé le poignet pour qu'il la lâche, et un regard noir. Alors je l'ai laissé faire. Gabe a donné ma valise à Clélie, comme si j'étais une handicapée. Ça m'énerve.

Je m'apprête à monter dans le train, derrière Clélie, sans même lui adresser ma parole, quand il m'attrape par le bras et me retourne vers lui. Il m'enlace très fort, alors je chuchote à son oreille.

— Tu as vu des photographes ?

Parce que oui, c'est vrai, je dois éviter de faire ma sale gamine quand il y a des paparazzi. J'imagine déjà les gros titres, « Gabriel de Saint-Alban, plaqué par sa fiancée ». Mon père serait trop heureux.

— Non, je voulais juste te dire au revoir. Tu vas me manquer.

— C'est moi ou ma clochette qui allons te manquer ?

— Toi, ta clochette, et ce beau sourire que je vois sur ton visage quand je rentre du travail le soir.

— Celui-là, il risque de disparaître, je ne suis pas sûr que je serais aussi réjouie de te voir dans tes habits de patron tyrannique que dans ceux d'infirmier personnel.

— Je ne serai pas un patron tyrannique avec toi, tout le monde sait que nous sommes fiancés. J'ai toujours été un patron cool avec mes employés, si je changeais de comportement avec toi, ils prendraient cela comme un privilège.

— Mouais, on n'a pas la même idée sur la « coolitude ».

— Ça, c'est sûr. Mais je pense que c'est toi qui devrais revoir ta définition du mot.

Toujours dans ses bras, j'en profite pour le pincer à la taille. Gabe sourit, et me serre un peu plus fort contre lui.

— Tu sais Jess, je regrette mon attitude envers toi, mais pas leurs conséquences.

Après ses paroles qui me laissent sans voix, il embrasse doucement mes lèvres et me guide vers Clélie, qui m'aide à monter. Je suis en mode pilotage automatique. Ses mots m'ont complètement paralysé, et son baiser léger m'a paru bien plus intime que celui que nous avions échangé dans sa voiture.

Le train s'est mis en route depuis plusieurs minutes, quand je retrouve mes facultés motrices. Ma copine est assise face à moi, elle attend que je m'explique, sans me presser de questions.

— Il ne regrette pas de devoir m'épouser.

— Pourquoi le ferait-il, il y a quelque chose entre vous, c'est évident.

— Mais pourtant, je fais tout pour lui rendre la vie impossible, je me plains tout le temps, je lui cache ses affaires, j'ai même vomi dans sa voiture.

— Oui, mais ça ne compte pas, tu étais malade. Tu n'es pas impossible avec lui, tu es naturelle, c'est différent. Tu agis avec Gabe, comme avec ton frère. Tu le taquines, mais tu le protèges à la fois.

— Tu veux dire que je suis impossible au naturel ?

Clélie se met à rire devant mon faux air courroucé.

— Je commence à te connaître, Jessica. Arrête de te chercher une excuse pour t'échapper. On ne s'engueulera pas et je ne te donnerai pas l'occasion de sortir plus tôt de ce train. Tu es condamnée à passer ton week-end avec moi.

— Mais je ne connais personne !

— Je vais te les montrer dans mon téléphone. Tiens, regarde, voici mes 5 os réunis ensemble.

— Des os ? Tu gardes une radio de tes os dans ton téléphone ?

— Mais non, idiote, je te parle de mes frères. C'est une photo de tous les cinq.

— Pourquoi tu me parles d'os alors ?

— C'est une lubie de mes parents, le prénom de chacun de mes frères se termine en o alors pour parer au plus pratique quand je parle d'eux, je dis mes os. Donc voilà, Angelo, Antonio, Tiago, Lorenzo et Pablo.

— Tout ça ? Tu as raison, on les appellera les os, c'est plus pratique. Mais comment tu as fait pour t'appeler Clélie ?

— Ma mère voulait que je m'appelle Donatella, comme ma grand-mère. Mon père n'était pas d'accord et comme c'est lui qui est allé déclarer ma naissance à la mairie, il a eu le dernier mot.

— Mais ta mère n'a rien dit ?

— Non, c'était trop tard, mais elle a agi. Elle a adopté une chatte qu'elle a appelée Donatella. Mon père a une sainte horreur des chats et ils le lui rendent bien. Elle a dit que temps qu'elle n'aurait pas de fille s'appelant comme ça, elle aurait un chat. J'ai 24 ans et elle en est à Donatella 4.

— Elle n'a toujours pas lâché l'affaire ? Je lui demande, surprise.

— Elle n'abandonnera jamais. Elle lui a promis que s'il mourait le premier, elle ferait graver la photo de Donatella 1, sur sa tombe. Depuis mon père prit chaque jour pour lui survivre.

— Waouh quelle femme, je suis admirative.

— Il y avait beau avoir 6 garçons à la maison, ma mère a toujours eu le dernier mot.

Le reste du trajet se passe comme dans un brouillard, Clélie parle sans cesse, me racontant des anecdotes sur les membres de sa famille. Moi, je l'entends, mais je n'arrive pas à l'écouter. Mon esprit est resté bloquer sur le quai de la gare, dans les bras du beau mec avec qui j'ai pris plaisir à cohabiter, surtout qu'il était à mes petits soins, mais qui malheureusement redeviendra mon patron, lundi matin.

*

Jessica

Le trajet en TGV est passé très vite, mais l'appréhension a quand même eu le temps de grandir en moi. Ce n'est pas que je ne sois pas sociable, mais je ne sais pas vraiment comment je vais devoir me comporter.

Je ne suis jamais vraiment sortie de la zone de confort dans laquelle m'a placé ma famille. Les enfants, je ne connais pas. Je n'ai ni cousins ni cousines, et dans le milieu de mes parents, avant notre âge de quinze ans, nous faisions une brève apparition dans les dîners ou galas, puis passions le reste de la soirée avec notre baby-sitter. Ne riait pas, oui, j'ai eu une baby-sitter jusqu'à mon âge de quinze ans. Au début, c'était drôle, avec mon frère, nous faisions tourner en bourrique la malheureuse candidate, qui refusait toujours de revenir lorsqu'on avait à nouveau besoin de ses services. On n'était pas vraiment méchants, on adaptait nos bêtises en fonction de la gentillesse de notre gardienne. De la mousse à raser dans les chaussures restait au pied de l'escalier, jusqu'au laxatif dans la tisane, car oui, ça aide d'avoir un papa médecin et un frère destiné à le devenir, dans la manipulation sans risque des médicaments. Aucune ne s'est jamais plainte de nous, elle avait bien trop peur de passer pour une incapable dans le milieu où nous évoluions.

Quand Alex a eu quinze ans et l'âge d'être présenté dans leur monde, mes parents ont engagé un vrai dragon pour me garder. Elle arrivait, m'envoyer me brosser les dents et me faisait la lecture avant de me coucher. Pas un conte de fées, non, elle me lisait du Stephen King, une vraie psychopathe ! Quand j'ai eu le courage d'en parler à mon frère, il m'a passé un savon pour ne pas l'avoir prévenu plus tôt et a employé les grands moyens pour m'en débarrasser. Il s'est procuré du sirop d'ipéca, qu'on a mélangé à son café, qui est un vomitif et une bouteille de whisky presque vide. Une fois mon dragon intoxiqué et bien malade, j'ai joué mon rôle à la perfection et je suis descendu en plein milieu de la réception, en chemise de nuit et en larmes, ma pauvre baby-sitter se sentait mal. Quel scandale cela a fait, elle a eu beau essayer de se défendre, les preuves étaient là. Sa carrière de baby-sitter s'est stoppée nette.

Quand je repense à cette fille, je pourrais culpabiliser, mais pas du tout. Je nous félicite, mon frère et moi, d'avoir sauvé d'autres enfants innocents des délires d'une malade mentale.

Bref, tout ça pour dire que je ne sais pas comment me comporter avec des enfants, car je n'ai jamais côtoyé de plus petit que moi.

Une fois descendu du train, je n'ai pas eu le temps de m'inquiéter si la famille de Clélie était venue nous chercher, que j'ai vu ma copine décoller du sol pour atterrir dans les bras d'un grand brun. Il a maintenu Clélie, coincé contre son bras, à l'horizontale et m'a tendu la main avec un grand sourire.

— Bonjour, Mademoiselle, je suis Angelo, un des grand-frères de cette jolie blonde.

— Enchanté, monsieur, je suis ravi de vous rencontrer, je suis Jessica, une amie de Clélie.

— Alors je t'arrête tout de suite, si je dois te ramener chez moi, tu oublies le monsieur et tu me dis tu. Sinon tu resteras à la gare, jusqu'à ce que je ramène ma sœur demain soir.

Je hoche la tête, la bouche grande ouverte. Clélie, donne un coup-de-poing dans le ventre de son frère et grogne.

— Repose-moi idiot et arrête de faire peur à ma copine.

— Eh, je lui fais pas peur, je la mets à l'aise c'est tout.

— Tu la menaces de la laisser toute seule à la gare Saint-Charles, alors qu'elle ne connaît personne, et tu penses la mettre à l'aise ? Et puis repose-moi au sol !

— Pff ! arrête ton cinéma, tu sais que je suis le plus cool de tes frères, si je l'intimide, qu'est-ce que ce sera quand elle sera devant Lorenzo. Quant à te reposer par terre, hors de questions. Dès qu'on sera arrivé, ils vont tous te sauter dessus et je ne pourrais plus t'avoir avec moi, alors j'ai bien l'intention d'en profiter.

Ma copine grogne encore un peu, mais c'est plus pour la forme, en fait, elle a l'air ravie d'être dans les bras de son frère, enfin surtout quand il lui remet la tête à l'endroit.

La valise d'une main, Clélie dans les bras, il part en marchant jusqu'au parking. Moi, je le suis en trottinant, car quand il fait un pas, il faut que j'en fasse trois.

Qui dit grande famille, dit grande voiture. Oui, mais 4 sièges auto, la poussette double qu'Angelo a oubliée de retirer du coffre et 2 valises, il m'a fallu jouer au Tetris pour trouver ma place dans la voiture.

Je n'ai que peu participé à la conversation pendant le trajet, car je ne suis équipée ni d'un sonotone ni d'un porte-voix. Je comprends mieux pourquoi on se plaint que les enfants braillent en voiture, comment voulez-vous qu'on les entende sinon.

Quand j'ai été libéré du coffre, je n'ai pas vraiment eu le temps de m'extasier sur la beauté des lieux. J'ai reçu le même accueil que Clélie, et il n'y a pas à dire, la mère de ma copine est vraiment une femme énergique, j'ai cru qu'elle allait me broyer une côte, quand elle m'a serré dans ses bras.

Si je me plaignais que ma copine piaille sans arrêt, c'est que je n'avais pas encore rencontré sa maman.

Elle m'a conduite à l'intérieur de la maison où j'ai pu faire connaissance avec une partie de sa famille. Quatre des frères de Clélie, tous grands, bruns, issus tout droit d'une publicité pour les bûcherons. Claudia, sa belle-sœur, enceinte chronique et pourtant très belle. Mes préjugés sur les femmes enceintes sont tombés d'un coup, je suis sûr que si j'envoyais sa photo à Alex, il regrettait presque de ne pas être devenu gynécologue. Mais aussi Irina, la femme de Tiago.

Elle est très belle, mais semble très froide, contrairement à son mari qui est un vrai bout en train.

Les neveux et nièces de Clélie sont des vraies sangsues. Juan et Miranda passent des genoux de ma copine aux miens.

Je me suis proposé pour aider Claudia et sa belle-mère en cuisine, mais je ne pensais pas me retrouver à devoir donner le biberon à un bébé de 9 mois. Je n'ai jamais fait ça, moi ! Heureusement, le bébé semble savoir ce qu'il a à faire, ce qui m'évite de trop me ridiculiser.

La mère de Clélie me regarde avec des yeux doux.

— Tu seras une merveilleuse maman.

J'ai bien envie de lui conseiller de faire renouveler ses lunettes, mais je suis polie alors je me contente de bredouiller un merci.

— J'ai bien vu que tu n'étais pas mariée, mais c'est parce que tu n'avais pas encore rencontré mes garçons.
— Maman, intervient Clélie, je t'ai déjà dit que Jess était fiancée.
— Fiancée peut-être, mais pas mariée. Un coup de foudre est si vite arrivé. En plus, tu as le choix, j'ai quatre garçons à te proposer.
— Quatre ? Je regarde Clélie incrédule, elle m'a bien dt avoir 5 frères, alors sachant que je viens de rencontrer ses deux belles-sœurs, je ne comprends pas.
— Maman arrête avec ça, Tiago et Irina sont mariés et…
— Foutaises, ton frère a signé un bout de papier entre 2 témoins pour épouser un glaçon. Rends-toi compte jeune fille, me prend-elle à témoin, cette fille ne veut pas d'enfant avant ses quarante ans. Elle croit quoi, que je vais faire des courses de trotteurs contre déambulateur avec mes petits enfants ? Moi, je te dis jolie Jessica, si tu veux mon fils, je te le donne, tu as tout pour lui plaire.

Je suis estomaqué, car depuis le début de la conversation, Irina est assise à côté de moi, en train d'éplucher des pommes de terre. Elle me regarde, consciente de mon embarras.

— Ne t'inquiète pas pour moi, j'ai l'habitude de ses jérémiades. Je ne suis pas la belle fille parfaite comme Claudia, mais nous nous tolérons pour les fêtes de famille par amour pour Tiago. Je t'aime bien Jessica, mais si tu approches trop près de mon mec, je t'étripe.

Irina n'a lâché ni son couteau ni son sourire pendant sa tirade. Elle me glace le sang cette fille, on dirait robocop avec une perruque. À la place de la mère de Clélie, je ne chercherai pas à avoir une descendance, avec une belle fille pareille. Elle doit être issue de la mafia russe, ce n'est pas possible autrement.

Je n'ai pas le temps de répondre que Miranda, la petite-nièce de Clélie, accourt dans la cuisine.

— Maman, tonton Lorenzo est là.

J'entends un grand rire, et toutes les têtes féminines se tournent vers la porte, en souriant. Oui, même Irina sourit.
Un colosse entre la cuisine, et étreint Clélie fort dans ses bras.

— Tu m'as tellement manqué petite sœur.

Sa voix est chaude, un peu rauque. Le genre de voix qui vous titille les hormones quand il vous murmure des mots doux à l'oreille. Quand il se retourne vers moi, c'est encore pire. Ce type a des yeux magnifiques, des vrais lasers à détruire les petites culottes.

*

Clélie

Voilà ce que je redoutais le plus est arrivé, Lorenzo est là. Quand Claudia nous a invitées pour le week-end, j'étais persuadé qu'il ne serait pas présent. Aux dernières nouvelles, il était en Angleterre, à vivre aux crochets d'une de ses conquêtes. J'adore mon grand frère, mais c'est un serial tombeur. C'est une plaie d'avoir un frère pareil, jusqu'à ce que je parte pour Paris, je n'ai jamais su, si les amitiés que je pouvais avoir étaient sincères ou non. Il suffisait que Lorenzo vienne me chercher à l'école pour que toutes les populaires, me courent après. Et il venait me chercher pratiquement tous les jours, pour vérifier que je ne fréquentais pas de garçon, et parce que son emploi de temps le lui permettait. La vie a toujours été facile pour Lorenzo, sa belle gueule lui a ouvert toutes les portes qu'ils voulaient, il a été mannequin, gogo danseur, mais son activité préférée est gigolo.

Je vois bien que son pouvoir magnétique a fait une nouvelle victime, Jessica. En soi, ce n'est pas grave, ma copine est fiancée et, même si cela s'est fait dans de mauvaises conditions, il y a une réelle attraction entre elle et Gabe. Non ce qui vraiment problématique, c'est que la réciproque a l'air vrai. C'est la première fois que je vois mon frère perdre ses moyens devant une femme, et le pire, c'est que cela se passe sous les yeux de ma mère.

Je me doutais bien que ma mère serait sous le charme de ma copine et essaierai de la caser avec un de mes frères. Mais pour elle, Lorenzo était une cause perdue. Je savais qu'elle n'hésiterait pas à lui proposer Tiago, tous les moyens sont bons selon elle, pour se débarrasser d'Irina. Mais voir mon grand frère en admiration devant cette belle brune qui lui est inconnue, donnant le biberon à un bébé, lui fait entrevoir un espoir, que je vais devoir tuer dans l'œuf.

Les yeux de Lorenzo ne quittent pas Jessica et je pense que le fait que le bébé, a niché sa tête contre sa poitrine, et soit en train de tirer sur le corsage de sa robe, n'y est pas étranger.

Jessica

Ce mec me fait penser au soleil. Le truc que l'on attend toute l'année et dont on doit se protéger dès qu'il est là. Soyons honnête, les bienfaits de ce type de soleil, je n'aurais pas été contre, un soir en boîte de nuit. Et, à voir la façon dont il me regarde, je ne sais pas lequel des deux aurait entraîné l'autre, en premiers dans les toilettes. Mais le soleil, à la longue, c'est mauvais pour la peau. Pour garder ce genre de mec, quand vous flétrissez un peu, il faut user des cosmétiques, voire de la chirurgie esthétique. Quoique si je sortais avec un type pareil, c'est mon frère qui serait content. Je serais obligée de refaire le portrait de toutes les poufs qui baveraient dessus, cela lui ferait un bel afflux de clientèle.

Et puis, je suis fiancée, je vais bientôt me marier. Gabriel est un très beau mec, et il a plus le profil du héros, tel que je me l'imagine. Oui, je suis une fille, et comme beaucoup, j'ai fantasmé sur le beau guerrier qui viendrait me libérer du château des dragons, à l'aide d'une corde. Mais entre un Gabriel, qui je n'en doute pas, me gardera dans ses bras jusqu'à ce que je touche le sol, et un Lorenzo qui n'hésiterait pas à me lâcher pour se recoiffer pendant la descente, mon choix est vite fait.

Maintenant que ma raison a parlé, ce serait bien qu'elle se mette en accord avec mes phéromones. Je ressens une humidité dérangeante, jusque dans le sillon de mes seins, c'est gênant quand même. Je baisse les yeux vers mon décolleté, histoire de voir si mon émoi est visible par tous, quand je m'aperçois que, horreur, le bébé a régurgité, à l'intérieur de mon corsage. Je veux le rendre tout de suite à sa mère, mais ce petit pervers a coincé la main sur la cordelette de mon corsage.

Si je le bouge, il tirera dessus et je vais me retrouver à montrer mon soutien-gorge, à tout le monde.

Clélie, consciente de mon problème, vient récupérer le petit monstre, en ayant soin de lui retirer la main de ma robe. Une fois libérée, je n'ai pas le temps de me lever pour aller me nettoyer, que Lorenzo est déjà au-dessus de moi. À l'aide d'un mouchoir en papier, il essuie le lait qui a coulé entre mes seins. J'hésite entre lui coller la baffe qu'il mérite pour me toucher comme ça, ou déchirer mon corsage pour lui dire de continuer avec la langue. Je crois que je suis chaste depuis bien trop longtemps pour avoir les idées claires.

Heureusement après avoir rendu le bébé à sa mère, Clélie vient à mon secours et pousse son frère.

— Dégage de là Lorenzo et laisse-moi faire.

— Waouh, calme, petite sœur, je voulais juste aider cette charmante demoiselle.

— Comme c'est honorable, mais dis-moi, ce n'est pas toi qui m'as répété toute mon enfance qu'un demi-dieu n'avait rien à faire dans une cuisine ?

— Quand un homme rencontre une déesse, il reste à ses côtés, peu importe où elle se trouve.

— Mais bien sûr, en attendant, tu vas me laisser emmener ma copine dans la salle de bains et ne t'avises pas de nous suivre, Casanova. Je te signale que tu es celui qui m'a appris à me débarrasser des mecs trop lourds en quelques mouvements. Tu ne voudrais quand même pas que j'abîme ton outil de travail.

En disant ses mots, le regard de Clélie est descendu sous la ceinture de son frère.

Lorenzo nous a laissé passer en souriant, et ma copine m'a entraîné derrière elle. Une fois dans la salle de bains, j'ai pu enlever ma robe pour me nettoyer correctement.

— Bon Jess, je vais y aller franchement avec toi, je pense que tu es la meilleure amie que je n'ai jamais eue. Je suis désolée d'avoir couché avec ton frère, quoique c'était quand même une expérience géniale, mais si tu veux me rendre la pareille, je t'en prie ne choisis pas Lorenzo. Je peux te proposer Antonio ou Pablo, si tu veux, je suis sûr qu'ils seraient ravis de servir de cobaye.

— Mais n'importe quoi, ce n'est pas parce que tu as couché avec mon frère, que je dois coucher avec l'un des tiens. Et puis tu me vois si désespérée, pour que j'aie besoin que tu demandes à un de tes frères de coucher avec moi ?

— Crois-moi, je n'aurais pas besoin de beaucoup insister pour qu'un des deux se dévoue. Mais si tu tombes sous le charme de Lorenzo, l'atterrissage va être très douloureux. Je le sais, car je console ses nanas depuis que j'ai 12 ans.

— Ton frère est une bombe sexuelle, je pense que je ne t'apprends rien en te le disant. À chaque fois que je le regarde, je mène un combat entre mes hormones et mes neurones. Alors même s'il a le pouvoir de ruiner ma petite culotte, il n'aura jamais le privilège de me la retirer.

— J'espère bien, car nous allons avoir un autre problème.

— De quoi tu parles ?

— Ma mère, je l'ai vue réagir quand Lorenzo t'a vue, et elle est maintenant persuadée que tu seras sa belle-fille idéale.

— Mais non ! Elle ne peut pas penser ça, je vais me marier.

— Si tu crois que cela va l'arrêter, ma mère peut être un vrai bulldozer, quand elle veut quelque chose. J'avais envisagé ce problème, mais pas avec Lorenzo dans le rôle principal. Là, c'est la cata, il est temps d'activer le plan b.

Clélie sort son téléphone de sa poche, et tape un message.

— Hein, c'est quoi le plan b ?

— Je viens d'envoyer un message à Gabe pour qu'il nous rejoigne au plus vite.

— Mais il ne peut pas venir, il est à Paris.

— Oui, mais en avion, c'est très rapide, et nous travaillons avec de nombreuses compagnies aériennes privées. Ne te fais pas de soucis pour ça, si Gabe veut un avion, il l'aura. Ah, il vient de me répondre, il arrive dès que possible.

— Mais non ! Enfin pourquoi ?

— Toi et moi, contre ma mère et Lorenzo, on ne fait pas le poids. On va avoir besoin des talents de Gabe pour les convaincre de lâcher l'affaire.

— Et je suppose que c'est moi l'affaire.

— Oui, ma chérie, et ce soir, ton fiancé va devoir marquer son territoire, pour convaincre ma mère que notre patron est un meilleur parti que son fils, et Lorenzo que la place est déjà prise.

*

Gabriel

Je suis comme un lion en cage. Depuis que j'ai déposé Jessica à la gare, je tourne en rond dans mon appartement. C'est nouveau pour moi, car je suis plutôt du genre hyperactif. Tout est bien trop calme, sans elle.

En plus, je suis stressé, car Clélie m'a dit hier qu'elle pourrait avoir besoin de moi, selon l'évolution de la situation. J'ai bien essayé d'en savoir plus, mais ma secrétaire a été inflexible. Tout juste, a-t-elle bien voulu concéder que sa famille pourrait mettre Jessica mal à l'aise. Non, elles n'étaient pas en danger en partant à Marseille, mais oui, je devais garder mon téléphone allumé.

Évidemment, j'aurais pu la menacer de la virer pour la faire parler, mais cela n'aurait pas été juste, car Clélie est une employée hors pair, mais surtout ma fiancée m'aurait fait la peau. Les choses évoluent bien entre Jess et moi, nous ne sommes pas un couple, mais on apprend à se connaître et à s'apprécier. Cela aurait été dommage de gâcher cela. Alors j'ai laissé Clélie tranquille, et j'ai fait appel à un détective privé, dont je viens tout juste de recevoir en rapport.

La jalousie est un sentiment que je ne pensais pas connaître un jour, mais quand j'ai vu la photo des cinq frères de Clélie, j'ai eu envie de partir la chercher sur-le-champ. Je n'aurais jamais imaginé que ma secrétaire avait une famille pareille. C'est une petite blonde, toute menue, et là, je vois 4 déménageurs bruns et une armoire à glace. Si je n'étais pas 100 % hétéro, je demanderais son numéro à mon détective privé. L'étude plus détaillée des renseignements fournis sur ce mec m'apprend qu'il vient de se séparer d'une millionnaire anglaise, après qu'elle l'a surpris avec la bonne. Ce type est en chasse, et il va passer le week-end avec ma Jessica.

Hors de question d'attendre qu'elle soit en difficulté, je fais affréter un avion privé et j'invite Alex à venir avec moi.

Il pourra m'aider pour canaliser mes émotions avec sa sœur, et puis, si je dois rester tout le week-end à attendre un coup de fil, ce sera plus sympa de le faire en sa compagnie.

Alex me rejoint chez moi, avec son sac à dos.

— Bon, tu m'expliques pourquoi je dois te rejoindre toute séance tenante, pour le week-end ?

Je lui montre une photo du bellâtre, et j'attends sa réaction.

— OK, je suis bourré de talent, mais je ne suis pas magicien non plus, je ne vais pas pouvoir te faire ressembler à ce mec, désolé.

Je lui envoie, un regard noir, je n'ai pas l'intention de faire de la chirurgie esthétique, et je ne suis pas d'humeur à faire de l'humour.

— Le type de la photo est actuellement avec ta sœur et Clélie.
— Quoi ! C'est qui ce mec d'abord et pourquoi il est avec Clélie ?

Ah, visiblement, quand il s'agit de ma secrétaire, Alex perd aussi son sens de l'humour.

— C'est le frère de Clélie.
— Son frère ?

Alex reprend la photo pour mieux regarder.

— Naturel ou adopté le frère ?
— Naturel, même père, et même mère.
— Oh la vache, elle a un bon héritage génétique, quand même !
— Ouais, ben, j'aimerais bien qu'il garde ses gènes loin de ta sœur.

Nous sommes arrivés à Marseille peu après Jess et Clélie. J'ai reçu une photo de ma fiancée toute souriante, dans le train, avec un message.

« Si tu veux voir ce beau sourire après le boulot, sois un patron sympa, sinon console-toi avec cette photo. »

Je suis resté scotché comme un imbécile devant mon téléphone, jusqu'à ce qu'Alex m'arrache mon appareil des mains.

— Y a pas à dire mec, tu es mordu.

Je proteste un peu, mais n'ai pas le temps d'argumenter que je reçois un message de Clélie.

« Petit imprévu, Jessica a besoin d'un amoureux transi pour passer un bon week-end. »

Je suis sûr que c'est l'armoire à glace, le problème, et je ne le qualifierai pas, de petit imprévu.

Moins de vingt minutes après avoir reçu le message, je me tiens devant la porte. Un des frères de Clélie vient nous ouvrir. Il nous regarde puis se met à crier.

— Lorenzo, c'est pour toi, il y a les huissiers.

Gabe et moi, nous regardons interdits, on aurait peut-être dû éviter de venir en costume. Une petite dame surgit à la porte.

— Ah non alors, vous allez me foutre le camp les croque-morts, on est samedi !

Avant qu'elle n'ait eue le temps de joindre le geste à la parole, Clélie arrive en courant.

— Maman, arrête ceux ne sont pas des huissiers, c'est le fiancé de Jessica.

— Hein, mais tu m'as dit qu'elle sortait avec ton patron.
— Maman, c'est mon patron, mais aussi le fiancé de Jessica, Gabriel de Saint-Alban.

Ma secrétaire est affreusement gênée. Sa mère se retourne alors vers moi, un grand sourire aux lèvres.

— Mais il fallait le dire plus tôt, Monsieur, mais entrez, ne restez pas dehors.

J'ai bien envie de lui dire que pour me présentait correctement, encore aurait-il fallu qu'elle m'en laisse le temps, mais je préfère me taire.

— C'est votre garde du corps le gringalet derrière vous ?
Comprenant qu'elle parle d'Alex, je me mets à pouffer. Celui-ci est outré, et c'est encore Clélie, qui intervient.

— Maman, c'est Alexandre, le frère de Jessica.

— Et alors l'un n'empêche pas l'autre. C'est souvent comme ça dans le milieu de la haute, on offre un boulot à la famille, quand elle a du mal à en trouver.

— Mais Alex a déjà un travail.

— Et c'est écrit sur son front peut-être ? Mais bon s'il n'est pas votre garde du corps, je peux vous proposer d'engager Lorenzo, c'est un brave garçon et il a beaucoup plus le physique de l'emploi que votre copain.

— Maman, s'indigne Clélie.

Alex est estomaqué, lui être traité de gringalet, alors qu'il fait 1 m 90, et à un corps d'athlète. OK, il n'a pas le look de catcheur, du fameux Lorenzo, mais quand même.

Alertée, par le bruit, ma Jessica arrive à la porte, suivie de l'armoire à glace. C'est le moment de jouer mon rôle, et je le confesse, d'en profiter aussi. Je me déplace pour la prendre dans mes bras, et l'embrasse à pleine bouche. Ma fiancée, se laisse faire, surprise, puis finie par m'écraser discrètement les pieds, pour que je la laisse respirer.

— Clélie m'avait parlé d'un avion, pas d'une navette spatiale. Comment as-tu fait pour venir aussi vite ? Et pourquoi mon frère est-il avec toi ?

— J'ai invité ton frère pour le week-end, et j'ai enfin trouvé ta bague. Je ne pouvais pas attendre plus longtemps pour te l'offrir.

Je pose un genou au sol, et retiens un juron, je viens de m'agenouiller sur un duplo, et cela fait un mal de chien.

Mais j'oublie vite ma douleur quand, je vois les yeux noirs du colosse qui me dévisagent. J'ouvre la petite boîte, qui était dans la poche de mon pantalon et récite mon texte.

— Jessica, mon amour, ma vie, je sais que tu as déjà accepté de m'épouser, mais ma demande a été trop précipité pour t'offrir la bague que tu mérites.

Je m'empresse de mettre la bague à son doigt. C'est un modèle unique que j'ai dessiné moi-mêeme. Je ne trouvais rien qui puisse lui aller, et je m'étais promis de mettre le paquet pour épater ma belle. C'est un cœur en diamant avec un stylo qui le traverse, en rappel de notre profession. Je n'avais pas prévu de faire un tel cinéma pour lui offrir, mais à la guerre comme à la guerre.

Jessica est toute rouge, de honte comme de colère. Elle a vu clair à mon numéro de celui qui pisse le plus loin, et je sais qu'elle me fera payer mes excès, en rentrant. Clélie donne le change en félicitant sa copine, tandis que sa maman et Claudia essuient leurs yeux pleins de larmes d'émotions. L'autre femme blonde a plutôt l'air de vouloir vomir devant tant de mièvrerie.

Mon petit numéro a eu l'effet escompté, et c'est dans une ambiance beaucoup plus détendue, que nous prenons tous un verre dans le jardin.

La mère de Clélie s'adresse alors à Alex.

— Et toi, mon petit qu'est-ce que tu fais comme travail ?
— Je suis médecin.
— Médecin ! Oh, mais c'est formidable, mon mari a justement un petit problème de santé. Notre médecin traitant est en vacances, si vous pouviez regarder cela nous arrangerait.

Aussitôt, tous les regards convergent vers le père de Clélie, inquiets.

— C'est hors de question ! Tu m'entends, s'écrit-il furieux.
— Mais tu saignes !
— Ceux sont des hémorroïdes bordel ! Vous êtes proctologue ?

Alex remue la tête en signe de dénégation.

— Ben voilà, il n'est pas proctologue, donc hors de question que je lui montre mon cul.
— Je suis chirurgien plastique Monsieur.

Si la famille de Clélie le regarde comme s'il était un charlatan, le glaçon blond, dont j'ai appris qu'elle s'appelait Irina, esquisse un sourire. Plus je regarde le colosse brun, coller ma fiancée malgré ma présence, plus je rêve de refaire son portrait. Après tout, la mère de Clélie a raison, je dois faire preuve d'esprit de famille, et donner du travail à mon beau-frère. Que cette soirée va être longue !

*

Gabriel

La famille de Clélie, hormis ce Lorenzo, est vraiment sympathique. Les conversations fusent dans tous les sens, je réponds poliment aux questions que l'on me pose, mais mon attention reste braquée sur lui. Je m'amuse à souffler sur la nuque de Jessica, à chaque fois que je lui parle. J'adore ses réactions et celles de mon rival aussi. Et oui connard, c'est moi qui la fais frissonner, pas ta belle gueule.

Claudia, qui est franco-marocaine, nous a préparé un fabuleux couscous. Elle nous invite donc à aller nous installer.

Le passage à table a eu des airs du jeu des chaises musicales. Si Clélie et moi avons pu nous asseoir de chaque côté de Jessica, Alex n'a rien pu faire face au molosse qui se retrouve donc face à ma fiancée, un sourire béat sur le visage. Ses bras sont tellement longs, qu'à chaque fois qu'il attrape son verre, j'ai l'impression qu'il touche les doigts de Jess.

— Voilà, le plat. Il n'est pas trop épicé, car je sais que cela n'est pas au goût de tout le monde. L'harissa est sur la table à disposition de ceux qui en veulent, nous annonce notre hôtesse.

— Tu as raison, belle-sœur, l'harissa, c'est pour les hommes, pas les petites natures, renchérit Lorenzo en me regardant dans les yeux.

Il prend les épices, et s'en sert 2 grandes cuillères. Très bien, c'est un duel, et monsieur a décidé du choix des armes, ce sera l'harissa. Je prends moi aussi une coupelle d'épices qui était, à mes côtés, et réponds coup pour coup.

Après 4 cuillères pleines arrosées généreusement sur notre couscous, nous dégainons notre fourchette. Tout en soutenant notre regard, nous approchons notre fourchette près de notre bouche, et l'enfournons.

Ce qui aurait dû être une explosion de saveurs et un carnage gustatif. Ma bouche me brûle, mais je reste fort. Merci papi, pour avoir fait de moi un homme.

Mon rival, reste stoïque, si ce ne sont ses yeux qui semblent se remplir d'eau. Oh, mon dieu, je rêve de boire, de prendre une boulette de pain, voire d'aller courir un 100 mètres dans le jardin. Mais je ne dois pas flancher, ma réputation est à ce prix.

J'en suis à la moitié de mon assiette, et tout mon corps est un brasier. Je vois Jessica faire discrètement une boulette avec sa mie de pain, et j'ai envie de lui arracher. Elle la met dans sa bouche, et se tourne vers moi souriante. Son baiser me surprend, il est léger, mais surtout salvateur. Si je n'ai jamais été adepte du chewing-gum qui passait de bouche en bouche durant mon adolescence, mais sentir la boule de mie de pain quitter la bouche de ma dulcinée pour envahir la mienne est un pur bonheur.

À la fin de notre baiser, Jessica attrape un verre d'eau qu'elle vide instantanément. On pourrait croire qu'elle est troublée, mais la vérité, c'est que ma langue, qui est en feu, a dû la brûler elle aussi.

Notre duel se finit sans vainqueur, chacun de nous est venu à bout de son assiette.

— Je suis tellement contente de te revoir parmi nous mon garçon, sais-tu combien de temps, tu vas rester ? Lui demande sa maman, les yeux embués de larmes.

Personnellement, je ne partage pas sa joie de le voir de retour, mais sa réponse m'intéresse au plus haut point. Je suis prêt à lui financer des vacances à Tombouctou, un aller simple, bien sûr.

— Je ne vais pas rester longtemps à Marseille, mama, j'ai l'intention de relancer ma carrière de mannequin, et de m'installer à Paris.

Je m'étouffe avec ma salive épicée, mais personne ne prête attention à moi, tant ils sont accaparés par la réaction de Clélie, qui a fait tomber son verre sur le sol.

— Toujours aussi maladroite ma sœurette, ou alors c'est l'émotion de savoir que je vais venir m'installer chez toi.

— Chez moi ? demande Clélie en tremblant.

— Bien sûr chez toi, tu as vu le prix du marché immobilier parisien ? Où veux-tu que j'aille me loger sans feuille de paie ?

— Mais Lorenzo, tu ne peux pas venir chez moi, je n'ai qu'une chambre.

— Je ne vois pas où est le problème, je vis la nuit et tu vis le jour, nous échangerons le lit quand je rentrerai. Par contre, tu dormiras sur le canapé quand j'aurai des shootings photo et c'est non négociable.

— Mais tu t'entends, tu décides de t'installer chez moi sans même me demander mon avis, et tu m'imposes de dormir sur le canapé.

— Oui, car un mannequin a besoin d'un sommeil reposant, avant une séance photo. Toi, tu es juste une secrétaire, et vu que ton patron est déjà pris, peu lui importe que tu aies une tronche un peu chiffonnée, du moment que tu fais bien ton taf. Et puis, pourquoi cela t'énerve autant, tu as un mec à Paris dont tu ne nous as pas parlé ?

Tous les regards convergent vers Clélie, et quand je vois ceux menaçants de son père et de ses cinq frères, j'ai un petit aperçu de ce qu'a dû être son adolescence.

— Mais bien sûr que non Lorenzo, je n'ai pas de mec, mais on parle de mon appart là. J'ai passé toute ma vie avec vous et je sais que la cohabitation avec toi va tourner à une vie de servitude. Je vais devoir gérer ton linge, ta bouffe et ranger tout ton bordel.

— Cela te fera un bon entraînement pour quand, on t'aura trouvé un mari.

182

— Un entraînement, mais quelle blague ! Je suis votre bonniche depuis que j'ai eu l'âge de tenir un balai. Quant à me trouver un mari, c'est un rôle que ni toi ni aucun autre membre de cette famille n'aurez à jouer. On est au vingt et unième siècle, pas au moyen-âge.

— Clélie ! Je t'interdis de parler comme ça à ton frère.

— Et sinon quoi papa ? Tu vas me priver d'argent de poche comme quand j'avais 15 ans ? Mince, ce ne sera pas possible, je suis devenue indépendante financièrement.

— Clélie ! Crie soudain sa mère. Ne manque pas de respect à ton père. Nous sommes une famille et dans une famille, on se soutient. Lorenzo a besoin de ton aide et tu vas l'aider. Il ne va pas s'installer toute sa vie chez toi, c'est juste histoire de quelques mois.

— Quelques mois ! Mais zut à la fin ! Pourquoi personne ne ce souci de mon avis. Et puis c'est n'importe quoi, il ne peut pas vivre chez moi, il ne rentrera même pas dans ma douche ! Je vis dans un 20 m² bordel ! Et puis pourquoi paris Lorenzo ? Tu as toujours détesté cette ville.

— Parce que petite sœur, je crois que Paris a des trésors cachés que je rêve de découvrir. Et quand je vois ton impertinence, je me dis qu'il est temps que je te recadre. N'est-ce pas, mama que si elle dit tes gros mots, je peux lui laver la bouche au savon ?

— N'exagère pas Lorenzo, Clélie n'a plus cinq ans. Elle va t'accueillir chez elle, mais tu ne dois pas être trop envahissant, ni trop exigeant fiston.

— Oui grand frère, tu as gagné, tu vas venir chez moi, mais n'oublies pas que je sais où me procurer du cyanure si tu t'incrustes trop longtemps.

— J'arriverai mardi, comme ça cela te laissera le temps de me faire de la place dans tes placards et de faire quelques courses pour mes repas préférés.

Clélie, lui tire la langue pour toute réponse. Il va falloir que je voie comment l'aider à se débarrasser de son frère et sans cyanure si possible. Cela m'ennuie de devoir aider ce mec à trouver du boulot, mais si c'est pour mieux l'expédier loin de Jessica, je vais faire jouer tous mes réseaux. Je le ferai bien jouer dans une pub pour problème d'érection.

L'ogre qui est en face de moi me sourit sournoisement, et je vois ma Jess gênée, se tourner vers Clélie, et lui chuchoter à l'oreille.

— Clélie, ton fémur me fait du pied.

Je suis perplexe. OK, elle n'a pas fait d'études approfondies du corps humain, comme son frère, mais elle est très loin d'être idiote. Comment peut-elle trouver que la cuisse de Clélie lui fait du pied ?

Comprenant qu'elle doit être mal installée, l'une à côté de l'autre, j'attrape sa chaise et la colle à côté de la mienne. J'entends alors, un grand crac, et elle pousse alors un couinement entre la surprise et la douleur. Je n'aurais quand même pas pu lui faire mal. Je baisse ma tête vers ses jambes.

Sa robe est devenue une tunique, et le bout manquant se trouve sous la chaussure du géant brun.

*

Jessica

Je crois que j'ai signé un contrat avec la honte. Je me retrouve encore en petite culotte ! Mais cette fois-ci, ce n'est vraiment pas de ma faute. J'ai demandé de l'aide à Clélie, car son grand frère me faisait du pied sous la table, mais je ne m'attendais pas à ce que Gabe soulève ma chaise. Comme Lorenzo avait un de ses pieds sur ma longue robe, tandis qu'il essayait de me caresser la jambe de l'autre, le mouvement de ma chaise a raison de mon vêtement. J'ai entendu le crac, sans pouvoir réagir, et j'ai aussitôt senti un courant d'air froid sur le haut de mes cuisses. J'ai eu un petit couinement, et Gabe, inquiet, a regardé sous la table.

Son regard, quand il a remonté sa tête de la table, était tellement dur, que pratiquement tout le monde l'a imité.
Angelo a voulu sauver la situation.

— Miranda, je t'avais dit d'arrêter de jouer sous la table !
— Mais ce n'est pas moi papa.
— Ce n'est pas beau de mentir à son papa, si tu dis la vérité, papa mettra des sous dans la boîte pour Mickey, réfléchis bien.
En disant ses mots, Angelo fit un clin d'œil à sa petite fille, qui comprit aussitôt.

— Oui, c'est moi, mais je n'ai pas fait exprès, pardon, tata Jessica.

Je suis drôlement émue par cette petite fille, qui s'accuse pour faire plaisir à son papa. Mais, à voir la vitesse à laquelle elle a compris, ce n'est pas la première fois que ce petit chantage fonctionne entre eux.

Si le petit mensonge a un peu détendu l'atmosphère pour la famille de Clélie, Gabe est au bord de l'explosion. Pour le calmer, je pose ma main sur sa cuisse, mais, ou j'ai très mal visé, ou il a une trompe cachée dans le pantalon. Je ne sais pas si c'est la vue de ma petite culotte ou l'effet harissa, mais il est vraiment très tendu.

Je suis vraiment gênée de mon geste, et alors que j'essaie de retirer ma main, Gabe emprisonne mes doigts avec les siens. Il porte nos mains ainsi enlacées à sa bouche, et m'embrasse le bout des doigts. Cette douce caresse m'électrise complètement, et vu que je suis seulement en culotte, ce n'est pas vraiment le moment.

Heureusement, Claudia nous interrompt pour me passer un long gilet, avant de m'accompagner dans la salle de bains pour que je puisse me changer. Clélie va chercher ma valise qui était restée dans la voiture, puis nous rejoint.

— Bon Clélie, si tu veux que je fasse pipi sur ton test, il va falloir que tu m'en dises plus, car je ne crois pas que ta copine ait besoin de piéger ton patron pour qu'il l'épouse.

— Mais enfin, il n'a jamais été question de piéger gabe, ce sont les parents de Jess qui refuse qu'elle se marie sauf si elle est enceinte.

— N'importe quoi, c'est un bon parti, il est beau et à l'air plutôt intelligent. Si vous faites un enfant, j'en veux bien un comme belle-fille ou beau-fils.

— On dirait que tu parles d'une portée de chiots.

— Quand tu seras mère, Clélie, tu verras que ta préoccupation sera que tes enfants aient le meilleur avenir possible.

Bon, passe-moi ton test, je vais aux toilettes.

Je regarde ma robe, et il n'y a pas à dire, je ressemble à Cendrillon après que le carrosse est redevenu citrouille. Pendant que je me change, Clélie, assise sur le bord de la baignoire, soupire.

— Ma vie est finie avec Lorenzo chez moi.

— Tu n'exagères pas un peu ?

— Non, je sais de quoi je parle, plus de vie sociale, plus de vie sexuelle, ma vie sera Metro, boulot, ménage.

— Pourquoi métro, tu as une voiture ?

— Moi oui, mais pas Lorenzo. Il va me l'emprunter et la garder pour lui, je le connais.

— Mais alors, pourquoi avoir fini par accepter qu'il vienne ?

— La vie m'a appris qu'on ne refuse rien à ma mère sous peine de guerre nucléaire et son bébé d'amour c'est Lorenzo. Il peut faire tout et n'importe quoi, elle le soutiendra toujours. Je n'avais pas le choix, maintenant qu'il va s'installer, il faut que je trouve comment le faire partir au plus vite.

— Et si je te prêtais mon appartement le temps qu'il sera chez toi ?

— Non surtout pas, s'il est seul chez moi, mon appartement deviendra le sien et je n'aurais plus qu'à déménager tout en assumant deux loyers, car Lorenzo a toujours de l'argent pour faire le beau en boîte ou s'acheter la dernière fringue à la mode, mais pas pour payer ses factures.

— Je ne sais pas ce que tu as en tête, pour écourter son séjour, mais je sais que si tu lui demandes, Gabe t'aidera.

— Je crois qu'il ne va pas attendre que je lui demande, pour lui proposer un vol expérimental sur Mars. Dans ma bataille pour me débarrasser de mon frère, je crois que Gabe sera mon meilleur allié.

On tape à la porte de la salle de bains, et Clélie va ouvrir. C'est Claudia qui tient le test de grossesse dans sa main.

— Voilà, c'est fait. Prends-le que j'aille rejoindre mes invités.

— Mais je ne peux pas le prendre avec mes mains, tu viens de faire pipi dessus.

— Évidemment, puisque tu me l'as demandé. Jessica, tu peux le prendre ?

— Eh bien c'est-à-dire que je...

— Pas une pour rattraper l'autre, vous faites un beau duo. Je le pose sur le lavabo et vous débrouillerez entre vous.

Une fois Claudia sortie, ma copine me demande.

— Tu as des gants ?
— Non, je n'ai pas pensé à en prendre. Mais j'ai un sac congélation, pour le transport.
— Bon, à la guerre, comme à la guerre.

Clélie prend les restes de ma robe et s'en sert pour attraper le test. Je récupère le sac et le tiens ouvert, pendant que ma copine fait glisser l'objet à l'intérieur. Une fois l'opération finie, je ferme le sac avec le zip prévu à cet effet, et je le place dans une poche de ma valise.

Nous regardons toutes les deux, le lavabo avec horreur. Il faut le nettoyer, il a quand même été en contact avec l'urine de Claudia. Je prends 2 gants de toilette que je superpose sur ma main, tandis que Clélie répand généreusement du shampooing sur le lavabo. Plus je frotte et plus il y a de mousse. Ce n'était pas du shampooing, mais une crème de soin.

— Angelo va me tuer, c'est du Chanel.
— Positive comme ça, tu ne seras pas obligée d'héberger Lorenzo.

Au regard meurtrier, que je reçois, je comprends que l'humour n'est pas de mise.

— Va chercher ta nièce, on va la soudoyer.
— Tu crois que ça va marcher ?
— Essaie, moi, je nettoie nos bêtises.

Une fois Clélie sortie, je regarde l'entendu des dégâts. Je n'ai pas le choix alors j'attrape mon pyjama dans ma valise, et j'essuie le lavabo avec. Je prends le sac plastique que j'avais prévu pour mettre mon linge sale et fourre le tout dedans.

Ma copine revient avec la petite.

— Tata Cléclé m'a dit que tu avais fait une bêtise.

Je fronce les yeux vers Clélie, mais son regard de biche innocente, me convaincs de prendre l'entière responsabilité sur moi.

— Oui, j'ai presque vidé la bouteille bleue à ton papa.

— Han, il ne va pas être content.

— Je sais, si je mets un billet dans ta boîte à Mickey, tu pourras dire que tu l'as fait tomber sans faire exprès.

— Tu n'es pas ma vraie tata ?

— Non, ma chérie, je suis une copine de ta tata.

— Alors ce sera un billet orange. Papa m'a dit quand tu prends une bêtise pour moi, c'est un billet rose, car ce sont les plus beaux pour les petites filles. Quand c'est une bêtise aux tontons ou à papi, c'est un billet bleu, mais si ce n'est pas de la famille, c'est un billet orange.

Je suis estomaquée, cette gamine qui n'a que 3 ans est déjà une sacrée femme d'affaires. Je sors un billet de 50 euros, que je lui mets dans la main. J'avais un peu honte d'utiliser ainsi cette petite fille, mais après son argumentaire, plus du tout, j'ai plutôt l'impression de me faire avoir.

Quand nous retournons dans la salle à manger, c'est pour voir Juan souffler ses bougies. Je lui ai offert une voiture télécommandée, je ne savais pas trop quoi lui prendre alors, j'ai choisi un indémodable. Alex et Gabe sont venus sans cadeau, alors mon fiancé demande au petit garçon ce qui lui ferait plaisir.

— Un billet pour la boîte à Mickey.

— Tu n'es jamais allé chez Disneyland ?

— Non, papa a dit qu'on irait quand on aura rempli la boîte.

— Dans mon travail, j'ai des places pour Mickey que je peux donner. Tu diras à ta tata quand vous voulez y aller, et je lui donnerai les places.

— Pour papa et maman aussi ?

— Bien sûr, petit bonhomme, pour toute ta famille si tu veux.

— Trop bien, merci tonton Gabriel. Alors je veux aussi tata Clélie, tata Jessica et tonton Lorenzo.

Je vois Gabe, tiquer à l'association de mon prénom et de celui du grand brun, mais c'est difficile de revenir sur sa parole, maintenant.

— Oui, petit bonhomme tous tes tontons pourront venir, et aussi papi et mamie s'ils le veulent. Alex et moi, nous viendrons aussi avec vous, ce sera très drôle.

Gabe a eu du mal à desserrer sa mâchoire pour prononcer sa phrase. Je ne sais pas pourquoi, mais j'ai l'impression que notre amusement ne sera pas le même. Je vais me réjouir de prendre une photo avec Minnie, quand Gabe va rêver de pousser Lorenzo du haut de la tour de la terreur.

*

Clélie

Heureusement, le dîner touche à sa fin. J'aime beaucoup ma famille, que je vois moins, depuis que je me suis installée à Paris, mais cette soirée a été un vrai calvaire. Et quand je regarde Lorenzo faire son cinéma à Jessica, en suçant et léchant les fraises de son gâteau, j'ai envie de les lui faire avaler par les narines. Je crois que Gabe les imagine plutôt en suppositoires, lui.

J'adore mon frère, et même s'il m'a pourri mon adolescence, il a toujours été mon plus solide soutien. En CP, je me suis fait racketter mon goûter par des cm2. Je ne sais pas qui l'a raconté à Lorenzo, mais dès le lendemain, ce sont ces mêmes garçons, arborant chacun un bel œil au beurre noir, qui m'apportaient un goûter, et ce, jusqu'à la fin de l'année. À leur décharge, je ne ressemble pas vraiment à mes frères, je suis toute petite, 1 m 54 encore aujourd'hui, et je suis blonde. Ils ne pouvaient pas savoir que j'étais aussi bien protégé que la Joconde au musée du Louvre.

J'ai dû attendre l'âge de 17 ans et un voyage en Angleterre pour échanger mon premier baiser. C'était un Anglais, boutonneux avec les cheveux gras, sûrement plus jeunes que moi, mais il avait l'avantage de ne pas connaître mes frères.

J'ai perdu ma virginité à 22 ans, en vacances, dans une tente quechua et sur un matelas pneumatique, avec un mec qui repartait à l'autre bout de la France le lendemain. Sans cette sécurité kilométrique, il n'aurait jamais osé me toucher.

Avoir 5 frères, c'est une vraie galère. Je suis sûre que 4 d'entre eux me croient toujours vierge. Le seul qui n'est pas dupe, c'est Thiago. Il parle très peu avec nous, mais il voit tout, on ne peut jamais rien lui cacher.

J'avais prévu de dormir chez Angelo, mais c'était avant de savoir de j'allais rapporter un geôlier dans mes bagages. Chaque prisonnier a droit à une dernière cigarette, moi, je ne fume pas, alors je vais m'accorder une dernière nuit de débauche.

Je me lance quand j'entends Gabe téléphoner, pour appeler un taxi.

— Angelo, est-ce que je peux avoir tes clés de voiture pour récupérer ma valise ?
— Ça peut attendre un peu, on n'est pas encore couché, ma Lili.
— C'est que Jess et moi n'allons pas dormir ici, finalement. Nous devons rentrer tôt demain matin pour travailler sur un dossier, c'est aussi pour cela qu'ils sont venus.

Mon patron, qui est ravi de ne pas savoir Lorenzo et sa fiancée, dans la même maison, me soutient dans mon mensonge.

— Notre avion doit décoller à 6 heures demain matin.
— He, Clélie, puisque tu n'utilises pas ton billet de train, donne-le-moi. J'irais à la gare demain matin, pour faire changer la date de départ, cela me fera toujours ça d'économiser.
— Quelle bonne idée donne donc ton billet de train à Lorenzo, ma chérie.

J'aurais voulu objecter, surtout que c'est Alex qui nous a offert les billets, mais personne ne comprendrait qu'il est payé pour moi. Je cherche donc dans mon sac, et lui remets mon billet à contrecœur.

— Donne-moi celui de ta copine aussi, sinon elle ne pourra pas se faire rembourser.
— Ce ne sera pas nécessaire, ma fiancée pourra se faire rembourser son billet directement sur le site internet, tout à l'heure.

La voix de Gabriel a claqué si fort, que j'en ai sursauté. Mon frère s'est renfrogné, mais n'a rien trouvé à objecter.

Nous sommes partis dans une effusion d'embrassades, enfin presque, car quand Lorenzo s'est penché vers Jessica, c'est la main de gabe qui s'est trouvait ses lèvres. La tête de mon frère était à mourir de rire, j'ai dû prendre sur moi, pour ne pas me moquer de lui, je n'oublie pas que dans deux jours, il sera chez moi.

Une fois arrivé à l'hôtel, Gabe a voulu nous prendre une chambre pour la nuit, mais je l'ai arrêté.

— Si cela ne vous embête pas de dormir avec Jessica, je vais dormir avec Alex.

— Hein ? s'écrie ce dernier.

— Tais-toi, quand j'aurai besoin de ta langue, je te le dirais. Jess, ça ne te dérange pas ?

Ma copine pouffe devant l'air ahuri de son frère.

— Ça me va, passe une bonne nuit, Alex, enfin si tu arrives à dormir.

Je ne laisse pas le temps à ma victime, d'objecter, et je l'entraîne dans la chambre.

— Bon alors écoute-moi, je suis toujours en colère pour la façon dont tu m'as mise dehors la dernière fois. Donc tu m'en dois une pour te faire pardonner. Je n'ai pas l'intention de vivre une histoire d'amour avec toi, mais ma vie sexuelle va être réduite à néant à partir de mardi, alors tu vas faire me vivre une nuit inoubliable, pour que j'accepte ma nouvelle condition de bonne sœur.

— Et mon avis, j'ai droit de le donner ou pas.

Je le pousse sur le lit, et glisse ma main dans son pantalon.

— Je crois que ton corps l'a donné pour toi, alors c'est le moment de bien utiliser ta langue.

Alex me retourne sous lui, et me fait passer la meilleure nuit de ma vie.

C'est aux alentours de 4 heures du matin que mon étalon à déposer les armes. Je le regarde, endormi, en étoiles sur le lit, et je sais que je ne dois pas me réveiller à ses côtés, cela serait trop bizarre. Je vais prendre une bonne douche, car je suis toute collante. À mon retour, je récupère ma valise et me décide à appeler ma copine.

« Allo, Jessica, tu es réveillée ?

J'entends des grognements.

— Maintenant oui. Tu veux quelque chose ?
— Oui, j'ai besoin de toi. »

Je raccroche aussitôt, et vais frapper à sa porte. Je sais qu'on est au milieu de la nuit, mais quand on fait face à un problème, il n'y a pas d'horaire qui tienne entre amis. Jess le sait très bien, car c'est elle qui me l'a appris pendant sa convalescence.

À peine la porte ouverte, je tombe dans les bras de ma copine et je mets à pleurer. Je ne sais même pas pourquoi je pleure, c'est un mélange d'émotion trop forte pour moi.

— Si tu me dis que mon frère t'a encore foutu dehors, j'envoie Gabe lui casser la gueule.
— Eh pourquoi moi ? Marmonne mon patron qui est encore sous les couvertures.
— Parce que c'est mon frère et que l'on s'est juré de ne plus jamais se battre quand j'étais petite. Mais s'il le mérite, je n'hésiterai pas à utiliser un homme de main, pour faire le sale boulot à ma place.

Je souris entre mes larmes, cette fille est formidable.

— Alex n'y est pour rien, d'ailleurs, il dort, il ne sait pas que je suis partie. Je peux rester avec toi ?

— Bien sûr ma chérie.

Jessica se dirige vers le lit, et lève la couverture.

— Allez oust Gabe, va dormir avec mon frère, Clélie et moi on prend le lit.

— Mais ça ne va pas, je ne vais pas finir ma nuit au milieu de leurs fluides corporels. Je reste dans mon lit.

— Je suis sûr que les journaux s'arracheraient la photo du grand patron, avec deux femmes dans son lit.

— Tu ne ferais jamais ça à ta copine.

— On ne serait reconnaissable ni elle ni moi, mais toi oui. Tu veux vraiment me donner les armes pour te battre ?

— Je ne veux pas dormir avec ton frère, imagine qu'il me prend pour Clélie au réveil ?

— Tu n'as qu'à dormir sur le tapis. Tu prends la couverture qui est dans l'armoire, cela sera plus confortable.

— Je vais me faire mal au dos.

— Ton dos ou ta réputation ?

— Tu es machiavélique.

— J'ai tout appris à ton contact.

Gabe rigole, et se lève. Il lui dépose un petit baiser sur les lèvres et lui chuchotes.

— Permets-moi d'en douter.

Une fois Gabe sorti, j'interroge ma copine

— J'ai interrompu quelque chose ?

— Entre Gabe et moi ? Non, si nous avions eu envie, nous aurions eu trop l'impression de faire cela à 4.

— Pourquoi tu dis ça ?

— Oh Alex, oui Alex, descends plus bas, continue...

— Vous nous avez entendus ?

Ma copine rigole, et moi, je sens mes joues chauffer.

— Tu plaisantes, nous sommes dans un hôtel, on a connu mieux comme insonorisation. Disons qu'on a eu le son du film, sans les images.

— Oh mon Dieu ! Gabe aussi ?

— Je ne suis pas sûr que tu veuilles que je réponde à ta question.

Je me glisse dans le lit, les couvertures sur la tête, la technique de l'autruche, c'est bien pratique pour dissimuler sa honte.

*

Jessica

Quand j'ai compris que nous allions vraiment rentrer en avion, j'ai cru avoir une crise de panique. En réalité, j'en ai peut-être fait une, mais dans l'ambiance générale, elle est passée totalement inaperçue. Alex tire la tronche depuis qu'il a poussé la porte de l'hôtel. Je crois qu'il en veut énormément à Clélie de l'avoir laissé, sans un mot, après leur nuit passée ensemble. Ma copine est en deuil de la liberté, qu'elle a appris à aimer depuis son départ de sa maison familiale. Quant à Gabe, il faut croire que sa courte nuit sur le tapis ne lui a pas été bénéfique, il est d'une humeur de dogue.

Quand nous sommes arrivés sur le tarmac, j'ai essayé de reculer, mais Alex m'a menacé.

— Tu te souviens de barracuda dans l'agence tout risque ?

— Oui, c'est le grand baraqué qu'on assomme avant de l'embarquer en avion.

— Voilà, donc sous tu montes gentiment sois je t'assomme.

— Mais ça doit faire mal.

— Sûrement, donc ne cherche pas la merde et monte.

Je suis choquée, c'est la première fois que mon frère me parle aussi mal. Je me suis installée sur mon siège, j'ai attaché ma ceinture et je me suis tu. Je n'ai pas enlevé ma ceinture de sécurité de tout le vol, et je crois que j'ai déchiré le cuir de l'accoudoir de mon siège, avec mes ongles.

À notre descente de l'avion, Gabe a fait affréter des taxis pour nous ramener, chacun chez soi. Alex est parti le premier, après avoir marmonné un bref, à bientôt dans ma direction. Clélie l'a suivie de peu, en me serrant dans ses bras. Son étreinte m'a fait du bien face à la froideur de mon frère.

Gabe m'a accompagné, jusqu'à la voiture qui m'attendait.

— Tu veux vraiment rentrer chez toi ?

— Oui, cela fait 3 semaines que je n'y ai pas mis les pieds, et puis si je veux faire croire à ma mère que je suis enceinte, je dois retourner vivre chez moi.

— Je sais.

Gabe a attrapé une mèche de mes cheveux, qu'il a fait glisser entre ses doigts. J'ai trouvé ce geste, parmi les plus intimes que j'ai pu partager avec lui. J'ai ouvert la portière, et avant de me glisser sur le siège, je l'ai embrassé sur les lèvres, tout doucement. Je ne lui ai pas laissé le temps de se remettre de sa surprise, que j'ai demandé à la voiture de partir.

Quand je suis arrivée chez moi, j'ai trouvé mon frère assis sur le sol, devant ma porte.

— Tu as perdu tes clés pour rester à ma porte ?

— Je ne savais pas si tu accepterais de me laisser entrer, alors j'ai préféré d'attendre ici.

Je m'assois à ses côtés, les fesses sur mon paillasson.

— Tu es un imbécile Alex, tu es mon frère, tu seras toujours le bienvenu chez moi, même quand tu te comportes comme un con.

— Je suis désolé cocotte, j'étais en colère et c'est toi qui as pris.

Je laisse tomber ma tête sur l'épaule de mon frère, je sais qu'il s'en veut, mais surtout qu'il est malheureux de l'attitude de Clélie. Se pourrait-il que ma copine l'ait piqué ou c'est seulement sa fierté de mâle, qui parle.

— Tu m'offres une bonne cuite ?

198

— Non, je t'offre un café si tu veux, mais pas de cuite pour nous aujourd'hui. Je reprends le boulot demain et j'ai besoin d'être au top de ma forme pour affronter ça.

— Je croyais que tu aimais ton boulot ?

— J'adore mon boulot, mais demain je vais être là salope croqueuse de diamants qui a mis son grappin sur le patron beau gosse sur lequel elles bavent toutes. C'est un scénario qu'on a jamais travaillé, celui-là.

— Tu veux que je t'apprenne à les insulter, en gardant le sourire ?

— Oui, tu es le meilleur pour ça.

— OK, alors lève-toi, je vais t'apprendre à gérer les femmes jalouses.

Je suis mon frère dans mon appartement, et je suis ébahie devant l'état de ce dernier.

— Tu as fait ça tout seul ?

— J'aimerais bien te dire oui, mais on a juré de ne jamais se mentir entre nous. Alors je dois t'avouer que Gabe m'a bien aidé.

— Gabe ? Mais quand ça ? Il était avec nous tout le week-end.

— C'était vendredi cocotte, on a fini plus tôt tous les deux pour te préparer ton petit nid douillet. On a rempli ton frigo, fait ton ménage, et même acheté des fleurs.

— Vous êtes adorables.

Je prends mon téléphone pour envoyer un message à Gabe.

« Merci pour mon appartement, les courses et les fleurs. Tu es adorable en fiancé, j'espère que tu ne seras pas trop détestable en patron. »

Sa réponse me parvient très vite.

« Dans mes souvenirs, tu étais plutôt adorable comme employée et détestable comme fiancée, avec ta clochette et ta manie de planquer mes affaires. Mais je dois être un peu maso, car cela me manque quand même. »

Je rigole.

« On se complète bien alors, car t'embêter me manque, à demain au bureau boss. »

— Quand tu auras fini de flirter avec ton mec, on pourra peut-être te transformer en femme fatale.

— Arrête de faire ton jaloux, je ne flirte pas, je le remercie, c'est tout.

— C'est marrant quand tu m'as remercié, tu n'avais pas ce sourire béat à la bouche. Quant à être jaloux, c'est impossible ça cocotte, ce n'est pas dans mon ADN. Tout ce qui est à moi est à toi, tout ce qui est à toi est à moi.

J'attrape sa main et j'inspecte ses doigts.

— Je crois que tu as oublié de donner ce détail à Gabe, il ne t'a pas encore offert de bague.

— Idiote, ça ne concerne ni tes mecs, tes fringues et ton maquillage, tu as oublié ?

— Et ni tes nanas, sauf leurs soutifs, ni tes caleçons.

— Et ni mes rasoirs !

— Oui, ni tes rasoirs, plus jamais je ne me raserais les aisselles avec ton rasoir, je sais.

— Donc rassure-toi, je te laisse ton mec. Par contre lui, il est jaloux comme un pou. La fumée lui sortait des oreilles devant ce Lorenzo.

— Ouais, d'ailleurs ce serait cool que tu te rapproches de Lorenzo, histoire que tu lui trouves une riche cougar à se mettre sous la dent.

— J'ai plus envie de lui casser la gueule que de sympathiser avec, tu sais.

— Vois ça comme un placement sur le long terme. Les filles se jetteront sur toi pour avoir son numéro, tu vas en donner des cartes de visite pour ton cabinet. Et puis ça pourrait te servir pour te mettre ta future belle famille dans la poche.

— Quelle belle- famille ? Si tu imagines qu'il y aura quelque chose entre Clélie et moi, je t'arrête tout de suite, mais c'est mort. Cette fille m'a utilisé comme un sex-toy. C'est ta copine, alors je continuerai à la saluer, mais c'est tout. Je ne suis pas une pute Jess, d'ailleurs une pute même si tu la quittes quand elle dort, au matin, tu ne trouves pas ton pote sur le tapis.

— C'est sûr que toi, tu as toujours été un modèle de droiture avec les femmes.

— Non, j'ai toujours été un salaud, mais je n'avais jamais couché 2 fois avec la même avant elle. Je pensais que le jour où je le ferais, ce serait pour une histoire sérieuse, pas pour combler les besoins d'une folle hystérique.

— Alors pourquoi tu l'as fait, elle ne t'a pas violé, que je sache. J'étais dans la pièce d'à côté, et tu m'avais l'air plus que consentant.

— Parce qu'elle me plaisait. Elle est drôle, intelligente et belle. Mais je ne la pensais pas capable de me laisser en plan, comme ça après la nuit qu'on a passée.

— Tu te trompes, toi aussi, tu lui plais. C'est un malentendu, vous devez discuter tous les deux.

— Ne te mêle pas de ça Jess, c'est ta copine et elle le restera. Mais pour moi, il ne sera rien de plus, qu'une fille que j'ai déjà baise, point.

— Tu te mens à toi-même, elle restera toujours la première avec qui tu as couché deux fois.

— Si cela peut te faire plaisir, bon alors on te transforme en femme fatale ?

— Ça marche, allons me trouver un costume de Wonder Woman.

— Ne me tente pas, Jess.

Je rigole et j'entraîne mon frère devant mon armoire. Je sais qu'il faudra bien qu'il finisse par parler avec Clélie, mais je vais respecter son choix et ne pas m'en mêler. Enfin, pour l'instant.

*

Jessica

Je me regarde devant ma glace, et me répète, je suis une femme fatale, je suis une femme fatale. Mais que dalle, je suis une femme morte de trouille, oui !

C'est vrai que pour les fringues, mon frangin a assuré. Après avoir désespéré face à mon armoire, Alex a pris les choses en main et m'a entraîné aux galeries Lafayette. Je déteste faire mes achats le dimanche, mais là, selon mon frère, c'était un cas de force majeure.

J'ai failli me trouver mal quand j'ai vu le prix des vêtements qu'Alex a sélectionné. Après ça, même les pâtes seront trop chères pour mon budget du mois. Alors quand je l'ai vu attraper son portefeuille en caisse, j'ai repris quelques couleurs. Je pourrais le rembourser à mon rythme. Mais la couleur de la carte a manqué de me faire défaillir, une carte noire.

Ce détail n'a pas échappé non plus à la vendeuse, qui lui a fait des œillades de plus en plus appuyées. J'avais envie de lui dire « eh pouffiasse, ça ne te dérange pas de draguer mon mec devant moi ? » parce que oui, Alex est mon frère, mais ce n'est pas marqué sur mon front non plus. Surtout que depuis que je l'ai vu sortir cette fameuse carte, je suis accroché à son bras, de peur qu'on l'embarque pour vol. Mais je n'ai rien dit pour ne pas attirer l'attention sur nous, et me retrouver accuser de complicité. Oui, je sais être lâche, quand c'est nécessaire.

Une fois monté dans la voiture, j'ai ordonné à mon frère de démarrer, comme si nous venions de réussir un braquage.

— Pourquoi tu me presses comme ça, tu es malade Jess ? me demande mon frère, inquiet.

— Tais-toi et roule, ils peuvent encore nous rattraper.

— De qui tu parles ? Quelqu'un te suit ?

— Mais les agents de sécurité bien sûr.

— Jess ne me dit pas que tu volé quelque chose au magasin ?

— N'importe quoi, je n'ai jamais rien volé de ma vie.

— Ah oui, et le Carambar de la boulangère ?

— Mais j'avais 3 ans, il y a prescription, quand même ! En plus, je ne me souviens de rien. Mais là, ce n'est pas moi le problème, c'est toi.

— Comment ça moi, je n'ai rien volé, j'ai même payé devant toi.

— Avec la carte de qui ? Tu n'as jamais eu de carte noire, même si tu gagnes bien ta vie, tu n'en as pas encore les moyens, je le sais, c'est moi qui fais tes déclarations d'impôts.

— Mais je ne l'ai pas volé cette carte, c'est la tienne.

— Alors là, c'est le pompon, jamais ma banquière ne me donnera de carte noire, j'ai déjà eu du mal à négocier un chéquier, parce que j'étais encore en période d'essai.

— C'est Gabe qui l'a fait faire pour toi.

— Quoi ! Arrête cette voiture tout de suite et conduis-moi chez lui que je lui rende sa foutue carte.

Alexandre éclate de rire.

— Si j'arrête la voiture, je ne peux pas te conduire chez lui. En tout cas, il te connaît bien, s'il me l'a donné, c'est pour éviter que tu lui renvoies dans la figure. Donc on peut toujours y aller, tu lui feras ta crise, et il me la remettra dans la poche en partant. Ça ne te dérange pas que je passe me prendre des pop-corn avant le spectacle.

— Ta gueule et roule. On va chez moi, je réglerai mes comptes toute seule avec Gabe.

— Comme tu veux cocotte, mais ne sois pas trop dur avec lui, il m'a expliqué que tu ne voulais pas de promotions.

— Tu parles d'une promotion, je suis assistante junior depuis 1 mois et demi, dont 3 semaines d'arrêt maladie et il voulait me faire passer directrice d'agence. C'est une promotion canapé sans même être passé sur le canapé.

— Il sait qu'il ne peut pas t'augmenter sans créer un conflit social dans sa boîte, c'est pour ça qu'il t'a ouvert un compte. Pour tes besoins du quotidien et les achats que tu voudrais faire pour le mariage.

— Ah ouais, alors si je veux les chippendales pour mon enterrement de vie de jeune fille, il les finance aussi ?

— C'est moi qui ai le code de la carte cocotte, alors je suis celui qu'il faudra soudoyer si tu veux des mecs à poils.

— Alors j'abandonne tout de suite, je sais que tu seras trop cher pour moi.

Mon frère m'a raccompagné et il a joué à la poupée avec cheveux, et mon maquillage. Je suis une fille, mais je ne sais pas me maquiller. J'ai un gros problème avec l'harmonisation des couleurs, et dès que le mascara s'approche de mes yeux, on me penserait atteinte de la maladie de Parkinson. Quand mon frère est parti, je me voyais vraiment comme une femme fatale.

Mais là, ce matin, je ne ressemble plus à rien. J'ai choisi de ne pas me démaquiller ni me décoiffer hier soir, car j'étais trop contente du résultat. La femme fatale d'hier soir a fait place à un panda avec une crinière de Lion. Pour être fatale, je suis fatale, si quelqu'un me voyait, il tomberait mort de rire !

Après plusieurs essais de maquillage, je laisse tomber, je mets juste un peu d'anticerne pour cacher que ma nuit a été trop courte. Pour mes cheveux, il n'y a rien à faire, j'ai dû prendre un shampooing pour venir à bout de mes nœuds, et ils sont maintenant impossibles à discipliner. Je n'ai pas le choix que de les brosser et les laisser libres. Le tailleur-pantalon choisi par mon frère me fait une jolie silhouette, c'est déjà bien pour retrouver un peu de confiance.

Je pars de chez moi avec une boule au ventre, la même que j'avais le jour de ma rentrée au collège alors que je ne connaissais personne. J'avais raison d'angoisser ce jour-là, car une fois que tous les élèves ont été appelés, je suis restée toute seule dans la cour, je n'étais sur aucune liste. Il a fallu que j'aille toute seule voir le proviseur pour lui expliquer la situation. Cela m'a suivi toute ma scolarité, je suis restée la fille qu'on a oubliée le jour de la rentrée scolaire.

Je n'ai pas pris de café ce matin, je n'ai pas besoin de plus de stress. À la place, j'ai pris un thé que j'ai trouvé dans mon placard. Je ne savais même pas que j'avais ça. C'est bon en plus, alors je vais en prendre plusieurs sachets pour mes boissons chaudes de la journée.

Une fois arrivée au travail, j'ai retrouvé Clélie pour un petit moment partagé avec d'affronter le regard de mes collègues. Si je comptais sur ma copine pour me remonter le moral, c'était loupé. Elle est en déprime profonde. Heureusement, Gabe est venu plus tôt lui aussi pour m'accueillir. Il m'entraîne dans son bureau pour me parler.

— J'ai organisé une réunion tout à l'heure, ce sera l'occasion pour nous, d'annoncer notre prochain mariage.

— Si tu veux, de toute façon, je suppose que tout le monde doit déjà être au courant.

— Il y a des bruits de couloir, mais tant que nous n'avons rien officialisé auprès de tes collègues, cela reste des rumeurs. Si certains le prennent mal, n'hésite pas à m'en parler.

— Si tu comptes virer tous ceux qui font me faire comprendre que je suis une salope d'arriviste, tu risques de mettre la clé sous la porte, faute d'employés.

— Je suis sérieux Jess, ne laisse personne te traiter de la sorte. Bon, il est temps d'y aller.

Gabe me prend dans ses bras et dépose un baiser sur mon front. Je le suis pour nous rendre dans la salle de réunion. À chacun de mes pas, j'ai l'impression d'avoir une cible accrochée sur moi, c'est assez dérangeant comme sensation.

Nous sommes les derniers à entrer dans la salle, et je soupçonne Gabe de l'avoir fait exprès. J'ai envie de jouer les petites souris et d'aller me cacher dans le fond, mais mon fiancé m'empêche en me prenant la main.

— Avant de commencer notre réunion, je tenais à vous annoncer mon prochain mariage, avec Jessica Martin. Mademoiselle Martin est assistante junior pour notre cabinet, et a choisi de le rester. Je lui ai proposé un poste plus important, mais elle a refusé, pour pouvoir continuer à faire ses preuves comme chacun d'entre vous. J'attends de vous que rien ne change dans vos relations de travail et que vous respectiez notre droit à la vie privée. Ceci étant dit, nous pouvons commencer.

Je retire ma main de la sienne et vais m'asseoir autour de la table. Je sais que la réunion va être longue, car je reviens d'un arrêt maladie, donc j'ai beaucoup de retard à rattraper. Au vu des regards discrets que je reçois, je comprends très vite que l'on ne me passera rien, et que je vais devoir travailler deux fois plus, si je veux être prise au sérieux.

J'ai passé une bonne partie de la réunion avec une furieuse envie d'aller aux toilettes. J'ai l'impression que quelque chose me comprime la vessie, cela doit venir du stress. En plus, j'ai dû serrer les fesses au maximum pour ne pas lâcher un pet disgracieux, qui m'aurait fait perdre toute la crédibilité que je n'ai plus auprès de mes collègues. À la pause, comme d'habitude, personne ne sort de la salle. Clélie me propose une boisson.

— Je te sers quelque chose ?
— Non merci, j'évite le café pour aujourd'hui et j'ai laissé mon thé sur ton bureau.

Clélie se penche vers moi et me chuchote à l'oreille.

— C'est à toi, le thé détox régime plus ? J'ai cru que c'était encore une mauvaise blague de Marianne, la décolorée qui tourne autour de Gabe en ce moment, c'est tout à fait son genre. Mais fais attention parce qu'il est plutôt violent ton thé régime plus, je le sais, j'ai essayé d'en prendre l'an dernier, j'ai tenu deux heures.

Je suis effarée.

— Du thé détox, tu dis ? Mais ce n'est pas possible, je n'ai jamais acheté ça.

— Je suis formelle Jess, c'est du thé détox et pour détendre, ça détend ta vessie à la limite de ses possibilités.

Je réfléchis, puis je comprends, c'est le thé de maman, elle a dû l'oublier quand elle était venue déjeuner à la maison. Incroyable, elle avait repris mes croissants, mais a laissé son thé toxique chez moi. Ma vessie est pleine à craquer, je dois la vider au plus vite.

— Aide-moi, Clélie, il faut que j'aille aux toilettes.

Devant mon air en détresse, ma copine prend les choses en main.

— Gabe, le rendez-vous pour la médecine du travail de mademoiselle Martin, a été avancé, elle doit s'y rendre immédiatement pour ne pas être en retard.

Gabe sait pertinemment que nous lui mentons, puisque j'ai passé ma visite obligatoire, la semaine dernière. Mais, comprenant qu'il doit y avoir une urgence, il nous libère aussitôt. J'espère seulement qu'il ne peut pas saisir la nature de l'urgence sur mon visage, avec lui j'ai, déjà dépassé le quota de honte, autorisé dans un couple, je trouve.

Je me lève et quand je passe derrière Marianne, je lâche ce pet qui me gênait tant.

Clélie la regarde avec dédain.

— Mais enfin Marianne, en voilà des manières, un peu de discrétion quand même.

La blondasse devient la cible de tous les regards et à tellement honte, qu'elle n'arrive même pas à se défendre.

Je presse la main de Clélie, pour qu'elle s'accélère et me morde les lèvres pour éviter de rire. Nous sortons, mais il nous faut des toilettes au plus vite, pas le temps de me rendre aux sanitaires des employés, je file dans le bureau de Gabe...

Mais voilà, mon imbécile de frère m'a choisi un pantalon à taille haute, pas du tout adapté avec une envie pressante, et si vous combinez deux tasses de thé et détox avec une crise de fou rire, ce n'est pas du tout compatible.

J'ai bien eu le temps d'arriver aux toilettes, mais pas celui d'enlever complètement mon pantalon, quand ma vessie décide de se libérer. Je viens d'uriner dans mes vêtements, sur le sol de la salle de bains de Gabe. Et je pleure, de soulagement, car j'avais vraiment mal de me retenir ainsi, de rire après le sale coup joué à Marianne, et de honte aussi, car à 23 ans, je viens de faire pipi dans ma culotte, dans le bureau de mon boss et accessoirement, mon fiancé.

*

Gabe

Nous sommes lundi matin, et je suis heureux. J'attends cette journée depuis plusieurs semaines maintenant, car aujourd'hui, Jessica reprend le travail. J'enfile mon costume sur mesure et me regarde dans la glace, ça va, je suis plutôt beau gosse.

J'ai hâte de la revoir au travail, non pas pour répondre mon rôle de patron au lieu de celui d'infirmier, comme je le pensais au début, mais tout simplement parce qu'elle me manque. Quand elle vivait avec moi, je ne la voyais que brièvement le matin et je devais la partager, avec son frère ou ma secrétaire la plupart des soirs. Je passais beaucoup de temps à penser à elle, dans la journée et c'était un très mauvais calcul. J'étais moins productif et je devais rattraper mon travail le soir au lieu de passer du temps auprès d'elle. À partir d'aujourd'hui, je pourrais la voir tout au long de la journée. Je pourrais fantasmer à l'idée qu'elle m'attende en petite tenue dans mon bureau. Depuis que je l'ai rencontré, je n'ai répondu à aucune des invitations de mon groupe d'amis, les celibatards. Avant nous sortions tous les week-ends pour satisfaire nos besoins primaires, rire, boire et bien sûr baiser. Quand on est un grand patron comme moi, on est entouré de femmes qui sont prêtes à tout pour accéder à ma notoriété et à mon argent, mais j'ai toujours été clair, avec moi, c'est un soir et au revoir.

Le comble, c'est que je me retrouve fiancé à une fille, qui n'est jamais passée dans mon lit, et que je n'arrive à penser à personne d'autre qu'elle.

Depuis que je suis tombé sur cette brune en petite culotte, dans les escaliers de ma grand-mère, plus aucune femme n'a trouvé grâce à mes yeux. Vivre avec elle pendant sa convalescence a été un bonheur et un calvaire. Un bonheur, car cette fille est un vrai rayon de soleil, avec elle, je n'ai plus besoin de boire un verre pour me détendre et rire, elle n'est jamais à court de conneries à dire ou à faire, et cela me fait du bien. Mais cela a été un calvaire de l'avoir si près de moi, sans pouvoir l'embrasser tout mon soûl et lui faire l'amour comme j'en rêve.

Depuis cette mascarade qui va nous conduire au mariage, nous n'avons échangé que quelques chastes baisers, et toujours à mon initiative. Sauf, hier matin, sur le parking de l'aéroport, c'est elle qui m'a embrassé. Si j'avais été seul, j'aurais pu faire la roue, tellement j'étais heureux. C'était furtif, mais de loin le meilleur baiser que je n'ai jamais reçu.

L'attirance physique que j'ai éprouvée pour elle s'est transformée en quelque chose de bien plus fort, et cela me fait terriblement peur. Comment peut-on dire, à quelqu'un qu'on a menacé, qu'on est tombé amoureux d'elle ?

Et puis soyons honnêtes, même si je ne lui suis pas indifférent, elle ne partage pas encore mes sentiments.

Quand je suis arrivé au bureau, je l'ai trouvé en train de prendre un thé avec Clélie. J'ai tout de suite été ébloui par sa chevelure, mais quand elle s'est levée, pour me saluer, j'ai reçu un coup au cœur. Je voulais lui laisser le choix d'annoncer ou non, notre prochain mariage, mais c'est impossible. Je ne pourrais pas supporter qu'un de mes employés la regarde. C'est une bombe atomique et elle est à moi. Son pantalon me donne des idées salaces, que je m'empresse d'évacuer en me récitant mentalement l'alphabet. À chacun sa méthode pour se détendre.

Je me verrai bien lui proposer de porter une écharpe de miss, floquée, je suis fiancée, mais je pense qu'elle m'étranglerait avec, si je lui en faisais confectionner une. Pourtant, cela aurait caché son délicieux décolleté qui me nargue, moulé ainsi dans sa veste de tailleur. Si je me félicitais que son frère, lui a choisi de telles fringues, en ce moment précis, j'ai plutôt envie de lui casser la gueule.

Je suis sûr qu'il l'a fait exprès, pour que je lui fournisse de la clientèle ce con, car je suis à deux doigts de casser un nez, voire plusieurs.

Depuis le début de la réunion, je vois bien que Jessica ne va pas bien. Elle se tient droite sur sa chaise avec air un peu absent. Je n'aurais jamais dû lui imposer une réunion de travail pour sa reprise. Elle doit se sentir complètement perdue. Quand je vois un rictus de douleur s'afficher sur son visage, je décrète l'heure de la pause. Je veux aller voir si elle va bien, mais Marianne du service comptabilité se met devant moi pour me débiter un flux de questions. Clélie est à côté de ma fiancée, et à voir la façon dont elles dévisagent mon interlocutrice, ma Jess est jalouse.

J'entends ma secrétaire, me sortir la fausse excuse, de la visite médicale, je reste stoïque face à mes employés, mais dans ma tête, c'est la panique. Je vois bien que ma fiancée a mal, et je crains qu'elle se soit ouvert sa cicatrice, vu la façon dont elle se tient le bas du ventre. C'est le moment que choisit Marianne pour se manifester, aussi bruyamment que disgracieusement.

Je ne tiens pas plus de 15 minutes avant de mettre fin à la réunion. Je dois retrouver Jessica au plus vite, pour m'assurer qu'elle va bien.

Je ne la trouve ni dans son bureau ni dans celui de Clélie et je m'inquiète de plus en plus. Je cours dans mon bureau, décidé à téléphoner à son frère, quand je la vois…

Elle est dos à moi, à quatre pattes, en train de nettoyer le sol de ma salle de bains, seulement vêtue, d'un de mes caleçons et d'une de mes chemises. Dans mon fantasme, elle portait ses sous-vêtements et était debout devant mon bureau, mais à quatre pattes, c'est bien aussi. Ce qui m'intrigue, c'est l'objet blanc, avec lequel, elle semble laver le sol.

— Jessica ? Mais qu'est-ce que tu fais ?

Elle sursaute et lâche la serpillière qu'elle tenait à la main.

— Mais bordel, Gabe, tu ne peux pas frapper avant d'entrer, tu m'as fait peur !

— Je ne vais pas frapper pour rentrer dans mon bureau, quand même ! Mais qu'est-ce que tu fous dans cette tenue ?

— J'éponge les fuites ça ne se voit pas ? me répond-elle, sarcastique.

— Mais enfin, s'il y a une fuite dans mes toilettes, il faut me prévenir, il y a des agents d'entretien ici, et si nécessaire, on fera venir un plombier.

— Ce n'est pas vraiment ce genre de fuite.

Elle rougit comme une adolescente, alors je comprends alors qu'elle a dû avoir un problème féminin.

— Mince, tu souffres de règles douloureuses et c'est pour ça que tu es partie de la réunion. Tu veux que j'envoie quelqu'un te chercher des médicaments à la pharmacie et des protections intimes ?

— Mais bien sûr, envoie un coursier me chercher du spasfon et des tampons ! Tu veux vraiment m'achever, me rendre encore plus ridicule que je le suis.

Je m'assois près d'elle et remarque ses yeux rougis. Je la soulève pour la poser sur mes genoux et la sers contre mon torse.

— Qu'est-ce qu'il s'est passé, mon bébé ? Pourquoi as-tu pleuré ?

— Tu as fait les courses chez moi.

— Oui, on a voulu te faire plaisir avec ton frère, mais je ne comprends pas, tu n'avais pas l'air en colère hier soir ?

— C'est parce que je n'avais pas bu le thé.

— Quel thé ? Je ne me souviens pas avoir acheté du thé ?

— Je le sais maintenant, c'était celui de ma mère. J'ai cru qu'il venait de toi, alors je n'ai pas regardé la boîte.

— Et il n'était pas bon ce thé ?

— Si, mais c'est du thé de régime, c'est fait pour aller aux toilettes. Mais moi, je ne savais pas que ça allait venir si vite.

— Qu'est-ce que tu essaies de me dire ?

— Je n'ai pas eu le temps d'enlever correctement mon pantalon, et je me suis fait pipi dessus.

La boule d'inquiétude qui s'était formée dans ma gorge se libère dans un grand éclat de rire.

— Mais arrête de te moquer de moi, ce n'est pas drôle.

— Excuse-moi mon bébé, mais c'est nerveux. J'étais super inquiet pour toi, j'imaginais devoir te conduire à nouveau à l'hôpital, quand je te voyais souffrir, alors que tu avais juste envie de faire pipi.

— Mais ça fait super mal, à ma vessie et à ma dignité. Je n'ai même pas terminé de nettoyer en plus.

— Tu as utilisé quoi, je n'ai pas de serpillière ici.

— J'ai pris ma chemise et des lingettes démaquillantes à Clélie.

— J'aurais dû me douter que ma secrétaire était mêlée à tout ça. Où est-elle d'ailleurs ?

— Parti m'acheter des fringues, je ne peux pas rester comme ça quand même.

— Du moment que personne d'autre que moi ne te voit, cela ne me dérange pas que tu restes comme ça.

— Pervers !

Elle me donne une petite tape sur le torse et je hume le parfum de ses cheveux.

— Tu m'as appelé mon bébé.

— Oui, tu es ma fiancée, j'ai le droit de te donner un petit surnom affectueux. Mais si cela te dérange, je peux en choisir un autre.

— Les surnoms, j'ai l'habitude, mais c'est presque toujours des surnoms alimentaires, alors ça me fait drôle.

— C'est quoi tes surnoms ?

— Cocotte par mon frère, chouquette, chou à la crème et autres dérivées de pâtisserie par ma mère, et JMD par mon père.

— JMD ?

— Jessica Martin démolition, il paraît que je cassais toujours les constructions de mon frère.

— Je vais te dire un secret que tu dois promettre de ne jamais utiliser contre moi.

— Je le promets si tu t'engages à ne pas dire à mon frère que j'ai fait pipi dans mon pantalon.

— Ça marche. Quand j'étais petit, j'avais un problème d'élocution. J'ai appris à bien parler à mes 6 ans, alors mon grand-père m'appelait soupe au chou, car il trouvait que je m'exprimais comme Jacques Villeret dans le film.

— Oh, c'est méchant ça !

— Pas du tout, tu aurais connu mon grand-père, tu aurais su qu'il n'avait aucune méchanceté en lui. Il m'a élevé durement pour mieux me protéger de celle des autres, et je lui dois tout ce que je suis. C'était un homme généreux et juste, mais sans filtre quand il te parlait. Comme ma grand-mère d'ailleurs, j'ai hâte de te la présenter.

— Moi aussi, j'ai envie de la connaître. Elle doit être une femme formidable, pour que tu fasses tout cela pour elle.

— Oui, elle l'est. Mais même si j'étais résolument antimariage, t'épouser n'est pas un sacrifice.

Elle se tourne vers moi et me sourit. J'ai envie de lui faire une vraie déclaration, mais je ne veux pas l'effrayer et risquer de la faire fuir. À la place, je me penche sur ses lèvres et commence à l'embrasser. À ma grande surprise, elle me rend mon baiser, et notre étreinte devient beaucoup plus chaude. Quand tout d'en coup, la porte de mon bureau s'ouvre.

— Ouf, mission réussie, je t'ai pris une robe, une culotte, une serpillière et désinfectant pour sol. C'est parti pour la mission camouflage.

En prononçant ses mots, Clélie lève enfin la tête vers nous.

— Putain de merde. Lâche-t-elle en faisant tomber ses sacs au sol.

*

Clélie

Une petite souris, voilà ce que je voudrais être en cet instant. Mais pourquoi Gabe est-il dans son bureau avec la langue de Jessica dans sa bouche, et ses mains sur son postérieur ? Il devrait être encore en salle de réunion comme tous les lundis matin. Après avoir lâché mon juron, chacun a récupéré sa langue, en s'apercevant de ma présence. Aux yeux noirs que me fait mon patron, je comprends qu'il n'est vraiment pas content.

— Clélie ! Depuis quand rentrez-vous sans frapper dans mon bureau !

— Non, mais ça ne va pas bien de râler sur ma copine, tu m'as fait la même chose tout à l'heure.

— Jess, c'est mon bureau alors tu m'excuseras de ne pas avoir besoin de frapper avant de rentrer.

— C'est que je euh…

— Tu as perdu ta langue Clélie ?

— Ah non, la mienne, elle est bien en place dans ma bouche.

En répondant à Jessica du tac au tac, je me rends compte de ce que je viens de dire. Je me tape le front devant ma bêtise, face à une Jessica hilare, et à mon patron qui me regarde avec des yeux de merlans frits.

— Je crois que je vais retourner dans mon bureau.

Je sors bien vite, et une fois assise à mon poste, je réalise l'ampleur de ma bêtise. C'est mon patron, non de non, pas mon pote ! En plus, je suis la sœur de son rival, d'ici à ce qu'il me convoque pour me faire rédiger ma lettre de licenciement.

D'ailleurs, je pense que j'avais raison quand trente minutes plus tard, je reçois un mail me demandant de le rejoindre dans son bureau. Cette fois-ci, je ne fais pas la même erreur et je toque avant d'entrer.

— Entrez.

J'ouvre doucement la porte et j'attends ma sentence.

— Asseyez-vous Clélie, nous devons parler.
— Oui monsieur.

J'ai l'impression de me retrouver face à mon proviseur le jour où je me suis battue dans la cour du collège. Ce n'était pas ma faute, un groupe de filles m'avaient attaqué pour me piquer mon téléphone portable, dans le but de récupérer le numéro de mes frères. C'est vrai que j'aurais pu éviter de casser deux nez, mais mes frères m'ont toujours appris qu'il faut savoir se défendre. Il n'empêche que je n'étais pas fière de moi, quand mon père est venu me chercher, et encore moins, quand il m'a accusé d'être son sixième garçon.

— Je suis désolée Clélie.

J'avais raison, au collège aussi cela c'était passé comme ça, je suis désolée Clélie, mais tu dois comprendre que ton acte mérite un renvoi. Mes yeux se remplissent de larmes, j'adorais mon travail. Je vais devoir retourner vivre chez mes parents à Marseille, car je ne pourrais jamais payer mon loyer à Paris en étant au chômage.

— Vous avez des questions ?
— Je peux faire mon préavis ou je dois quitter l'entreprise maintenant ?
— Votre préavis, mais pourquoi ?
— Vous venez de me renvoyer ?
— Je viens de vous donner une augmentation Clélie, vous n'avez rien écouté ?
— Je croyais que vous vouliez me virer.

— Mais pourquoi je ferais une chose pareille ? Vous faites un travail remarquable et votre geste de ce matin, n'est rien de plus qu'une preuve de loyauté, à l'égard de ma future femme, et donc à l'image de ma société.

— Mais vous m'avez dit de rentrer chez moi !

— Ou, après m'être excusé de mon comportement de ce matin, je vous ai offert de rentrer plus tôt, aujourd'hui.

— Alors je ne suis pas virée ?

— Non. Écoutez Clélie, je sais que je suis votre patron, mais en dehors de ces murs, vous êtes la meilleure amie de ma fiancée. Je voudrais donc que vous cessiez de me voir comme votre supérieur quand nous serons ensemble. Jessica m'a parlé d'un dîner qu'elle souhaiterait organiser avec vous et son frère, vendredi soir, j'espère que vous pourrez vous joindre à nous ?

Oh la fourbe, elle sait bien qu'en passant par Gabe pour me demander de dîner avec eux et Alexandre, je ne vais pas pouvoir refuser.

— Oui, je vais m'arranger pour venir.

— C'est parfait, alors ! Je vous laisse donc rentrer chez vous, mais je vous attends sans faute demain matin.

— Merci, Gabe, à demain.

Je rentre chez moi, l'esprit léger. L'augmentation substantielle que vient de m'accorder mon boss va me permettre d'envisager de déménager. Quand j'arrive au pied de mon immeuble, ma concierge me regarde avec un sourire en coin, et me salue chaleureusement. C'est bizarre, d'habitude, elle sait à peine que j'existe.

Je prends mon courrier et rejoins mon appartement. J'essaie de mettre la clé dans la serrure, mais elle ne veut pas rentrer. Je m'énerve sur ma porte, quand celle-ci s'ouvre en grand sur mon frère.

— Ah, c'est toi, je croyais que c'était encore ta nympho de concierge. J'ai un peu flirté avec elle, pour qu'elle me file tes clés, et depuis elle n'arrête pas de rôder dans ton couloir. Tu rentres drôlement tôt, dis donc.

— Mais qu'est-ce que tu fous chez moi, tu devais arriver demain.

— Je sais, mais je voulais te faire une surprise. J'adore nos parents, mais depuis que tu es partie, la maison est bien vide quand je suis là-bas.

— Tu t'es encore pris la tête avec papa, c'est ça ?

— Non, mais sérieux, j'ai une tête à être plombier ? Il veut me prendre avec lui dans l'entreprise de son patron. Il me formerait et je travaillerai sous ses ordres. Tu imagines ça, mon criquet ?

Je m'assois sur mon canapé, et pose la tête sur les genoux de mon frère.

— Ça fait longtemps que tu ne m'as pas appelé comme ça.

— Mon Gemini criquet, ma bonne conscience. Quand tu étais encore à la maison, tu réparais toutes mes conneries.

— C'est toi qui es parti le premier de la maison. Et puis je n'étais pas toute seule pour réparer tes conneries, Tiago m'aidait beaucoup dans cette tâche.

— Tiago, le nettoyeur comme je l'appelais, petit. Rien d'étonnant à ce qu'il est épousé une mafieuse.

— Mais n'importe quoi Irina ce n'est pas une mafieuse, c'est encore une invention de maman ça ! Elle ne la supporte pas, car elle a plus d'influence sur son fils, qu'elle n'en a jamais eu.

— Tu m'as manqué mon criquet. Ça te tente une soirée en boîte avec ton frangin, tu n'as qu'à appeler ta copine pour venir avec nous si tu veux ?

— Je te vois venir, mais je bosse demain matin Lorenzo, je ne sors pas en semaine. Et puis Jessica, tu l'oublies tout de suite, elle va se marier et avec mon patron en plus.

— C'est pour ça qu'il faut que je la voie, pour la dissuader d'épouser ce gros naze, ou pour au moins lui faire découvrir le grand frisson, avant qu'elle ne fasse la pire erreur de sa vie.

— C'est tellement charitable de ta part, de vouloir initier ma copine, mais à défaut du grand frisson, tu risques de rendre ton dernier souffle si tu attaques à elle.

— Tu as déjà vu une femme me résister, mon criquet ?

— Oui, Jess t'a résisté, elle est partie avec son mec et tu es resté en plan.

— C'est normal, on était en famille, je ne pouvais pas lui sortir le grand jeu. Ta copine, c'est la femme de ma vie, c'est normal qu'elle soit un peu plus difficile que les autres.

— Toi, tu es comme les chats, tu as neuf vies et dans chacune, tu es polygame, c'est ça ton problème.

— Allez, tu vas m'aider à draguer ta copine, au nom des liens du sang, s'il te plaît, ma Clélie.

— C'est non si tu veux t'y risquer, c'est sans moi. Je te rappelle que c'est la fiancée de mon patron, alors les liens de mon porte-monnaie l'emportent sur les liens du sang. Tu me le répétais toujours quand tu ne voulais pas m'acheter des bonbons.

— On a grandi, Clélie.

— Moi oui, mais toi, j'en doute encore.

— Bon moi, je vais sortir ce soir, tant pis pour toi si tu ne veux pas venir. Je rentrerai vers 6 heures du mat, alors arrange-toi pour être levée, pour que je puisse prendre ton lit. En attendant, je vais prendre une douche. On mange pour 19 h 30.

— Tu as préparé quelque chose à manger ?

Je lui demande, plutôt surprise, car je n'ai jamais vu Lorenzo ailleurs qu'assis à table, quand il est dans une cuisine.

— Non, je te donnais juste l'horaire pour que tu aies fini de cuisiner à temps.

— Lorenzo, je ne suis pas ta bonne !

— Bien sûr que non, puisque tu es ma sœur, c'est cool, toi je n'ai même pas besoin de te donner un salaire pour que tu t'occupes de moi.

Mon frère et se lève et part dans ma salle de bains. Je l'entends pester contre la taille de ma douche qui n'est pas adaptée, à la taille d'un grand gaillard de plus de 2 m.

Mon enfer personnel est déclaré ouvert, puisque je ne veux pas l'aider à choper ma copine, il va m'en faire voir de toutes les couleurs.

Il veut manger, alors très bien, ce soir, ce sera une purée de brocolis avec du poisson, cuit à l'eau. Et s'il persiste à vouloir que je cuisine pour lui, je vais devenir végan, du moins le soir et le week-end, le midi, je continuais à me faire plaisir.

Pour mon lit, j'ai déjà pensé à un plan, je vais casser 3 lattes du sommier. Pour moi, qui suis toute petite et menue, ça ne changera pas grand-chose, mais vu le gabarit de Lorenzo, il aura l'impression d'être la princesse au petit pois. Et s'il lui prend l'envie d'oser ramener une fille chez moi, ils risquent de traverser le cadre du lit, et je le saurais aussitôt.

*

Jessica

Je n'imaginais pas qu'un appendice pouvait peser si lourd. En tout cas, depuis qu'on me l'a enlevé, je me sens toute légère.

Rien ni personne ne peut altérer ma bonne humeur du jour. J'étais en pleine déprime après mon petit incident vésical, mais après avoir été réconforté par mon fiancé, je pourrais déplacer des montagnes. Ce baiser que nous avons échangé était inattendu, mais waouh, qu'il était chaud. Si Clélie n'était pas arrivée, je ne sais pas jusqu'au cela nous aurait conduit.

Quand je suis sortie du bureau de Gabe, j'ai croisé Marianne qui m'a fusillée du regard. Ou elle m'en veut encore pour la petite blague en réunion, ou c'est le fait de me voir en robe, les cheveux humides de la douche que je viens prendre, alors qu'il y a moins d'une heure, je portais un tailleur-pantalon. Elle doit sûrement imaginer que Gabe et moi avons fait des folies de nos corps et je n'irai pas la détromper en lui racontant la vérité. C'est trop humiliant !

J'aurais bien aimé avoir mon après-midi comme Clélie, mais il ne faut pas exagérer. Je rentre de trois semaines d'arrêt, ce n'est pas pour poser déjà des vacances. Je suis donc resté bien sagement à récupérer mes dossiers en retard, sous les yeux assassins de toutes les filles de mon étage. C'est clair qu'il me reste du boulot, avant de me faire accepter par la gent féminine de l'entreprise. Pendant une pause-café, car oui, j'ai banni le thé détox, j'envoie un petit message à ma copine.

« Tu te reposes ou tu vides les boutiques pour fêter ta promo ?
— Ni l'un ni l'autre, ma détention a commencé avec une journée d'avance. Je fomente un assassinat aux brocolis pour ce soir.

— Tu es dure, le cyanure est moins douloureux quand même.

— Les brocolis seront moins douloureux que le sort que lui réservera Gabe quand il sera que mon frère est toujours sur toi.

— Mais ça ne va pas ! Triple ration de brocolis, il l'a bien mérité. Bises et à demain. »

Je n'ai pas le temps de me pencher sur le problème Lorenzo, car j'en ai un autre qui arrive ce soir. Alex doit passer chez moi avec ma mère, et je dois jouer l'effet de surprise. Que maman peut être naïve tout de même, comme si mon frère était capable de la faire venir chez moi, sans mon accord.

Pour mener mon plan à bien, j'ai jeté le test de grossesse de la belle-sœur de Clélie, dans ma poubelle. Ensuite, je me suis fait une tartine de pain et de confiture, et j'ai fait exprès de laisser plein de miettes partout. Maman est tellement maniaque qu'elle sera obligée de nettoyer ma table, et immanquablement, quand elle jettera les miettes à la poubelle, elle tombera sur le test.

Quand ils arrivent, je joue la sœur en colère contre son frère, qu'il ne l'ait pas prévenue, puis la petite fille qui se jette dans les bras de sa maman. Pour la colère, j'ai dû faire appel à mes talents d'actrices, mais pour le câlin à ma maman, c'est venu tout naturellement. Je ne l'ai pas vu depuis plus de trois semaines, et même si, son comportement m'agace parfois, elle reste ma mère.

Comme je l'avais prévu, elle a profité que je passe aux toilettes, pour faire le ménage. Après son passage dans la cuisine, son comportement a subitement changé. Elle qui n'avait pas du tout évoqué Gabe, a mis le sujet sur la table.

— Jess, ma chouquette, c'est vraiment sérieux avec ce jeune homme ?

— Oui maman, je suis déterminé à l'épouser.

— Je suppose que le plus tôt sera le mieux.

— Effectivement, nous n'avons pas l'intention d'attendre que papa donne son approbation.

— Bien, alors je vais lui parler. Ton père ne voudra sûrement pas être mêlé de près ou de loin, à l'organisation du mariage, mais il sera là, pour conduire auprès du mari que tu as choisi.

— Si papa ne vient pas, dis-lui que c'est moi qui la mènerai à l'autel.

— Sûrement pas, cela créerait un vrai scandale. Devant la situation, papa sera là, je te le garantis. Quand veux-tu que la cérémonie ait lieu ?

— Le 16 juin.

— Mais c'est dans un mois ! Il faut prévoir, la robe, les invitations, le repas et je dois rencontrer ta belle-mère.

— Pour la robe, j'ai déjà fait des repérages, nous pourrons aller faire des essayages, samedi si tu es disponible ?

— Évidemment que je serai disponible ! Ta belle-mère sera présente avec nous ?

— Non, mais Clélie, mon témoin et je l'espère, Lola, la demi-sœur de gabe, seront présente. Sa mère, n'est pas la bienvenue au mariage, de même que son père, tu n'auras donc pas besoin de les rencontrer. Pour la réception, nous avons choisi avec Gabe, un restaurant qui sera privatisé pour l'occasion, nous déciderons du menu avec eux.

— Un restaurant ? Mais enfin, il y a un très beau château, pourquoi choisir un restaurant ?

— Tu pourras choisir un château pour la réception d'après la cérémonie. Je te donne carte blanche pour la décoration, la liste d'invités, le buffet, ainsi que le choix des demoiselles d'honneur ainsi que leur tenue. Pour le repas du soir, c'est uniquement Gabe et moi qui l'organisons.

— Oh merci ma chérie, c'est tellement important pour moi de te faire un beau mariage ! Pour le budget, ne te fais pas de soucis, je...

— Maman, pour le budget, Gabriel a été très clair. Toutes les factures doivent m'être adressées. Il a ouvert un compte spécialement pour le mariage, avec un budget illimité. Il a précisé que rien n'était trop beau pour Jessica, alors fait toi plaisir.

— Pourquoi passer par toi ?

— Si papa souhaite participer, il le pourra, mais s'il reste buter, les paiements seront tout de même signés Martin. C'est, disons pour ménager sa susceptibilité.

— C'est une bonne solution, quand ton père ne sera plus fâché, il regrettera sûrement de ne pas avoir plus participé à cette grande journée. Bon, je vais y aller, j'ai une amie qui me ramène. Prends soin de toi, ma chouquette, on se voit samedi.

Ma mère me prend dans ses bras, et fait rare pour être soulignée, j'ai droit à deux vraies bises sur les joues.

Alexandre et moi attendons le Ping spécifique de l'ascenseur, comme deux enfants qui jouent à un deux trois soleils. Une fois assurés du départ de maman, nous nous précipitons dans ma cuisine, pour vérifier le contenu de ma poubelle.

— Bingo, s'écrit mon frère, elle l'a trouvé et est partie avec.

— Beurk, c'est dégoûtant quand même !

— Tu regrettes ? me demande Alex surpris.

— Mais non, c'est juste qu'elle l'a attrapé avec ses mains, Clélie et moi on avait des gants. Au fait grand frère, j'ai bien entendu tout à l'heure, mon budget est illimité, c'est ça ?

— Oui, mais non ! On a dit le mariage, pas l'enterrement de vie de jeune fille.

— Allez quoi, deux ou trois chippendales pas plus. C'est toi qui gères les factures, tu peux faire ce petit cadeau à ta sœur.

— Bien essayé, cocotte, mais c'est non ! Sinon, c'est bien pensé l'idée du double mariage, l'après-midi pour maman et la soirée pour vous.

— Oui, c'est Gabe qui en a eu l'idée quand je cherchais dans les catalogues ce qui pourrait nous plaire et convenir à Maman. Je ne veux pas qu'elle fasse de cette journée une pièce de théâtre, dont je serais la marionnette, mais je peux lui accorder quelques heures, car je sais à quel point cela compte pour elle.

— Et toi ? Qu'est-ce qui compte pour toi ?

— Je n'en sais rien, me marier n'a jamais été un rêve de petite fille, j'espérais même ne jamais avoir à le faire.

— Et Gabe, comment ça se passe avec lui ?

— J'ai l'impression de souffrir de troubles psychiatriques quand je suis avec lui. Je te jure, c'est bizarre, comment je peux être une employée modèle si on s'envoie en l'air dans son bureau !

— Quoi vous avez baise dans son bureau ?

— Mais non ! On a échangé un baiser dans son bureau, ce n'est pas pareil !

— Ce n'est pas ce qui tu as dit cocotte.

— Je te parlais d'un fantasme bordel, comment je peux me concentrer sur mon travail, alors que j'ai envie de le rejoindre.

— Pourquoi tu ne lui dis pas ?

— Mais oui, tu as raison, je vais prendre mon téléphone et lui dire, gabe j'ai les hormones en surchauffe, tu crois que tu peux faire quelque chose pour moi ! Tu as d'autres idées de génie de ce genre Alex ?

— Tu n'as pas les hormones en surchauffe, il te met les hormones en surchauffe et crois-moi ce n'est pas pareil.

— S'il te plaît, épargne-moi les conneries de cœur qui bat plus fort quand je suis à ses côtés, et de papillons dans le ventre. Pas toi s'il te plaît.

— OK, tu n'es pas amoureuse, juste dérangée hormonalement à son contact. On va dire ça comme ça. Mais tu sais Jessica, tomber amoureux, ça ne se contrôle pas, ça arrive, c'est tout. Et ne repousse pas tes sentiments s'ils sont là, par peur d'être déçue ou d'avoir mal.

— Depuis quand tu es un expert en philosophie amoureuse, toi ?

— Depuis qu'il te faut des conseils pour y voir plus clair. Je suis ton grand frère, c'est normal que j'essaie de répondre à tes questions.

— Tu es plus qu'un grand frère, tu es mon guide.

— Garde quand même les yeux ouverts sœurette, ça me ferait chier de t'emmener droit dans le mur avec moi !

— Je t'aime.

— Moi aussi, je t'aime, cocotte.

*

Jessica

Notre petit dîner à quatre de vendredi a été annulé. Mon frère a prétexté une opération de dernière minute, ce qui est totalement impossible, étant donné qu'il n'opère que sur rendez-vous. J'ai bien compris que l'idée de passer sa soirée avec nous et Clélie ne l'emballait pas plus que ça. Je n'ai pas insisté, je pense qu'il faut mieux laisser passer un peu de temps.

S'il y a bien une chose dont je suis certaine, c'est que les carottes ne rendent pas les gens plus aimables. Ma copine en mange maintenant tous les jours, mais son humeur a empiré quand même. J'espère qu'elle sera plus détendue tout à l'heure, car nous avons rendez-vous, dans une boutique spécialisée, pour trouver ma robe de mariée. Je n'ai pas eu de nouvelles de mon père, mais le fait qu'il dépose ma mère en ville, vaut un accord tacite de sa part.

Gabe était content que je propose d'associer sa sœur au choix de ma robe, mais il préfère qu'elle vienne l'aider à choisir son costume. Depuis notre baiser dans son bureau, nos rapports se sont espacés. Gabe est accaparé par son travail, et moi, par les préparatifs du mariage. Quelle ironie, pour quelqu'un qui ne voulait pas se marier, je me retrouve à pratiquement tout gérer. C'est mon patron qui est content, le restaurateur nous fait livrer chaque jour un plat différent de sa carte, pour que nous puissions faire notre choix. Gabe le mange dans son bureau entre deux dossiers pendant que partage le mien avec Clélie, enfin quand elle veut bien m'en laisser un peu. Depuis qu'elle est végan le soir et le matin, c'est une vraie ogresse, le midi. Nous avons établi, une grille de notations que nous comparons par mail.

Malgré tout ça, ma tension hormonale n'est pas retombée, car il suffit qu'il me sourît pour que je ressente des picotements jusque derrière ma nuque.

C'est déterminée que je retrouve maman et Clélie, devant la boutique. Je sais ce que je veux et surtout, ce que je ne veux pas ! Mais ma belle assurance a foutu le camp en moins d'un quart d'heure.

— Mais maman, ce n'est pas une traîne, c'est un tapis !

— Tu auras dix demoiselles d'honneur pour t'aider à la tenir, ne t'inquiète pas pour ça.

— De toute façon, je ne pourrai jamais monter dans une voiture avec ça.

— Mais j'ai pensé à tout, ma chouquette, je t'ai loué une limousine.

— Et pour aller aux toilettes, elles viendront aussi me tenir ma robe ?

— Vous savez Mademoiselle, avec un cerceau trois anneaux comme vous avez choisi, vous aurez besoin d'aide pour certaines commodités, nous interrompt la vendeuse.

— Mais je n'ai rien choisi du tout, je veux une robe sirène, moi !

— Tu es complètement folle ma fille ! une robe sirène, ce n'est pas une robe de mariée, autant y aller jogging, s'écrie maman.

— Mais ce n'est pas une robe ça, c'est une serpillière, avec ce genre de trucs, je vais faire le ménage de la salle à moi toute seule. Quant à danser, ce ne sera pas même pas possible, je vais occuper toute la piste. Je peux essayer une robe sirène s'il vous plaît ?

— Oui, bien sûr mademoiselle.

Pendant que la vendeuse s'affaire à me trouver une autre robe, ma mère part s'asseoir à côté de Clélie. Avisant, le sachet de bâtonnets de carottes qu'elle a dans son sac, maman lui demande.

— Vous vous mettez au régime pour rentrer dans votre robe ?

— Ah non, pas du tout, c'est un cadeau de mon frère.

— Je préfère ça, car pour les robes que je vous ai choisies, il va falloir penser à remplumer le décolleté. Ceux sont des robes bustiers et les autres demoiselles d'honneur sont en plus en chair que vous.

— Je ne suis pas demoiselle d'honneur, je suis un des témoins de Jessica.

— Oui, mais il va bien vous falloir une robe quand même, enfin avec un wonderbra et des prothèses en silicone, ça devrait pouvoir faire l'affaire. Et puis qui sait, si vous y prenez goût, je pourrais toujours vous donner le numéro d'un chirurgien esthétique très compétent.

— Laissez-moi deviner, vous voulez parler de votre fils, n'est-ce pas ?

— Oh, vous connaissez déjà Alexandre ?

— Oui, un peu.

— C'est un charmant garçon, vous savez, et je suis sûr qu'il se fera un plaisir de remodeler votre petit problème. Ah, voici ma fille qui revient.

Quand j'entre dans la pièce, je vois bien que l'ambiance est pesante, à voir le sachet de carottes que Clélie est en train de broyer dans sa main, je pense que maman a encore dû user de son tact légendaire. Mais je n'ai pas le temps de comprendre le problème, car maman me regarde, horrifiée.

— Mais ce n'est pas possible, c'est une robe pour ta nuit de noces ça, pas une robe de mariée. Mais enfin, tu ne caches rien de tes formes là-dedans.

— Elle est près du corps, mais pas moulante non plus, tu exagères maman.

— Vous avez vraiment un problème avec les formes, quand on n'en a pas, il faut nous en greffer, et quand on en a, il faut les cacher.

— Mais je ne vous permets pas mademoiselle, une mariée doit être digne, respectueuse. Ses charmes sont pour son mari et lui seul.

Oh là, il est temps que j'intervienne sinon la purée de carottes que Clélie tient dans la main, va atterrir sur le visage de maman.

— Si on faisait un compromis maman, je veux bien une de tes robes rococo pour la cérémonie et la réception de l'après-midi, mais pour le soir, je choisis ma robe, même si elle ne te plaît pas.

— Oui, je suppose que l'on peut faire comme ça. De toute façon, nombreux sont les invités qui ne joindront pas à nous le soir. Ils ne te verront donc pas dans une robe aussi indécente.

— En ce qui concerne la coiffure et le maquillage, c'est mon cadeau de mariage, m'annonce ma copine.

— Oh merci Clélie, c'est trop gentil !

— Vous savez mademoiselle, je ne suis pas sûr que vous soyez la personne la plus qualifiée pour ça.

Maman, la regarde de haut en bas, s'attardant sur ses cheveux en peu en pétard, ce matin et son absence totale de maquillage.

— Mais je n'ai pas l'intention de le faire moi-même, voyons ! Je ne suis pas esthéticienne, je suis secrétaire.

Maman se pince les lèvres, puis hoche la tête.

— Bien, je vous prendrais rendez-vous dans mon salon de coiffure, et vous n'aurez qu'à payer la facture.

— Maman, voyons !

— Quoi, tu ne vas pas me faire croire que ton amie, connaît le meilleur coiffeur de Paris. Je ne veux pas que ma fille se fasse faire son chignon de mariage dans une chaîne de coiffure low cost.

— Vous seriez surprise madame, du contenu de mon répertoire téléphonique. C'est un cadeau que j'offre à Jessica, mais elle seule choisira sa coiffure et son maquillage, parce que c'est son mariage, ni le vôtre, ni le mien.

Le ton de Clélie a cloué le bec à ma mère, et je dois dire que cela fait du bien.

— Bien puisque tout le monde est d'accord, Clélie, tu peux envoyer un message à Gabe, pour qu'il se choisisse deux costumes.

— Je lui donne une indication couleur ou pas ?

— Non, dis-lui un costume de son choix et un costume de pingouin, il comprendra.

Ma copine sort son portable de son sac, sous les yeux ébahis de maman.

— Vous avez le numéro personnel de mon beau-fils dans votre téléphone ?

— Évidemment, puisque je suis sa secrétaire.

— Sa secrétaire, hein ? Heureusement, vous ne serez jamais à son goût, il aime les vraies femmes.

— Je vais voir si Jessica a besoin de moi.

Quand Clélie me rejoint dans la cabine d'essayage, je vois tout de suite à sa tête que quelque chose ne va pas.

— Qu'est-ce qu'il se passe, ma chérie ?

— Rien, je prends sur moi pour ne pas étrangler ta mère.

— Elle t'a vexé avec son histoire de coiffeur ?

— Ah non, ça, c'est rien, elle m'a proposé de demander à ton frère s'il pouvait me gonfler la poitrine, car je fais tache, auprès de tes demoiselles d'honneur. Ensuite, quand elle a su que j'étais la secrétaire de Gabe, elle m'a regardé comme une moins que rien, et à ajouter qu'heureusement, je n'étais pas une vraie femme.

— Ne le prends pas pour une attaque personnelle, mon père a tendance à recruter ses maîtresses parmi ses secrétaires. Elle ne voudrait pas qu'il m'arrive la même chose, c'est sa façon de me protéger.

— Je veux bien pour la secrétaire, mais mes seins bordel, ça, c'est très personnel !

— Elle a une vision plutôt archaïque de la féminité, il faut dire que tu es en jogging basket, ce matin, ça ne l'aide pas à voir à quel point tu es belle.

— Je n'avais pas le choix, j'ai fait croire à Lorenzo, que j'allais faire un jogging. S'il avait su que je venais te rejoindre pour trouver ta robe de mariée, il m'aurait sûrement suivi.

— Tu es magnifique Clélie, autant à l'intérieur qu'à l'extérieur, et nous sommes au moins deux membres de la famille Martin à le penser.

— Pour l'intérieur, j'ai un doute, en ce qui concerne ton frère. Mais pour l'extérieur, j'en suis certaine. Si ta mère voyait comment il me bouffe les seins quand on couche ensemble, elle ne songerait pas à lui demander de m'opérer.

Clélie, et moi entendons un bruit étouffé derrière le rideau de la cabine. Et je pouffe.

— Maintenant, maman sait qu'Alex aime tes seins comme ils sont. Ma pauvre Clélie, je te plains, je suis sûr qu'elle est partie te choisir une robe de mariée avec la vendeuse.

*

Alexandre

J'ai passé une très mauvaise nuit et, vu la tronche toute froissée que j'ai ce matin, la journée ne va pas être meilleure.

J'ai menti à ma sœur hier, et je n'en suis pas fier. D'abord, cela me fait chier d'avoir loupé une soirée avec Jess et son mec, ma frangine est la personne que je préfère dans ce monde et, lui, après avoir eu envie de lui casser la gueule, maintenant, je l'aime bien. Mais, passer la soirée à quatre, avec eux et Clélie, c'est au-dessus de mes forces. Cette fille, j'ai autant envie de l'embrasser que de l'étrangler. Et je ne suis pas sûr de me retenir de faire ou l'un ou l'autre, voir même les deux, si je me retrouve en sa présence.

Il va bien falloir que je prenne sur moi, car le week-end prochain, nous serons à Disney avec toute sa famille, et que j'ai promis à Gabe de ne pas le laisser tout seul face à ce Lorenzo.

Si je suis aussi en colère contre elle, c'est parce que c'est la première fois que je couchais deux fois avec la même fille et, qu'elle m'a jeté comme une merde. Elle n'a même pas voulu rester dormir avec moi, ne m'a pas laissé un mot d'explication, rien. Elle est partie, c'est tout.

Ses yeux rougis dans l'avion ont parlé pour elle, elle regrettait d'avoir de nouveau couché avec moi, et je crois que c'est ce qui m'a fait le plus mal, parce que moi, bordel, je ne regrette rien.

Déjà la première fois que nous avons couché ensemble chez ma sœur, j'ai eu une attitude qui m'a surpris. Quand j'ai appris que Jessica avait un problème, je l'ai rhabillé avant de la mettre à la porte. OK, je l'ai peut-être fait un peu vite, et pas très précautionneusement, mais je l'ai fait. Cela aurait été n'importe qui d'autre, je l'aurais mis à poil sur le palier avec ses fringues à la main.

Pendant le dîner que j'ai passé dans sa famille, à un moment ses cheveux sont tombés devant ses yeux, et j'ai eu envie de lui remettre derrière les oreilles. Depuis quand j'ai envie d'avoir un geste de tendresse avec une femme avec qui j'ai déjà couché ? Et, quand un peu du jus de la fraise qu'elle a croqué a coulé le long de ses lèvres, je me suis senti à l'étroit dans mon pantalon. La nuit qu'on a passée ensemble a été fantastique, enfin du moins la première partie, avant que je ne me réveille seul, avec Gabe endormi sur le tapis. Les fameux papillons dans le ventre dont se moque ma sœur, je les ai ressentis putain, pendant que je l'embrassai encore et encore. Ça non plus, ce n'est pas un truc normal chez moi, d'habitude je n'embrasse pas, enfin juste une fois ou deux, histoire de mettre ma proie en condition, puis après, je me comporte tel le connard égoïste que je suis. Mais pas avec Clélie, elle je pourrai jouir rien qu'en l'embrassant.

Le pire, c'est que je suis jaloux comme un pou. Ma sœur voudrait que je me rapproche de Lorenzo pour qu'il se trouve vite une nana à plumer, et qu'il déménage de chez Clélie, mais c'est hors de question. Tant qu'il est chez elle, il la surveille, et je suis sûr qu'elle ne peut pas rencontrer quelqu'un d'autre. Parce que moi non plus, je ne peux pas en rencontrer une autre, depuis la première fois que j'ai couché avec elle, je n'ai pas réussi à voir de désir pour une autre fille. C'est comme si elle m'avait jeté un sort, pour que je ne puisse plus bander que pour elle.

Jessica ne le saura jamais, mais j'avais prévu de faire venir des chippendales chez elle, pour son enterrement de vie de jeune fille. Cela devait être mon cadeau pour elle, car je n'aurais pas osé faire payer ça à Gabe. Mais j'ai réalisé que Clélie serait avec elle, alors c'est mort, j'ai tout annulé. Il est hors de questions que je paie pour qu'elle voie un type à moitié à poil.

Toutes mes réactions mises bout à bout m'amènent à une seule conclusion, je suis tombé amoureux de Clélie. J'étais certain que cela ne m'arriverait jamais, que je rencontrerais une fille sympa avec qui je partagerai la même philosophie de la vie, ça oui, mais tomber amoureux, ça jamais.

Je suis en pleine déprime. En temps normal, je serais allé voir ma sœur pour partager une bouteille de tequila avec elle, mais je ne peux pas lui confier mon problème. Je me bourrerais bien la gueule tout seul, mais je suis un peu con quand je bois. Je n'ai l'alcool festif qu'avec Jessica. Du coup, je reste dans le fond de mon lit, dans le noir, comme mon moral.

Mais même déprimer, je ne peux pas le faire tranquillement, il faut que ma mère débarque chez moi en plein milieu de l'après-midi.

— Mon bébé, mais tu es malade ? Tu as le visage tout chiffonné.

— Non maman, je suis juste un peu fatigué, mais entre, ne reste pas à la porte. Par contre, ne fais pas attention au bordel.

— Je vois que ta copine fait autant attention à son look, qu'à son environnement. C'est une vraie garçonnière, ici !

— Ma copine ? De quoi tu parles ?

— La petite blonde, sportive, qui n'a pas de seins. Ne me dis pas que tu as plusieurs copines à la fois ! Avec le sale caractère qu'elle a, je pourrais le comprendre, mais je finirai par m'inquiéter pour ta sécurité. Je suis sûr qu'elle pourrait se montrer violente si elle apprenait qu'elle a une rivale.

J'ai du mal à comprendre, une petite blonde, oui, c'est Clélie, mais sportive, pas du tout. Mais de qui ma mère veut-elle parler ?

— Je ne comprends pas Maman, une fille est venue te dire qu'elle était ma copine ?

— Pas exactement, mais vu qu'elle a raconté à Jessica vos moments intimes avec beaucoup de descriptions, j'en ai déduit qu'elle l'était. Et puis physiquement, elle n'est pas le genre de fille sur laquelle tu t'arrêterais, si c'était juste pour de la gaudriole.

— Je ne sais pas qui tu as rencontré ce matin, mais si c'était Clélie, tu ne tiendrais pas ses propos. Elle est sexy, féminine, c'est la plus belle femme que j'ai rencontrée.

— Pourtant, c'est bien Clélie, son prénom. Elle est toute petite, n'a pas de seins, ne se maquille pas, se coiffe à peine et ose venir en jogging pour un essayage de robe de mariée. Et le comble, est qu'elle jure comme un charretier. Si c'est ça maintenant ta définition de la beauté.

— Comme d'habitude, tu n'as regardé que le contenant, pas le contenu. Tu n'en as pas marre d'être aussi superficielle ?

— Alexandre, ne parle pas comme ça à ta mère !

— Sinon tu vas faire quoi ? Me laver la bouche au savon peut-être ? Tu peux me faire toutes les réflexions que tu veux, mais je t'interdis d'en faire sur Clélie.

Je prends conscience de l'agressivité de mes propos quand je vois les yeux de maman, se remplirent de larmes.

— Alors c'est vraiment arrivé, tu es tombé amoureux.

— Oui, mais malheureusement, elle ne veut plus de moi.

— Tu te trompes mon garçon, elle n'a pas renoncé à toi, j'en suis certaine.

— C'est gentil d'essayer de me remonter le moral, maman, mais ça ne sert à rien de me mentir.

— Je ne te mens pas Alex, je sais ce que j'ai vu et entendu. Ce n'est certainement pas la belle-fille que je m'attendais que tu choisisses, mais si elle te rend heureux, alors elle aura toutes les qualités à mes yeux.

— Merci maman.

— Je vais aller lui parler, pour arranger les choses entre vous deux.

— Surtout pas, votre première rencontre a été un peu tendue, à ce que j'ai compris. Alors je préférais que tu me laisses faire tout seul.

— Bon d'accord, mais si tu n'y arrives pas, tu peux compter sur mon aide.

J'acquiesce, tout en sachant que je ne laisserai jamais ma mère, essayer d'arranger les choses avec Clélie, elle ne ferait que les aggraver. J'écoute le récit du choix de la robe de ma sœur, et me marre en l'imaginant assommer une de ses demoiselles d'honneur, rien qu'en faisant un demi-tour avec sa robe. Je suis quand même content d'être un mec, moi au moins, je ne serai pas obligé de me déplacer avec un paillasson géant collé au derrière.

Quand j'ouvre ma porte pour raccompagner ma mère, je découvre ma petite sœur, qui s'apprêtait à sonner. Elle est en sueur, les joues rouges et les cheveux dans tous les sens.

— Jessica ? Mais que fais-tu là ?
— Recoucou maman, je viens voir mon frère.
— Eh bien, la copine de ton frère a quand même une bonne influence sur toi, tu t'es enfin décidé à faire du sport. Bon, je te laisse, j'ai des faires part à envoyer.

Nous regardons ma mère s'éloigner quand ma sœur me demande.

— Tu crois que c'est pour toi ou pour moi les faire part ?

Je la gratifie d'une petite tape, sur la tête, et nous rentrons chez moi.

— Putain Jess, ce n'est pas parce que tu te maries que tu dois m'entraîner dans ta merde. Qu'est-ce qu'il t'a pris de parler de ma vie sexuelle avec Clélie devant maman ?
— Eh, je n'ai rien fait de telle, c'est maman qui nous a espionnés derrière le rideau de la cabine. Elle n'a pas arrêté de faire des remarques sur sa poitrine, alors Clélie m'a dit qu'au moins toi, tu aimais lui bouffer les seins.
— Comment ça au moins moi, qui d'autre a touché à ses seins ? Je lui demande, agressif.
— J'en étais sûr, tu es mordu, c'est pour ça que tu n'es pas venu hier soir.

— Occupe-toi de tes affaires, Jess. Tu es trop impliquée pour que je te dise quoi que ce soit. Mais dis-moi, pourquoi tu es dans cet état ? Et ne me fais pas croire que tu as fait du sport.

— Passe deux heures à essayer des robes de 30 kilos, et on en reparle. Et puis les voiles, quelle horreur ! Non seulement tu as l'impression d'étouffer, mais pire tu n'y vois rien. Je serai capable de me tromper de mari pendant la cérémonie.

— Il manquerait plus que tu embrasses le maire !

J'éclate de rire à l'idée d'une telle scène, mais ma sœur fait la moue.

— Et les toilettes ? Je vais faire comment ? En admettant qu'on tienne ma robe pour que je me penche, elle est trop large pour que j'enlève ma culotte toute seule !

— Tu n'auras qu'à demander à Gabe de t'accompagner, vous serez mariés, il aura droit de te retirer ta culotte.

— Ah ah, tu es très drôle Alex ! me dit-elle d'un ton ironique.

— Sinon, il y a plus simple, cocotte, tu ne mets pas de culotte.

— Je ne vais pas me marier cul nu quand même !

— Tu t'en fous, personne ne le saura, et puis tu ne crains rien, même en cas de tempêtes, vu le poids de ta robe, le vent ne la décollerait pas assez haut, pour qu'on puisse voir tes fesses.

— Tu es complètement barge Alex, mais j'ai besoin de ta folie pour me sentir bien dans ma vie. Tu ne fais plus jamais le coup d'hier soir.

— Promis. Quoi qu'il arrive, je ne te mentirai plus jamais.

*

Gabe

Dans le monde du travail, je suis impitoyable. Je peux faire plier n'importe quel dirigeant pour faire baisser un devis ou obtenir un contrat. Mais devant un regard d'enfant, je me fais avoir à chaque fois. Quand cette petite gamine m'a fait part de son rêve de découvrir Disneyland Paris, je n'ai pas réfléchi et j'ai invité tout le monde. Mais quel boulet je suis ! Pourtant, grand-père m'a toujours dit, méfie-toi du pouvoir des femmes. Et voilà le résultat, deux battements de cils, un sourire avec des fossettes, et me voilà à offrir un week-end de rêve à mon ennemi.

Je suis loin d'être un fan du monde merveilleux de Mickey, mais j'y accompagne ma sœur à chacun de ses anniversaires. La magie, je la trouve dans ses yeux, tous les ans. J'aurais pu leur offrir des billets et ne pas les accompagner, mais Clélie aurait, sans aucun doute, embarqué Jessica avec elle, et il était hors de question de laisser ma fiancée seule, avec ce Lorenzo.

Résultat, je me retrouve avec une casquette aux oreilles de Pluto, car Jessica tenait à ce que l'on passe incognito.

— Arrête de le regarder comme ça, on dirait que tu veux le mordre, me chuchote Jessica.

— C'est toi qui as voulu me déguiser en chien, je ne fais que rentrer dans mon rôle.

— J'ignorais que Pluto était un chien méchant.

— Il défend son territoire, c'est tout.

— Eh, je ne suis pas un territoire.

Je l'attrape par la taille, et l'embrasse sur la joue.

— Non, tu es Blanche-Neige, je suis le prince, et lui, c'est le chasseur. Tu préfères comme ça ?

Elle rigole, et je prends sur moi. Non, ce n'est pas le chasseur, c'est ma proie, mais il est inutile que j'explique les choses à Jessica. Déjà, quand j'ai réservé les chambres, et que j'ai demandé s'il y avait un cachot en location pour la nuit, ma fiancée en a fait tout un scandale. Soi-disant que cela aurait traumatisé les petits !

— Allez oublie-le un peu, et profitons de notre week-end.

Elle est marrante, ma future femme. Dès que je me retourne vers le groupe, c'est toujours sa tête qui dépasse de celle des autres, que je vois en premier. Mais il y a pire, imaginer que vous, vous promenez dans le parc de Disney avec Mickey dans votre groupe. Vous attireriez les foules, eh bien avec Lorenzo, c'est pareil. La différence, c'est l'âge des fans, mais l'hystérie est la même. C'est bien pratique pour les enfants quand il s'agit de faire de la place, dans une file d'attente pour voir un personnage. Son déguisement d'Aladin y est sans doute pour beaucoup. Mais franchement quelle imposture, comme si Aladin passait sa vie à la salle de musculation. Il suffit qu'il se place quelques mètres à côté du personnage et de son garde du corps, et une partie de la foule se décale vers lui, avec son carnet d'autographes.

Ces moments d'hystéries collectives sont autant de moments de calme, pour Jess et moi. Sinon, il y est toujours derrière nous, enfin plutôt derrière elle, pire que droopy ! Dès que nous faisons un manège de groupe, il trouve le moyen de monter avec nous. J'ai beau implorer l'aide d'Alex, il ne fait pas le poids face au colosse quand il s'agit de s'installer dans les wagonnets. Je prends sur moi, car j'ai promis à Jessica de ne pas faire de vague, quelles que soient ses provocations. Je passe ma frustration autrement, par exemple, quand j'ai battu tout le monde au jeu de buzz l'éclair, personne ne le savait, mais à chaque cible, c'est son visage que j'avais en ligne de mire.

Après avoir fait les attractions familiales, plus enfantines, nous séparons notre groupe pour aller faire les ménages à sensations. Nous sommes sept, Alexandre, Clélie, Tiago, Irina, Jessica, moi et évidemment Lorenzo. Direction la tour de la terreur.

Dès le début de l'attraction, le stress monte dans notre groupe. Clélie, semble vouloir disparaître entre ses deux frères, Jess m'a attrapé le petit doigt qu'elle broie dans sa main, mais ce qui me met vraiment en joie, c'est la glotte de Lorenzo, que je vois trembler au fur et à mesure de la diffusion du film. Il est mort de trouille, c'est certain. Irina quant à elle a entamé un jeu de regard avec le groom de l'ascenseur. Si c'est un pro, elle est encore meilleure que lui. Je ne sais pas ce qu'elle fait dans la vie, mais j'aimerais beaucoup qu'elle travaille à mes côtés. D'un seul regard, elle obligerait mes clients à signer.

Nous sommes au premier rang, et j'ai Jessica à ma droite, et Lorenzo à ma gauche. Quand le manège se met en route, Jessica me rentre ses ongles dans la paume de la main. Mon cri de douleur est immédiatement caché par les cris d'effroi de Lorenzo. La force de son organe vocal est proportionnelle à son gabarit, et mes oreilles en pâtissent. Mais le pire reste à venir quand il m'attrape la cuisse pour s'y cramponner. J'ai l'impression de faire déchiqueter la jambe par une bête sauvage. S'il n'avait pas l'air aussi effrayé, je pourrais penser qu'il le fait exprès. Mais quand nous ressortons tous, son air blanchâtre me convînt que rien n'était prémédité. Même si ma cuisse est douloureuse, je suis ravie de savoir que le grand, fort et brave Lorenzo, peut aussi être une mauviette.

Le reste de la journée s'est déroulée dans la bonne humeur, entre rires et photos. Tout le monde a rejoint sa chambre d'hôtel, et j'en profite pour inviter Jessica à la piscine. Mais, j'ai à peine eu le temps d'enlever mon peignoir, que je reçois une serviette-éponge en plein visage.

— Espèce d'enflure, tu me fais ton numéro de charme et derrière tu t'envoies tes putes !

Je ne comprends pas sa soudaine colère, je n'ai eu aucune conquête depuis que je l'ai rencontré. J'essaie d'ouvrir ma bouche, pour lui demander des explications, mais je reçois maintenant une tong en plastique.

— Mais arrête enfin, c'est n'importe quoi.
— Ne me prends pas pour une idiote ! Elle t'a lacéré la cuisse, avec ses ongles, ta catin !
— Mais tu délires, c'est Lorenzo qui m'a fait ça.

Jessica éclate d'un rire glacial.

— C'est une façon de me dire que tu es gay ? Car si c'est le cas et que c'est Lorenzo que tu veux, inutile de m'épouser. C'est un coureur de dot, il pourra réfléchir à ta préposition. Vous pouvez toujours vous marier, je ne pense pas que ton grand-père ait spécifié que tu devais faire un mariage hétéro.
— Non, je ne suis pas gay, et je ne veux surtout pas me marier avec Lorenzo, mais avec toi. Je ne t'ai pas trompé Jess, je te le jure.
— Évidemment que tu ne m'as pas trompé puisque nous ne sommes pas un couple, t'envoyer en l'air avec une autre, tu ne considères pas ça comme une trahison.
— Tu vas devenir ma femme, je t'ai fait la promesse de te respecter et de ne pas avoir de maîtresse, et crois moi, je respecte toujours ma parole.
— Mais bien sûr, tu veux me faire croire que tu n'as rien fait depuis presque 2 mois.
— Je n'ai pas besoin d'une maîtresse pour me soulager, ma main fait très bien l'affaire.
— Eh bien, tu sais quoi monsieur parfait, toi et ta main allez profiter du grand lit de notre suite, tout seul, moi, je vais dormir avec mon frère.

Jessica s'en va, non sans m'avoir lancé sa deuxième tong à la figure. Waouh ma fiancée est une vraie furie !

Quand je remonte dans ma chambre après m'être rhabillé, je constate que ses affaires ont disparu de l'armoire et de la salle de bains. Pas de doute, si elle a fait aussi vite, c'est qu'elle a traversé l'hôtel en maillot de bain.

Heureusement, je connais beaucoup de monde dans ce parc, alors je vais peut-être trouver le moyen de me disculper.

J'appelle un membre de la direction, pour avoir accès aux photos et caméras de la tour de la terreur lors de notre passage. Après une petite demi-heure de recherche, je reçois trois beaux clichés de Lorenzo me broyant la cuisse. Un petit tour à la réception pour imprimer les photos et je les dépose sous la porte de la chambre d'Alex.

Je ne prends pas le risque de leur remettre directement, si Jess a raconté sa version à son frère, il va m'en coller une avant même, que je puisse me justifier.

C'est quelques heures plus tard, alors que je n'arrive pas à trouver le sommeil, que j'entends la porte de ma chambre s'ouvrir. Jessica se glisse derrière moi, dans le lit. Elle pose son front contre mon dos et sa main contre mon ventre. Je sens bien qu'elle attend un geste de ma part, alors je prends sa main que je serre dans la mienne, aussitôt elle éclate en sanglots.

— Pardon Gabe.
Je me retourne vers elle, et la prends dans mes bras.

— Chut ce n'est pas grave, calme-toi, ma chérie. On a eu une journée épuisante, dors et ne pense plus à ça.

Elle m'enlace et s'endort dans mes bras. Je mentirais si je disais que c'est ce que j'imaginais pour notre première nuit, dans le même lit, mais la tenir ainsi collée contre moi me fait sentir étrangement bien.

*

Alexandre

Sans mauvais jeux de mots, j'ai passé la journée à faire des montagnes russes. Je n'avais pas revu Clélie depuis le matin où nous nous étions séparés, à l'aéroport, et je l'ai trouvé encore plus belle, que dans mes souvenirs.

Mais essayez donc de faire comprendre à l'élue de votre cœur, ce que vous ressentez pour elle, alors qu'elle est entourée de ses parents et de ses cinq frères, c'est comme essayer d'apprendre à un éléphant à faire du patin à glace. Vous risquez votre vie à chaque instant.

Je suis peut-être téméraire, mais pas suicidaire, alors je reste un peu en retrait. Je me contente de la regarder et d'imprimer en moi, chacun de ses sourires.

Quand notre groupe se scinde en deux, je respire un peu mieux, mais il lui reste deux chaperons à l'encadrer. Dans la tour de la terreur, j'ai bien vu son angoisse qui commençait à monter. J'aurais voulu la prendre dans mes bras pour la rassurer, mais c'est près de ses frères qu'elle s'est naturellement réfugiée. Si Lorenzo passe son temps à suivre, Jessica, moi, c'est Tiago qui me piste. J'ai tenté ma chance auprès de Clélie, dans la maison des poupées, et j'ai posé un de mes doigts, sur sa main. Cela a été une caresse furtive, mais intense. J'étais tout à mon bonheur quand elle a sèchement retiré sa main et m'a donné un coup dans le tibia. Depuis, j'ai l'impression que son frère a constamment les yeux sur mes mains, c'est flippant. Pourtant, il ne peut pas avoir vu quoi que ce soit, nous n'étions même pas dans le même bateau.

J'étais confortablement installé dans ma chambre d'hôtel quand j'ai entendu frapper à la porte. C'est fou les films que l'on peut se faire dans sa tête en l'espace de quelques instants. J'ai imaginé Clélie, venant me rejoindre pour revivre notre dernière nuit à l'hôtel. J'avais en tête une multitude de positions érotique quand j'ai ouvert la porte, pour y trouver ma sœur. Comment débander en moins d'une seconde !

— Laisse-moi rentrer, tu vois bien que je suis en maillot de bain.

Tout a ma déception, je ne m'étais pas aperçu de sa tenue. Mais enfin, on est dans un palace, que fait ma sœur en bikini dans les couloirs !

— Tu veux rendre Gabe, barge à te balader comme ça ?

Ma sœur pose rageusement son sac de voyage sur mon sol.

— Ne me parle pas de ce connard.
— Oh, j'ai loupé un épisode de la série, je vous ai quitté dégoulinant de mièvrerie et prêt à vous bouffer tout cru, et maintenant tu le traites de connard.
— Il m'a trompé ! Comment veux-tu que je l'appelle, mon petit cœur en sucre, mon choubidou ? C'est un encul...

Je pose ma main sur sa bouche pour la faire taire.

— Pas de gros mots inutiles cocotte, j'ai compris le concept, mais pas les détails, donc explique moi tout.
— On est allé à la piscine de l'hôtel, et quand il s'est mis en maillot de bain, j'ai vu sa cuisse. Elle était pleine de griffures profondes, pas le genre de truc que tu fais en tombant dans les ronces. D'ailleurs, il a un jardinier et il n'y a pas de ronces chez lui. Alors son excuse à deux balles !
— Il t'a dit être tombé dans les ronces ?
— Mais non, pire que ça encore, il m'a dit que c'était Lorenzo qui lui avait fait ça.
— Hein ! Ils se sont battus et il ne m'a rien dit.

— Tu connais beaucoup de mecs qui se battent en se lacérant les cuisses ? À moins d'y inclure un lit et une absence totale de sous-vêtements, je ne vois pas.

J'ai aussitôt la vision de Gabe et de Lorenzo dans le même lit, que j'évacue très vite, cela ne colle pas.

— C'est n'importe quoi, Jess, ces deux-là se détestent. Ils sont tous les deux attirés par toi et pas du tout l'un vers l'autre.
— Alors pourquoi il m'a menti, en me parlant de Lorenzo ? S'il n'avait rien à cacher, il m'aurait dit la vérité.

Ma sœur fond en larmes, et je la console comme je peux.

— Tu sais que si tu pleures, je vais devoir lui casser la gueule ?
— Tu ne peux pas, tu dois protéger tes mains.
— Je dois surtout protéger ma petite sœur.

Elle pouffe entre deux sanglots.

— Je lui ai envoyé mes claquettes de plage à la figure.
— C'est pour ça que tu étais pieds nus ?
— Oui, j'espère que je lui ai cassé le nez.
— Je ne pense pas cocotte, ce sont des tongs en plastique.
— Mais laisse-moi rêver un peu, tu veux ! Le pire, c'est que ça devait être notre première nuit ensemble, et je n'avais pas l'intention de la passer à dormir.
— Tu ne m'apprends rien, je crois que toutes les personnes qui vous ont regardé aujourd'hui, savez ce que vous vouliez faire ce soir.
— Je me sens vraiment minable, comment j'ai pu le croire, quand il me disait qu'il ne voyait personne d'autre, alors que nous ne couchons même pas ensemble.
— C'est étrange quand même, comment a-t-il pu se faire lacérer la cuisse telle que tu le décris. Le dos, oui, les fesses aussi, mais la cuisse ?
— Je n'en sais rien, je n'ai jamais étudié le kamasutra, moi.

— Eh, c'était normal que je le lise, j'hésitais à devenir kiné, je voulais connaître les capacités d'étirements du corps humain. C'était purement thérapeutique.

— Ah oui, et les petites croix que tu mettais sur les pages des positions déjà pratiquées, c'était thérapeutique aussi ?

— La médecine ne s'est pas faite en un jour, s'il y a des essais cliniques ce n'est pas pour rien. J'ai donné mon corps à la science et tu me vois comme un obsédé.

Jessica rigole franchement et cela me fait du bien de la voir comme ça.

— Dis donc, Marie catin, comment as-tu su pour les petites croix sur mon livre ?

— Tu m'as dit que c'était ta bible, j'ai juste vouloir voir quelle religion tu pratiquais. C'est normal pour une sœur de s'inquiétait de la vie spirituelle de son frère.

— Ne me dis pas que tu as essayé ?

— C'est bien le mot essayé, mais pas réussi. Ton pote était un abruti incapable de distinguer sa droite de sa gauche, et qui tirait plus vite que Lucky Luke.

— Il fallait me dire que tu voulais un étalon, je t'aurais dit lequel choisir.

— Non merci, j'ai vite compris que je ne trouverais pas mon bonheur, avec tes décérébrés de potes.

— Tu le trouveras ton bonheur, ma cocotte. Allez va prendre ta douche et on vide le mini bar, c'est Gabe qui régale.

— Si je bois, je vais aller lui faire un scandale alors il vaut mieux éviter. Je lui rendrais sa bague demain quand la famille de Clélie sera partie.

— Comme tu veux, quoi que tu décides, je te soutiendrai.

Après sa douche, Jess s'est installée près de moi sur mon lit. On s'est chamaillé pour la télécommande, je voulais regarder le foot et elle, une série policière. Comme d'habitude, elle a eu le dessus, car elle m'a poussé pour me faire tomber du lit, puis a profité que je suis au sol pour changer de chaîne. Alors que j'étais en train de me relever, j'ai aperçu une grande enveloppe marron au pied de la porte.

— C'est à toi Jess, l'enveloppe par terre ?
— Hein ? Non du tout.

Ce sont à nouveau les montagnes russes dans mon cœur, et si c'était Clélie qui ne pouvant pas me parler, du fait de la présence de sa famille, essayait de me faire passer un message. Fébrile, j'ouvre l'enveloppe et tombe sur des photos de Gabe et de Lorenzo. Le frère de Clélie est en panique sur la photo, il a l'air terrifié. Sa main est profondément ancrée dans la cuisse de Gabe, chez qui on peut lire de la souffrance. J'ai la preuve sous les yeux qu'il n'a pas menti à ma sœur, c'est bien Lorenzo qui lui a fait ses marques.

— Cocotte, il faut que tu voies ça.
— Quoi ? C'est un test de paternité ? Tu vas m'apprendre que Riri, Fifi et Loulou sont mes neveux ?
— Non, mais je vais t'apprendre qu'au lieu de me faire chier à m'empêcher de regarder le match, tu devrais être avec Gabe en train de démonter le lit de ta chambre.

Ma sœur se lève et m'arrache l'enveloppe des mains. Plus elle regarde les photos, plus elle comprend son erreur. Je croyais qu'elle allait courir dans les bras de son mec, pour que je puisse mater la deuxième mi-temps, mais pas du tout. Elle se roule en boule, dans mon lit et continue de pleurer.

— Ne pleure plus cocotte, tu vois bien qu'il ne t'a pas menti, tu devrais être heureuse maintenant.
— Mais il va me prendre pour une folle hystérique, je lui ai envoyé mes claquettes à la figure.
— Disons qu'il a eu de la chance que tu n'ailles pas à la piscine en talon aiguille, tu aurais pu lui crever un œil.
— Merci pour le soutien, je me sens vraiment mieux maintenant !

— Ma petite sœur chérie, tu n'es ni folle ni hystérique, tu es jalouse et impulsive ce n'est pas pareil.

— Je ne veux pas aller le voir maintenant, je ne saurais pas comment m'excuser. Je vais regarder la télé un peu avec toi, puis j'irais le rejoindre.

— Mais mon match ?

— Tu le regarderas en replay chez toi demain.

Je bougonne, mais pas trop, je connais ma sœur, elle a besoin de décompresser avant d'aller se faire pardonner. Alors, je vais rester près d'elle à regarder sa série à la con.

C'est l'alarme de mon téléphone qui me réveille. Il est 7 h et nous devons tous nous rejoindre au restaurant de l'hôtel pour déjeuner. Les enfants veulent profiter du parc pendant qu'il est presque vide, avant de reprendre le train. Jessica n'est plus à mes côtés, et elle a récupéré toutes ses affaires. Je file prendre une douche et m'habiller.

J'ai tout juste le temps de sortir de ma chambre, que je suis attrapé par le col de mon t-shirt, et plaqué contre le mur. C'est Tiago.

— Tais-toi, car je n'aime pas me répéter. Ma sœur te plaît et tu as l'air de lui plaire, mais si tu brises le cœur de Clélie, tu finiras dans une piscine de piranhas. Capiche ?

Je hoche la tête, car je suis incapable de dire quoi que soit. Tiago me lâche et part tranquillement vers le restaurant. Je reprends mon souffle, et mes esprits. C'est la première fois que je l'entends faire une phrase complète, et c'est pour me menacer. Mais si j'analyse bien ce qu'il m'a dit, il a remarqué que je plaisais à Clélie et ne m'a pas interdit de m'approcher d'elle. Et c'est reparti pour l'ascenseur émotionnel, je sais que je viens d'obtenir l'approbation d'un de ses frères, il n'en reste plus que quatre à convaincre, et la principale intéressée, bien sûr. D'ailleurs, c'est Angelo, son frère aîné qui vient vers moi.

— Salut, Alex, tu as une petite mine ce matin. Ah, laisse-moi deviner, c'est le match, c'est ça ? Tu es parisien, mais marseillais de foot comme nous, toi aussi, tu as eu du mal à supporter la défaite 3 à 0 ?

Et merde, je peux faire une croix sur la diffusion du match en replay, maintenant que j'ai le résultat. Je vais devoir aussi me débarrasser de mes maillots de Paris et du kit de supporter que Jess m'a offert à Noël. Si je veux gagner le cœur de Clélie, je dois me faire accepter par ses frères et cela passe par devenir un supporter de l'OM. Mais pour la femme que j'aime, je suis prêt à tous les sacrifices.

*

Jessica

Comme tous les lundis matin, je me rends au bureau. Je vais retrouver Clélie et Gabe, que je voie très peu en dehors du travail, avec tous les préparatifs du mariage. Dans moins de deux semaines, je serai sa femme.

Et comme chaque lundi depuis 3 semaines, je sais que je vais recevoir un magnifique bouquet de fleurs, à faire pâlir de jalousie toutes mes collègues. Mon homme est un romantique me direz-vous, mais non, car elles ne viennent pas de lui.

C'est Lorenzo qui m'envoie ces fleurs ainsi que des mots enflammés. Cela ne lui a pas été difficile de trouver l'adresse de mon travail, vu qu'il vient chercher Clélie, le soir, pour la raccompagner chez elle. Cette surveillance accrue nous agace toutes les deux, mais pas pour les mêmes raisons. Elle, car elle a l'impression d'être revenue au temps où elle était collégienne, moi, car je ne peux pas tenter de rapprochement entre elle et mon frère. Depuis que Lorenzo vient chercher sa sœur tous les soirs, je suis devenue une adepte des heures supplémentaires. Quand la voie est définitivement libre, Clélie m'envoie un texto vide, pour que je puisse quitter le bureau tranquillement.

C'est malheureux d'en arriver là, mais ce type ne semble pas comprendre que je ne sois pas intéressé par lui.

Alors chaque lundi, je dépose mes fleurs dans un vase, sur le bureau de Clélie. Je préférerais les mettre à la poubelle, mais cela éveillerait trop la curiosité. Gabe, lui, est fou de rage. Il a voulu lui faire livrer des plantes carnivores, mais vu que son rival vit toujours chez sa secrétaire, il ne peut rien faire. Je pense qu'Alex et lui préparent un mauvais coup contre Lorenzo, car mon frère passe de longues soirées chez mon fiancé, et quand je lui téléphone pour régler des détails du mariage, je les entends souvent rire l'un et l'autre.

Ce matin, j'étais en réunion quand le fameux bouquet est arrivé, et pour mon malheur, c'est Marianne qui l'a réceptionné. Vous voyez le sourire du chat de Cheshire, dans Alice au pays des merveilles ? Eh bien, elle a exactement le même, quand elle me rejoint dans mon bureau.

— J'ai toujours su que tu étais une salope arriviste, mais je te pensais un peu plus intelligente. Te faire livrer des fleurs au boulot par ton amant, c'est donner le bâton pour te faire battre.
— Je ne te permets pas de m'insulter. Ce n'est pas mon amant qui m'envoie ces fleurs.
— Oh et menteuse avec ça.

Elle prend le petit mot, qui accompagne le bouquet, et commence à le lire.

— Ma belle Jessica, je n'en peux plus de penser à toi. Le week-end que nous avons passé ensemble était bien trop court. J'ai hâte de te serrer à nouveau dans mes bras. Ton Lorenzo.
Je demande comment va réagir notre patron, en lisant ce joli mot d'amour.

— Eh bien je te propose que nous allions lui en parler ensemble.

Marianne perd un peu de sa superbe, elle pensait sûrement que j'allais la supplier de me rendre le mot. Pff, mais quelle connasse, j'ai hâte de voir comment Gabriel va la remettre à sa place. Croyant, sûrement à du bluff de ma part, elle se dirige vers le bureau de notre patron. Je lui emboîte le pas, ne voulant rien manquer du spectacle. Je prends quand même le temps de téléphoner à Clélie et de garder mon téléphone allumé, pour qu'elle ne loupe rien non plus.

À l'énergie, que Marianne met à toquer à la porte, je sais déjà que mon fiancé ne va pas être de bonne humeur.

— Entrez ! beugle-t-il, derrière la porte.

— Monsieur, je suis vraiment désolée, mais j'ai besoin de vous parler.

— Je vois ça Marianne, mais évitez de vous en prendre à ma porte à l'avenir.

Comme j'étais derrière ma collègue, je décale légèrement ma tête, pour lui faire un petit coucou.

— Jessica, mon cœur tu as besoin de quelque chose ? Tu veux que je demande à Marianne de nous laisser tous les deux ?

— Non je suis juste venue écouter ce qu'elle venait te dire puisqu'elle veut te parler de moi.

Aussitôt les yeux de Gabe, changent de couleurs...

— Marianne veuillez fermer la porte, puis vous viendrez vous asseoir.

Je prends un fauteuil, pendant que Marianne fait demi-tour pour refermer la porte. J'étais plus près qu'elle pour le faire, mais c'est une façon pour mon fiancé de la remettre à sa place.

— Je vous écoute, mais soyez brève.

— C'est que ce n'est pas si facile à dire Monsieur, mais j'ai la preuve que votre fiancée vous trompe.

Ouh là, vous avez déjà fou un taureau en colère ? Eh bien le même le taureau, il irait se cacher derrière le torero devant les yeux de Gabe. Mais Marianne, elle ne comprend pas le danger, car elle continue.

— Ce n'est qu'une question de temps avant que tout le bureau ne soit au courant de votre déconvenue.

Gabe me regarde avec un grand sourire.

— Djibouti ?

— Hors de questions, il fait trop beau là-bas.

— La Laponie ?

— Ah non, c'est le pays du père Noël

— Tu as raison. Saint-Pierre-et-Miquelon ?

— Oui, j'ai lu que la température annuelle journalière était de 5,5 degrés.

— Mais de quoi parlez-vous tous les deux ? s'inquiète Marianne.

— Nous discutions de votre prochaine affectation. J'ai l'honneur de vous annoncer que vous allez diriger notre nouveau bureau de Saint-Pierre et Miquelon.

— Mais enfin, nous n'avons pas de bureau là-bas !

— Laissez-moi moi passer quelques coups de fil et dans moins d'une semaine, nous en aurons un, que vous aurez l'honneur de diriger puisque vous en serez l'unique employé.

— Mais enfin monsieur, ce n'est pas moi qu'il faut punir ainsi, c'est cette petite arriviste qui vous trompe. J'en ai la preuve, voici le mot qui accompagnait les fleurs.

Gabe attrape le mot, en fait une boule de papier puis le lance à la manière d'un basketteur, sans même le lire.

— Je connais parfaitement le contenu de ce torchon, et je sais très bien qu'il est signé Lorenzo. D'ailleurs ma douce, dit Gabe à mon intention, c'était le dernier bouquet. Ton frère et moi avons réglé le problème. Je pense que Lorenzo viendra nous faire un scandale ce soir quand il l'apprendra, mais après ça, il te fera plus livrer de fleurs.

— Vous vous êtes débarrassés du fleuriste ?

— Pas la peine d'essayer de me tirer les vers du nez, tu le seras assez tôt. Bien Marianne, reprenons, vous voulez bien ? Donc vous avez manqué de respect à ma fiancée en la traitant d'arriviste devant moi, mais pire, vous avez mis sa parole en doute en refusant de la croire, quand elle vous a dit, ne pas avoir d'amant. Je ne travaille qu'avec des gens en qui je peux avoir confiance. Votre mutation sera effective la semaine prochaine, en attendant votre départ, vous êtes en congé pour préparer au mieux votre installation. Si cela ne vous convient pas, vous pouvez toujours me remettre votre lettre de démission. Au revoir, Marianne, et veuillez prendre soin de ma porte en partant.

Elle se lève, blême, mais ne dit pas un mot. Une fois qu'elle est sortie, je monte sur les genoux de mon fiancé.

— Saint-Pierre est Miquelon, tu es dur quand même !
— Non je suis juste, cette femme me poursuit depuis des années, tu n'aurais jamais pu travailler sereinement avec elle. En plus, je vais réaliser son rêve, elle sera sa propre patronne.

Un bruit bizarre sort de mon téléphone, que je tiens encore dans ma main.

— C'est quoi ce truc tu as une boîte à béer dans ton pantalon ?
— Une boîte a béer ? C'est quoi ce truc ?
— C'est comme une boîte à meuh, mais lieu du bruit de la vache, ça fait celui de la chèvre.

J'éclate de rire quand je comprends de quoi parle Gabe.

— Ce n'est pas une boîte à béer, c'est Clélie qui est morte de rire au téléphone, depuis le coup de la mutation de Marianne.
— Quoi Clélie était au téléphone avec nous ?
— Bien sûr, je ne pouvais pas lui faire rater ça. C'est dommage que je n'aie pas eu de pop-corn d'ailleurs !

Gabe me prend le téléphone des mains.

— Allo, Clélie, il risque d'y avoir de la friture sur la ligne, alors pas la peine de vous précipiter dans mon bureau. Votre copine va bien et en cas de malaise, je me chargerais moi-même du bouche-à-bouche.

Je n'entends pas ce que Clélie peut lui répondre, car mon portable vole pour rejoindre le mot de Lorenzo dans la poubelle.

— Mon téléphone.
Je geins pendant que mon fiancé me couvre le cou de baisers.

— Tu le récupéras en sortant.

— Mais tu aurais pu le casser.

— Je t'en aurais offert un autre.

J'aurais voulu continuer à protester, mais la langue qui est dans ma bouche n'est pas la mienne, alors ce n'est pas très pratique pour parler. Je tenterais bien le langage des signes, mais mes mains, ses traîtresses, trouvent naturellement leur place, dans les cheveux de Gabe. Tant pis, je râlerais plus tard, de toute façon, c'est l'heure de ma pause, alors au lieu de blablater avec Clélie autour d'un café, je m'offre un moment de tendresse avec mon fiancé.

*

Jessica

C'est fou le nombre de choses que l'on doit faire quand on prépare un mariage. Je plains les pauvres weddings planners qui doivent en plus composer avec le stress de la mariée. J'en sais quelque chose, car moi, je dois composer avec celui de maman. Des fois, j'ai l'impression que c'est elle qui va se marier !

Je suis sur les rotules, et ce n'est vraiment pas le moment, car ce soir, c'est mon enterrement de vie de jeune fille. J'ai décidé de la fêter avec Clélie et puis c'est tout. Bon, j'avais dans l'idée d'inviter Alex, mais il a prévu une soirée pour l'enterrement de vie de garçon de Gabe. Sur le coup, je l'ai mal pris, si mon fiancé me pique mon mec, ça ne va pas le faire ! Puis j'ai réfléchi et j'ai compris sa décision. Ils vont passer leur soirée dans un club que Gabe fréquentait beaucoup avant nos fiançailles, avec des amis à lui que je n'ai pas vocation à rencontrer. Au moins, si mon frère est avec lui, il pourra le surveiller. Non qu'Alex ne soit devenu un saint, mais si Gabe se pointe lundi avec un cocard, je saurais qu'il n'a pas respecté notre contrat, et je n'aurais plus qu'à lui en faire un deuxième.

Clélie et moi avons décidé de nous faire un apéro dînatoire à mon appartement, puis nous partirons danser nous aussi. Il n'y a pas de raison, que les garçons s'amusent et pas nous. Mon frère n'a pas voulu me donner le nom de leur club, alors je vais devoir ruser. Heureusement que nous sommes équipés du même téléphone à la pomme tous les deux et que je connais tous ses codes. Ce n'est pas compliqué, c'est mon prénom et ma date de naissance. Ces petits bijoux technologiques sont équipés d'une fonction géniale, qui s'appelle la géolocalisation.

Quand l'appareil se stabilise, je vois qu'ils sont au whisper club, ce nom ne me dit rien du tout, alors je lance une recherche internet. Les salauds ! C'est un club de strip-tease. Dire que mon frère m'a refusé les chippendales, je suis dégoûtée.

— Je comprends mieux pourquoi Alex a préféré la soirée de Gabe, à la nôtre ! Si j'apprends qu'une de ses nanas a touché ses cheveux, je l'étripe.

— Tu ne veux pas qu'on touche aux cheveux de ton frère ?

— Hein, mais non, je parle de Gabe. Qu'on s'assoit sur ses genoux et que l'on touche à sa poitrine, passe encore, mais ses cheveux, je ne pourrais pas le supporter.

— Mais tu es jalouse ma parole !

— Ça n'a rien à voir, la jalousie, c'est vouloir être à la place de l'autre. Moi, je n'ai aucune envie de danser en petite tenue dans un club. Par contre, je suis possessive, on ne touche pas à ce qui est à moi.

— Donc les cheveux de Gabe sont à toi ?

— Oui, enfin non, mais c'est presque pareil. C'est juste que j'aime ses cheveux. Quand je passe mes doigts dedans, ça me fait de petites décharges électriques, c'est bizarre, mais j'adore.

— Ouais, on n'a pas les mêmes fantasmes ! Moi, je m'en fous qu'une de ces nanas touche les cheveux de ton frère, elle peut même le scalper si elle veut ! Par contre si elle lui touche le torse, là ça va me rendre folle.

— Hop hop hop Clélie, serais-tu en train de me dire que tu ressens quelque chose pour mon frère ?

— Une irrépressible envie de sexe à chaque fois que je le vois, ça compte ?

— Est-ce que tu sais que tu provoques la même chose sur cet abruti ?

— Ça, j'en doute fort ! Il n'a même pas essayé de me contacter depuis notre nuit à l'hôtel.

— Mais c'est normal, tu l'as planté en pleine nuit et après, tu avais ton frère qui te surveillait comme le lait sur le feu.

— S'il avait voulu, il aurait pu m'envoyer un message.

— Je vais te prouver qu'il s'intéresse à toi, je vais te transformer en bombe, et lui envoyer des photos de nous. Cela va le rendre complètement fou.

Sur ces mots, j'entraîne Clélie dans ma chambre, et nous dévalisons mon armoire. Nous n'avons pas vraiment la même taille, mais j'ai une robe en stretch bleu qui sera du plus bel effet avec sa chevelure blonde. Pour moi, c'est une robe en dentelle blanche, merci, maman, d'avoir voulu m'acheter une nouvelle robe tous les ans pour la réception du Nouvel An.

Pour le maquillage, je fais une totale confiance à Clélie, comme toutes les filles, j'en ai une quantité, car ma grand-mère m'en offre une mallette chaque année depuis mes 16 ans. Parfois, je me demande si elle n'a pas de problème de vue, car je ne maquille jamais, mais bon, je ne cherche plus à comprendre.

Si moi je suis perdue avec tout ça, ma copine est complètement dans son élément. Après 15 minutes entre ses mains, je ne me reconnais plus, je suis sexy sans être vulgaire, j'adore !

Après un petit cocktail, nous avons fait plusieurs essais photo, avant de trouver le cliché qui les fera craquer. Ni une ni deux, je l'envoie aussitôt à mon frère avec un petit message.

« J'espère que tu t'amuses autant que nous, encore quelques cocktails et nous appellerons un taxi pour aller danser jusqu'au bout de la nuit. »

Sa réponse ne se fait pas tarder.

« Vous allez où ? »

Voilà, je sais que j'ai ferre mon poisson. Nous aurions été habillés en jeans, t-shirts, j'aurais eu le droit à une bonne soirée cocotte, mais pas de questions sur notre destination.

Je lui réponds à mon tour.

« On hésite encore, je crois qu'on demandera son avis à notre taxi. On veut un truc qui bouge bien. »

J'ai encore mon téléphone dans les mains, quand j'entends la sonnerie de mon interphone. Aussitôt, l'exaspération monte en moi, j'espère que ce n'est pas maman qui vient pour régler un détail du mariage !

— Oui ?

— Mademoiselle Jessica Martin ?

— C'est bien moi, c'est pourquoi ?

— Nous avons un cadeau à vous remettre en main propre, de la part d'Alexandre Martin.

— Très bien, je vous ouvre, c'est au 14e étage.

Clélie et moi, nous dévisageons, un cadeau d'Alex ? C'est étrange qu'il ne m'ait rien dit.

Lorsque je vais ouvrir, je tombe sur deux armoires à glace.

— Vous avez un cadeau pour moi, paraît-il ?

— C'est nous les cadeaux. Votre frère vous a offert une prestation d'une heure. Vous avez une préférence, policiers, pompiers, plombiers ? Quels scénarios vous ferez plaisir ?

Oh putain ! Je viens de comprendre. Mon frère m'a offert des chippendales !

— Je ne sais pas trop, tu veux quoi toi Clélie ?

Je bafouille, en regardant mon amie, qui a les joues toutes rouges.

— Pompiers, moi, j'aimerais bien pompiers.

Nos beaux apollons rigolent, et me demandent de leur indiquer la salle de bains pour se préparer.

Je m'empresse de m'installer confortablement sur mon canapé avec Clélie, mais avant j'envoie un message à mon grand frère chéri.

« Merci pour ton cadeau, je te promets que Clélie et moi allons prendre tout notre temps pour les déballer. »

Puis j'éteins mon téléphone…

Alexandre

Quand j'ai reçu la photo de ma sœur et de Clélie, j'ai failli péter un câble. Elles ne vont quand même pas aller en boîte habillées comme ça ! J'ai montré la photo à Gabe, et à la façon dont il a grincé des dents, j'ai bien compris qu'il pensait comme moi. Hors de questions de les laisser sortir seule dans cette tenue. J'ai aussitôt demandé à ma sœur où elle comptait se rendre, mais je n'ai eu le droit qu'à une réponse évasive qui m'a vraiment énervé.

Depuis que nous sommes arrivés dans ce club, je ne me sens pas du tout à ma place. Les filles qui se trémoussent sur la scène n'éveillent rien du tout chez-moi. C'est certain, Clélie m'a jeté un sort, car il a suffi que je regarde son sourire sur la photo et son corps dont je connais tous les recoins, pour que mon pantalon me gêne.

Gabe, lui non plus, ne semble pas au mieux. Ses copains lui ont offert une danse privée qu'il a gentiment refusée sous leurs quolibets. J'ai du mal à imaginer mon futur beau-frère, comme un mec qui fréquentait cet endroit toutes les semaines ou presque. Ce n'est pas du tout le même, que celui qui va épouser ma sœur. Du coup, cela m'inquiète un peu, qui est le vrai Gabriel Saint-Alban ?

Je n'ai pas le temps de m'interroger plus, que je reçois un étrange texto de ma sœur.

« Merci pour ton cadeau, je te promets que Clélie et moi allons prendre tout notre temps pour les déballer. »

Mais de quoi elle me parle ? Je l'appelle directement pour en savoir plus, mais je tombe aussitôt sur son répondeur. Elle a éteint son téléphone.

Je stresse, car je pense qu'il y a un problème. Est-ce que Gabe a des ennemis qui peuvent s'en prendre à ma sœur ? N'y tenant plus je le mets au courant.

— Gabe, je crois que les filles ont un problème.
— Pourquoi tu dis ça ?
— Jessica m'a envoyé un message curieux, elle me remerciait pour un cadeau que je lui avais envoyé et qu'elle devait déballer. Mais je n'ai rien envoyé, et elle a coupé son portable depuis.

Gabe attrape son téléphone et essaie à son tour, sans plus de succès, puis il tente de joindre Clélie, mais là aussi, nous tombons sur le répondeur.

Il attrape son manteau et appelle une compagnie de taxi. Nous avions prévu une soirée arrosée, donc l'un ni l'autre n'a pris notre voiture.

Nous sortons attendre notre taxi dehors. Les copains de Gabe se sont à peine aperçus de notre départ, occupés qu'ils étaient devant l'effeuillage d'une plantureuse rousse. Mon beau-frère se passe une main dans les cheveux, puis compose un nouveau numéro sur son téléphone.

— Allo, mamie, c'est Gabe. J'ai besoin que tu me rendes un service. Il faudrait que tu ailles voir ma fiancée.

Je n'entends pas ce que sa grand-mère lui répond, mais Gabe a l'air plutôt embarrassé.

— Je sais bien mamie, que je t'ai demandé de ne pas le faire avant que je te l'aie officiellement présenté et que devons venir dimanche, mais j'ai peur qu'elle ait un problème. Ne fais rien de fou non plus, monte chez elle et va toquer à sa porte, s'il te plaît. Je reste en ligne.

Pendant cette attente, je me mords les ongles, et me pose mille questions, sur ce fameux cadeau, quand j'entends Gabe crier.

— Comment ça mamie, il y a les pompiers chez elle ! Que je ne m'inquiète pas, mais bien sûr que je m'inquiète ! Mais si elles vont bien toutes les deux, passe-moi au moins Jessica. Comment ça, tu vas raccrocher ? Mais non, mamie ?

Tout à coup, cela fait tilt dans ma tête, les pompiers, un cadeau, mais oui, ce sont les chippendales que j'avais commandés. Mais quel con ! La femme que j'aime va voir des hommes quasi nus qui vont lui faire un show par ma faute.

Je m'adresse aussitôt au chauffeur de taxi dans lequel nous sommes enfin montés.

— Nous devons aller à cette adresse le plus vite possible, restez prudent, mais si PV il y a, Monsieur les réglera pour vous.

Gabe me regarde, interdit.

— Ma grand-mère vient de me dire qu'elles allaient bien.
— C'est bien ça le problème, j'ai bien peur qu'elles aillent trop bien !

*

Gabe

Je ne comprends pas du tout l'attitude d'Alex. Depuis que ma grand-mère m'a assuré que les filles allaient bien, il est de plus en plus stressé.

— Rassure-toi Alex, on peut faire confiance à ma grand-mère. Les pompiers ne sont sûrement pas là pour les filles, il est possible qu'un voisin ait fait un malaise, tout simplement.

— Oh putain, elle n'est pas cardiaque ta grand-mère, au moins ?

— Non pourquoi ?

— Pour savoir s'il ne faut pas prévenir les pompiers avant notre arrivée.

— L'alcool te grille les neurones mec, je te rappelle que les pompiers sont déjà sur place.

— Oui, mais ils ne sont pas vraiment pompiers.

— Comment ça ils ne sont pas vraiment pompiers ! Tu les connais ? Qu'est-ce que tu ne me dis pas Alex ?

— J'ai oublié putain, j'étais persuadé de les avoir annulés.

J'attrape Alex par le col de sa chemise, et je le rapproche de moi.

— Tu vas me dire tout ce que tu sais et très vite.

— Ce n'est pas des pompiers, c'est des chippendales, et c'est moi qui les ai commandés.

Je le relâche d'un seul coup, j'ai l'impression que je viens de recevoir un coup dans l'estomac.

— Tu es vraiment en train de me dire que je viens d'envoyer ma grand-mère, voir des mecs à poil ?

— Techniquement non, si elle a vu des pompiers, c'est qu'ils n'étaient pas encore nus, enfin, ils avaient au moins leurs casques. Mais c'est pour ça que je t'ai demandé si elle était cardiaque, au cas où ils déploieraient leurs lances devant elle.

Ce con est mort de rire en plus ! Moi, je suis juste en train d'imaginer la meilleure façon de me débarrasser de son corps sans que ma fiancée pique une crise.

— Dans ce genre de prestations, il y a différents forfaits, alors peux-tu me dire à quoi je dois m'attendre ?

— Il y a plusieurs jeux de rôles, j'ai pris pompiers, policiers et plombiers, je crois. Elle a le droit à 1 heure de show avec déshabillage intégral sous une serviette, et massages autorisés, la totale quoi !

— Vous allez le bouger votre taxi ou quoi ?

— Désolé monsieur, il y a des embouteillages.

— OK, on ira plus vite en métro, Alex file lui un billet.

— Désolé Messieurs, mais je n'ai pas de monnaie, vous pouvez régler par carte par contre.

— Non, c'est trop long, il va vous payer et vous n'aurez qu'à garder la monnaie.

— Eh, mais j'ai que 50 euros sur moi.

— Estime-toi heureux que ça ne coûte que cinquante euros.

Nous sortons de la voiture en courant, pour nous diriger vers la bouche de métro. Évidemment, ni lui ni moi n'avons de billets, alors nous sautons par-dessus la barrière. Je me promets que si on se fait contrôler, je lui ferais payer mon amende en plus de la sienne. Décidément, ce type m'aura tout fait faire, je me retrouve à frauder dans le métro, le soir de mon enterrement de vie de garçon.

Heureusement, le trajet est rapide et j'ai toujours la clé de la porte d'entrée de l'immeuble de ma grand-mère.

J'ai tambouriné comme fou sur la porte, car vu le niveau sonore de la musique, c'était la seule façon de me faire entendre.

C'est ma fiancée qui m'a ouvert la porte, si elle est restée sans voix devant moi, j'ai parfaitement entendu celle de ma grand-mère.

— Si c'est une voisine, dis-lui de se joindre à nous, il reste de la place sur le canapé, mais c'est un voisin dis-lui de se plaindre auprès du syndic. Ah moins que ce ne soit le petit gars du troisième, il est mignon lui, il plairait bien à notre blondinette.

J'hallucine, mais qu'a-t-on fait de ma grand-mère ? Je rentre aussitôt dans la pièce, suivi d'Alex.

— Mamie ! Mais qu'est-ce que tu fais ici ?
— Tu as la mémoire courte, Gabe. Ça ne te réussit pas de vieillir ! C'est toi qui m'as envoyé chez Jessica.
— Je sais, mais pourquoi tu n'es pas reparti chez toi ?
— Parce que ta fiancée a eu la courtoisie de m'inviter à rester, voyons ! Ce n'est pas parce que j'ai soixante-douze ans que je ne peux pas assister à une soirée conviviale, quand même.

C'est le moment où un des pompiers, heureusement le plus habillé des deux, se tourne vers nous.

— Bienvenue, Messieurs, on a plus l'habitude de faire des prestations pour un public féminin, mais si vous voulez regarder, il n'y a pas de problème. Par contre, si vous voulez toucher, il faudra compter un petit supplément.
— C'est combien le supplément pour un pain dans la gueule ?
— Alex ! s'écrie Jessica.
— Ben quoi, je demande juste les tarifs pour le supplément.
— OK, tout le monde va se calmer, la soirée est finie, donc vous rhabiller et vous rentrez chez vous, dis-je en essayant de garder mon calme.
— On nous a payé pour une heure, il nous reste encore plus de la moitié du temps, alors pourquoi vous ne sortez pas prendre un verre, vous rejoindrez vos copines plus tard.

Il est fou lui ! Il croit vraiment que je vais le laisser avec ma nana et ma grand-mère.

— Je vous paie le double, pour que vous dégagiez, cela vous va ?

— Vu comme ça, on peut s'entendre. Vous voulez peut-être qu'on vous vende un de nos costumes pour continuer le show sans nous.

À l'entente de ces mots, Jessica qui sirotait son cocktail recrache tout sur sa robe en dentelle blanche. J'espère que c'est la température de la pièce qui fait pointer ses seins comme ça, et pas le petit spectacle qu'elle vient de regarder. En tout cas, les deux mecs n'en perdent pas une miette. Exaspéré, je la prends par la main, et la conduis vers sa chambre.

— Va te changer, tu seras plus à l'aise. Clélie, vous devriez faire la même chose.

— Mais non, riposte ma fiancée, on a prévu d'aller danser.

— Si tu veux danser, je pousse tes meubles et je te mets de la musique, mais vous n'allez pas sortir dans cet état.

— Tu n'es qu'un pince-sans-rire.

— Un rabat-joie, répond ma grand-mère à l'autre bout du salon.

— Mais c'est ma fête ou quoi !

— Oh non Monsieur, nous ne sommes pas le jour de la Saint-Parfait, rétorque ma secrétaire, avec un petit sourire angélique.

Alex s'énerve à son tour.

— Maintenant, ça suffit les deux chaudasses ! Vous vous mettez en pyjama, ou en survêtements, je m'en fous, mais aucune de vous deux ne sortira de cet appartement ce soir !

Jessica et Clélie partent dans la chambre en boudant tandis que ma grand-mère me prend mon portefeuille dans la poche de ma veste.

— Mais qu'est-ce que tu fais ?

— Bien, je les paie pour qu'ils partent, comme tu l'as demandé.

Je lui dépose un baiser sur le front.

— Merci, mamie, tu es raisonnable toi au moins.

Je la laisse se charger des chippendales, pendant qu'Alex se charge de ranger un peu la pièce. Je crois qu'il a surtout besoin de laisser ses nerfs redescendre.

Je m'installe sur le canapé avec ma grand-mère.

— Tu sais mon petit, tu l'as bien choisi ta fiancée. Je comprends pourquoi elle t'a chamboulé, elle est délicieuse. Par contre, ta secrétaire, elle est vraiment émotive. Si tu l'avais vu rougir quand le jeune homme lui a demandé de l'aider à enlever son pantalon. Une vraie jeune fille ! Je me demande même si elle a déjà connu un homme.

Un grand bruit nous fait tourner la tête, c'est Alex qui vient de casser son balai en deux.

— Eh bien jeune homme, vous me semblez fatigué, venez donc prendre un verre de jus de fruits, cela va vous faire du bien et il est très bon en plus.

Je me penche au-dessus du pichet que ma grand-mère propose à Alex.

— Mais c'est alcoolisé mamie !
— Et alors, j'ai passé l'âge légal, il me semble ! Comme je l'ai dit à ta fiancée, c'est plein de fruits, donc c'est bon pour la santé. Ah, voilà mes copines, venez ici, mes petites chéries.

J'installe Jessica directement sur mes genoux et je lui souffle à l'oreille.

— Tu as fait boire ma grand-mère ?
— J'ai essayé de la dissuader, mais je crois qu'elle est plus têtue que toi.

Je ris et l'embrasse dans le cou. Ma bougonne se détend un peu, c'est bon signe.

— Et si on faisait un Scrabble ?

— Mamie, on est trop nombreux pour faire un Scrabble.

— Mais non, vous n'avez qu'à jouer en équipe, ce sera drôle.

— Ouais, ça peut être sympa, renchérit Alex.

Celui-là, dès qu'il s'agit de faire équipe avec Clélie, il est toujours partant, et ce, quel que soit le jeu.

Tout le monde acquiesce et je me retrouve à aller chercher la boîte dans l'appartement de grand-mère.

C'est une partie surréaliste qui commence, Alex et Clélie sont incapables de s'entendre sur les mots à choisir et nous devons fixer un délai maximum, si nous voulons que cette partie se termine un jour. Jessica me surprend par sa vivacité d'esprit, je la savais intelligente, mais savoir mobiliser son esprit quand on a abusé du punch, c'est loin d'être évident.

— Mamie, tennis ça prend deux n et ça commence par un t.

— Je le sais bien, c'est moi qui t'ai appris à lire et à écrire. Je ne me suis pas trompé dans l'orthographe de mon mot.

Je regarde le plateau de jeu et je déchiffre correctement le mot.

— Mais Mamie, tu ne peux pas écrire ça !

— Bien sûr que si, c'est dans le dictionnaire, je te signale.

Alex et Clélie sont hilares. Quand il s'agit de rire à mes dépens, ils s'entendent très bien tous les deux.

Finalement, je crois que j'ai passé une bien meilleure soirée d'enterrement de vie de garçon, que si j'étais resté au club. Et, quand une fois ma grand-mère rentrée chez elle, Jessica et Clélie s'endorment contre nous sur le canapé, je sais qu'Alex pense exactement la même chose que moi.

*

Jessica

Mais quel est l'imbécile qui a décrété que la veille du mariage, les époux devaient dormir chez leurs parents respectifs ! Gabe échappe lui à cette tradition ridicule, heureusement, car s'il passait la nuit que ce soit chez son père ou sa mère, ce serait l'aumônier de la prison qui nous unirait.

Moi je n'ai pas eu cette chance, et c'est pour ça que je me retrouve à manger une soupe assise entre mon papa et ma maman, alors que je me marie demain ! Évidemment, je n'ai le droit qu'à un repas léger, car il ne faudrait pas que je sois boudinée dans ma robe. Maman est folle, elle veut me faire traîner 20 kilos de froufrous et de fanfreluches sans me nourrir en conséquence. Comme si avec la robe qu'elle m'a choisie, il est possible de savoir si je suis grosse ou pas. L'ambiance du dîner est vraiment pesante, entre maman qui ressemble à une mouche sous acide, incapable de rester en place et qui passe son temps à annoter des choses dans son carnet, et papa qui est aussi jovial qu'un condamné à l'échafaud. Je me doutais bien que les choses se passeraient comme ça, alors j'ai demandé à Alex de m'accompagner, mais il a refusé. Soi-disant qu'il aime très fort, mais qu'il n'a rien fait pour mériter un châtiment pareil !

Ma dernière nuit dans ma chambre s'avère bien plus angoissante que reposante. Rien n'a bougé de place et le ménage a été parfaitement fait comme d'habitude. Les minutes puis les heures défilent sur mon réveil, mais je n'arrive pas à trouver le sommeil. En désespoir de cause, je sors de ma chambre et vais dormir dans celle d'Alex. Cette pièce a toujours eu un effet apaisant sur moi. J'aime ce vent de liberté qu'on y trouve. Il faut dire que très tôt Alex a su interdire son repère à Maman, chose que je n'ai jamais réussi à faire. Les draps ont beau être propres, en me glissant dedans, j'ai l'impression de retrouver l'étreinte rassurante de mon grand frère.

Je suis réveillé par des hurlements hystériques.

— Elle n'est plus là ! Je te dis qu'elle est partie et toi tu souris !

Mince il va falloir que je me lève avant qu'elle n'appelle la police, le FBI et la NASA pour se lancer à ma recherche, et avant que papa ne sabre le champagne pour son petit-déjeuner. Je regarde le réveil de mon frère, et je vois qu'il est 6 heures. Mais elle n'est pas bien, la coiffeuse n'arrive qu'à 9 h 30, je n'ai pas besoin de 3 heures et demie pour déjeuner et prendre une douche. Je me colle la tête sous la couette et décide de faire comme si je n'avais rien entendu.

— Mais calme-toi à la fin, es-tu allé voir dans la chambre d'Alex ?

Ah, mais non papa, tais-toi ! Ne lui dis pas où je me trouve, je veux encore dormir moi.

— Mais enfin, personne n'a le droit de rentrer dans la chambre d'Alex sans son autorisation.

Oui, voilà, maman, tu as raison, vas voir si je ne suis pas cachée au fond du jardin plutôt.

— Personne sauf elle !

Argh ! Mon père a vraiment envie de me gâcher ma journée, ce n'est pas possible autrement. Quand j'entends la porte s'ouvrir, j'envoie une peluche qui était sur le lit de mon frère en direction de l'intrus et je crie.

— Je ne suis pas là !

Ma mère soupire, s'approche et soulève la couette du lit.

— Jessica, arrête de faire l'enfant veux-tu.

— Non je veux pas, tu as réclamé que je vienne dormir à la maison cette nuit pour que je sois encore une enfant, alors j'ai bien l'intention de le faire jusqu'au bout.

— Ta dernière soirée c'était hier, aujourd'hui tu vas devenir une femme donc agit comme une adulte.

J'ouvre et un œil et lui demande

— Je peux rentrer à mon appartement pour déjeuner, promis je reviens après.

— Mais non voyons, tu vas déjeuner ici, allez descends je vais te faire un thé.

— Non surtout pas !

Mon cri a effrayé maman.

— Tu n'aimes plus le thé ? Parce que tu dois être assez nerveuse comme ça, alors j'hésite vraiment à te proposer un café.

Comment expliquer à ma mère que c'est le thé et le souvenir de mon petit incident urinaire qui me rendent nerveuse ? Vous me voyez dire à maman, je ne bois plus de thé, depuis que j'ai fait pipi dans mon pantalon dans le bureau de mon fiancé ? Il y a certaines hontes qu'on veut garder pour soi, quand même.

— Un café ne me fera pas de mal Maman, avant de risquer de me stresser, il va surtout me réveiller.

— Très bien. Va prendre ta douche, mais ne mouille surtout pas tes cheveux. Je t'ai sortie des vêtements pratiques à enlever pour tout à l'heure. Quand tu auras fini, rejoins-moi dans la cuisine.

Je me lève en boudant, puis je regarde le lit de mon frère, je le refais ou pas ? Maman ne viendra pas le refaire, elle a juré de ne plus jamais entrer dans sa chambre sans sa permission. Quand elle va repasser dans la chambre tout à l'heure, elle va stresser et lui téléphonera pour savoir s'il l'autorise à y aller pour refaire le lit. Cela ne va pas la déranger qu'il soit six heures du matin. Et paf Alex ! Tu n'avais qu'à venir passer la nuit ici toi aussi. Du coup, je saute sur le matelas, et fais une boule avec les draps. Oh que ça fait du bien de savoir que mon frère va partager un peu de ma souffrance.

Après une douche bien méritée, je m'assois à la table de la cuisine avec maman. Un bol de café fumant est déjà posé face à ma chaise. Je souris et après l'avoir sucré, je commence à boire.

— Beurk maman, mais ce n'est pas du café !

— C'est presque pareil, c'est de la chicorée, ça devrait moins te stresser. Je suis allé la chercher chez la voisine. Tiens, je t'ai beurré une biscotte.

Je râle, mais juste pour la forme, c'est une bataille que je ne gagnerai pas et j'ai besoin de force pour la guerre que je vais mener au sujet de ma coiffure. Comme je m'en doutai, maman a téléphoné à Alex et je l'entends râler à l'autre bout du fil que je suis une chieuse et que je l'ai fait exprès. Innocemment, je demande à ma mère.

— Tu peux lui dire que je l'embrasse.

Maman me fait taire d'un geste et continue son lot de recommandations pour mon frère, cire tes chaussures, rase-toi de près, n'oublie pas les bagues et bla bla bla. J'ai presque pitié pour Alex, mais j'ai bien dit presque !

La coiffeuse est finalement arrivée, et le début de mon calvaire avec elle. Je veux un chignon coiffé décoiffé quand maman refuse l'idée qu'une seule mèche de mes cheveux s'échappe de mon chignon.

— De toute façon, il faut quelque chose qui met en valeur son diadème

— Mais quel diadème ?

Je demande inquiète.

— Celui de ton arrière-arrière-grand-mère voyons ! Je te le transmets comme tu le transmettras à ta fille plus tard.

— On ne peut pas plutôt le rendre à sa propriétaire ?

— Mais enfin es-tu folle, elle est décédée depuis plus d'un siècle.

— Je ne vais pas demander une exhumation non plus ! Mais on peut peut-être faire fondre le diadème pour en faire une plaque à poser sur sa pierre tombale ?

Devant la tête ahurie de ma mère, je vois que ce n'est pas une bonne idée. Alors je tente autre chose.

— En peut en faire un cadre, ou tu placeras sa photo ?

— Jessica, mais tu as perdu le sens commun par petite fille !

— Oh ça va c'était juste une idée. Mais il fait deux kilos ton truc, avec ça je vais pencher en avant.

— Mais non, voyons ! Pas si on l'accroche bien avec ton chignon.

— Bon, je fais quoi maintenant ? s'énerve la coiffeuse.

— Faites-moi un chignon comme elle veut, mais gardez à l'idée que je vais le retirer pour ma deuxième robe ce soir.

— Comment ça tu vas le retirer, mais enfin pas avant la nuit de noces !

— Maman, la réception de ce soir, je suis la seule à choisir comment je m'habille et comment je me coiffe.

Ma mère rouspète, mais je fais celle qui n'entend plus rien jusqu'à ce que la coiffeuse, une fois son travail terminé, me demande ce que je veux comme maquillage. Alors là, pas question de laisser maman gagner, je peux de la simplicité sinon rien. La bataille fut rude, mais j'ai gagné. Je suis fière de moi.

Quand l'heure d'enfiler ma robe arrive, j'ai perdu toute fierté. Maman et la coiffeuse se mettent à deux pour me serrer le corset.

— Mais ça ne va pas ! Je ne peux plus respirer.

— Tant que tu râles, c'est que tu respires, me répond maman.

— Oui, mais à force je vais défaillir et faire un malaise avant de dire oui.

— Papa te réanimera, il est médecin.

— Tu rigoles, il sera tellement heureux que je ne me sois pas mariée qu'il ne tentera rien pour me faire revenir à moi.

— Eh bien, je demanderai à Alex, lui au moins, il t'aidera.

C'est le moment que choisit mon frère pour faire son apparition, un paquet de M&Ms à la main.

— En quoi je suis censé t'aider cocotte ?

— Si je me fais une syncope à cause de ce fichu corset qui m'empêche de respirer, tu signeras l'acte de mariage à ma place ?

Mon frère rigole et vient me déposer un bonbon dans la bouche.

— Je voulais te narguer avec après ta petite blague de ce matin, mais vu ce qu'on te fait subir, je vais t'encourager avec du chocolat.

Maman râle que je vais en mettre partout, mais je ne vois pas comment je pourrais me salir avec un M&Ms !

Ce n'est qu'après de très longues minutes que je suis enfin prête. Il est 11 h 15 et notre mariage est prévu à 13 h 30.

— J'ai faim

— Je sais, je t'ai prévu des galettes de riz soufflés et des barres énergétiques.

— Mais ce n'est pas un repas sa maman !

— C'est tout ce que tu peux manger sans te salir, viens avec nous dans la cuisine, tout est prêt.

Je me regarde une dernière fois dans la glace, je ressemble à un savant mélange entre le bonhomme Michelin et lady Diana, la grâce en moins. Je comprends mieux pourquoi mon frère a pouffé de rire tout à l'heure.

Je me décide à descendre les rejoindre, mais je ne passe pas par la porte, je suis trop large. Je peste et après un troisième essai infructueux, je me décide à passer en me mettant sur le côté. La descente des marches est elle aussi un supplice. Je risque ma vie à chaque marche et pourtant je suis encore en chaussons. Quand j'arrive enfin en bas, c'est pour trouver ma mère qui me crie dessus, car j'ai mis trop de temps à les rejoindre. Je mange ma galette insipide en essayant de me détendre, car je sais qu'il me reste encore beaucoup de couleuvres à avaler aujourd'hui.

*

Gabe

Aujourd'hui, je vais me marier. Qui l'aurait cru, il y a seulement 3 mois ? Sûrement pas moi.

Je suis plutôt perdu sur le déroulement de cette journée et pour couronner le tout, je vais avoir deux réceptions à affronter. Comme me l'a précisé Jessica, une rococo et une beaucoup plus cool. Aussi surprenant que cela puisse paraître, je n'ai assisté qu'à un seul mariage dans ma vie, celui de ma mère quand j'avais 7 ans. Je garde de cette journée le souvenir d'un ennui profond, et un beau coquard offert par mon père quand il avait découvert les photos dans les journaux. Pour lui, je l'avais trahi en m'affichant auprès d'elle, ce jour-là. C'était ridicule, comme si j'avais eu le choix de décider si je voulais y aller ou non, alors que je l'avais appris le jour même et que j'avais seulement 7 ans. Cette union m'avait néanmoins apporté deux choses fantastiques, la première, une jolie demi-sœur, la seconde, d'aller vivre définitivement chez mes grands-parents.

Lola et ma grand-mère sont venues m'aider à me préparer et surtout me détendre. Il faut dire qu'elles me sont d'un grand secours et les SMS échangés avec Alex, aussi. Pendant que je me bats avec mon nœud papillon, je reçois un nouveau message de sa part.

« La reine mère dit que tu dois attendre ta fiancée sur le parvis de la mairie pour lui donner son bouquet. »

Je souris et lui réponds que c'est déjà prévu. Si moi, je me sens stressé, je n'imagine même pas ce que doit vivre Jessica en ce moment.

Imaginer, voilà c'est le maître mot de ma journée, dans mes pires cauchemars, je n'aurais jamais imaginé une chose pareille. Je suis sortie de ma voiture pour me faire encercler par dix hystériques habillés en rose fuchsia. Enfin habillée, déguisée plutôt ! Le haut de la robe est composé d'un bustier qui montre plus qu'il ne dissimule, et le bas a une grosse boule.

Elles piaillent autour de moi, et s'extasient sur le bouquet, et mon costume. Je lance un air désespéré à ma grand-mère, qui souffle, puis se décide à intervenir.

— Allez oust la volaille, laissez mon petit-fils tranquille, et allez attendre la mariée plus loin.

Les filles s'offusquent un peu, mais s'écartent pour me laisser respirer.

— Rassure-moi gabe, aucune de ses pintades n'est une amie de ta femme ?

— Non ne t'inquiète pas Mamie, elle ne connaît même pas leur prénom pour la plupart, elles ont toutes étaient choisies pas sa mère.

— Eh bien, sa mère devait être sacrément en colère contre elles pour leur faire subir une humiliation pareille.

Je n'ai pas le temps de répondre que nous entendons un concert de Klaxons qui arrive vers nous.

Alex sort de la première voiture et me fait signe de le rejoindre.

— Jess m'a demandé de te dire de ne pas t'enfuir quand tu la verras, cela ne va durer que quelques heures avant qu'elle ne reprenne une forme humaine.

— C'est à ce point ?

— Pire encore, mais je vais te laisser juger par toi-même.

On dit souvent que la future mariée se fait désirer, mais ce n'est pas toujours de sa faute. Si Jessica pouvait sortir toute seule de la voiture, elle serait déjà à mes côtés. Mais là, sa mère la tire par les bras pendant que son frère pousse par l'arrière. Mon Dieu, je me demande comment ils ont réussi à la faire rentrer dans la voiture ! À force de contorsions, ma fiancée réussit à s'extirper de la voiture. Enfin, si c'est bien elle, car avec son voile qui lui mange tout le visage, je ne suis pas sûr de son identité. Arrivée à son niveau, je lui donne son bouquet et lui murmure.

— Je voudrais être sûr que tu es bien Jessica, fais-moi un signe si c'est toi.

Elle lève élégamment son majeur sous mon nez, pas de doute, c'est bien ma fiancée.

Pendant que sa bande de groupies roses l'entoure pour tenir sa traîne, je rentre dans la mairie au bras de ma grand-mère. Je m'installe à côté de Lola, qui sera mon témoin. En face de moi, se trouve Alexandre et Clélie qui se sont les témoins de Jess. La mairie est remplie d'une foule de personnes que je n'ai jamais vues de ma vie et je suis persuadé que Jessica n'en connaît pas la moitié non plus. La marche nuptiale retentit quand ma fiancée fait son entrée au bras de son père. Ma grand-mère, qui se tenait à mes côtés, me chuchote.

— C'est qui le croque-mort qui accompagne ta future femme ?
— Mamie, c'est son père voyons !
— Pauvre petite, elle n'a pas dû avoir une vie facile tous les jours, avec une famille pareille.
— Mamie !
Je grogne un peu pour la faire taire, ce n'est pas le moment de faire un scandale.

Quand son père me met la main de Jessica dans la mienne, j'ai l'impression que les choses deviennent plus réelles. Ce n'est plus une représentation théâtrale pour épater la galerie, c'est un vrai mariage et la femme qui se trouve à mes côtés va devenir la mienne.

Les dix potiches roses ne sont finalement pas si inutiles que cela. Au moment où le maire nous demande de s'asseoir, elles aident ma fiancée à se poser les fesses sur sa chaise. Ou elles ont répété pendant plusieurs jours où elles sont des demoiselles d'honneur louées pour l'occasion, car ce sont de vrais pros. Elles connaissent toutes leurs rôles à la perfection.

L'échange des consentements se passe très vite, à peine dix minutes de blabla et c'est fini. Quand le maire m'annonce que je peux embrasser la mariée, j'ai comme un blocage, je veux bien, mais je fais comment ! Impossible de l'approcher de trop près vu la taille de sa robe et je n'ai aucune idée de comment lui enlever ce satané voile, tellement il est long. Devant le regard impatient du maire et des invités, j'attrape la main de Jessica et lui embrasse son alliance. Mon geste est bien interprété, car la foule se met à applaudir. Les greluches roses se mettent à plusieurs pour lui soulever son voile et c'est bien le délicieux visage de ma femme que j'ai sous les yeux. Elle est magnifique et j'ai hâte de la voir dans sa vraie robe, sans tous ses artifices. Jessica Saint-Alban, si on m'avait dit que la brunette en culotte des années cinquante qui m'avait envoyé son Louboutin à la figure, aller devenir ma femme, je ne l'aurais sûrement pas cru. C'est ma femme sur le papier, mais pas encore dans mon lit. Je ne veux rien brusquer avec Jessica, je me suis comporté comme le dernier des salopards quand je l'ai menacé, alors je ne veux pas qu'elle pense que je veux me servir d'elle. Je rêve de lui faire l'amour, mais plus que tout, de me réveiller en la tenant dans mes bras. Je dois d'abord lui faire comprendre qu'elle compte bien plus pour moi qu'elle ne l'imagine.

Maintenant que son visage est dégagé, je lui dépose un tendre baiser sur les lèvres.

— Tu es magnifique sous ton masque de fer.

— Crétin, j'ai super mal au crâne avec sa couronne moche, j'ai l'impression qu'elles m'ont rentré les épingles dans la boite crânienne.

Je rigole et lui prends la main, avec le bras tendu évidemment, pas très romantique, mais on fait au plus pratique.

À notre sortie, les flashs de photos fusent. Impossible de savoir s'il n'y a pas de paparazzi dans le lot, mais pour l'image de ma femme, je ne l'espère pas. Après une pluie de riz plutôt douloureuse, nous regagnons la limousine pour rejoindre le château choisi par ma belle-mère. L'entrée dans la voiture est aussi fastidieuse que la sortie, mais quand nous sommes enfin seuls, je ne peux contenir mon rire. Jessica est en chaussons sous sa robe !

*

Jessica

Mon Dieu, faites que cette journée s'achève le plus vite possible ! Dire que ce matin, pendant que j'essayais d'avaler ma chicorée, ma mère me donnait de grands conseils sur le fait de profiter le plus possible de ce grand moment, car il passe toujours trop vite ! Je devrais le savoir depuis le temps, je ne peux pas faire confiance à maman.

Ma tête me tire à chacun de mes mouvements, même lorsque je souris. Je vais donc être une mariée qui fait la gueule, comme ça, je vais faire la paire avec papa !

Après ma descente plus que périlleuse des escaliers, j'ai vite compris qu'en talons, je finirai immanquablement par terre. Comment voulez-vous garder l'équilibre quand vous ne pouvez pas bouger la tête, et que vous ne voyez pas vos pieds ?

Quand j'ai vu mes escarpins de 15 cm, posés au pied des marches, j'ai soulevé ma robe pour les cacher dessous. J'ai bien essayé de me pencher pour les atteindre, mais rien que hocher la tête, je ne peux pas, alors m'accroupir, n'en parlons pas. Du coup, une fois enfoui sous mes jupons, j'ai donné de petits coups avec mes chaussons jusqu'à qu'elles atterrissent sous le meuble d'entrée, puis j'ai rejoint tout le monde dans la cuisine.

Heureusement pour moi, dans son euphorie, maman n'a pas pensé à vérifier mes pieds et quand il a fallu me manipuler pour m'embarquer dans la limousine, elle était derrière moi, pendant qu'Alex poussait devant. Une fois assise, dans la voiture entre mon voile, et mon jupon qui me remonte sur la tête, je me suis retrouvée dans l'obscurité totale. On aurait pu me conduire n'importe où que je n'en aurais rien su. J'ai eu l'impression d'avoir été kidnappée, puis saucissonnée, avant d'être jetée dans un coffre. Pour mon sauvetage, là encore, j'ai pu compter sur le soutien de mon frère. Autant vous dire que quand Gabe m'a demandé de lui prouver mon identité, je n'ai pas hésité à lui faire un geste plein de tendresses !

Pour notre entrée dans la mairie, la marche funèbre aurait été plus appropriée que la marche nuptiale, à nous regarder mon père et moi. L'avantage avec mon voile, c'est que personne ne voir mon rictus de douleur à chacun de mes pas.

Au moment où le maire nous a proposé de nous asseoir, j'ai eu une sueur froide, comment faire pour viser la chaise sans manquer de m'écrouler par terre ? Bon, si je tombe, je ne risque pas de me faire mal vu le rembourrage sous mon cul, mais ma dignité aurait du mal à s'en remettre et celle de maman, n'en parlons pas ! C'est là que j'ai compris l'utilité des pintades en rose fuchsia, qui me servent de demoiselles d'honneur. Grâce à elles, j'ai évité le ridicule.

Après le traditionnel oui, je le veux, nous avons échangé nos alliances. Si je m'attendais à un baiser passionné, j'en ai été pour mes frais. Gabe n'a pas réussi à trouver l'ouverture de mon voile alors il a embrassé mon alliance ! Quand les baudruches roses m'ont libérée, j'ai pu voir le beau sourire de mon mari. Bordel, alors ça y est, c'est vrai que je suis mariée.

J'ai senti la crise de panique arriver quand j'ai réalisé ce qui venait de se passer. Gabriel s'est penché vers moi pour m'embrasser, c'était doux et léger, mais cela m'a aussitôt rassuré.

Après, il a fallu affronter la foule en délire qui nous a balancé du riz. Pour le coup, j'aurais bien voulu qu'on me rebouche avec mon voile, ça m'aurait évité de me prendre un grain dans l'œil.

Et zou, on a remis le pantin dans la limousine, mais cette fois-ci, Gabe a pris place à mes côtés. Comme mon jupon m'est à nouveau remonté sur la figure, il a pu voir mes pieds et mes chaussons. Évidemment, il n'a pas pu s'empêcher de se marrer !

— Ce n'est pas possible, tu es en chaussons !

— Tu as intérêt à ne rien dire à ma mère, si tu ne veux pas que je sois veuve, avant même d'avoir découpé notre gâteau de mariage.

Je lui réponds, menaçante.

— Et comment comptes-tu te débarrasser de moi, tu n'auras pas les mains assez longues pour m'étrangler avec ta robe.

— Un coup de cul du haut des marches du château et hop ni vu ni connu, ça passe pour un accident.

— Fais-moi penser à me tenir loin de toi tant que tu seras dans ta robe de serial killeuse. Sinon, peux-tu me donner la suite du programme ?

Je soupire, car je sais que ce qui nous attend ne sera pas une partie de plaisir, ni pour lui ni pour moi.

— On va devoir se tenir au pied des escaliers, et recevoir les félicitations d'une foule d'inconnus, qu'avec un peu de chance nous ne reverrons jamais. Ensuite, il faudra faire des sourires devant le photographe qu'a engagé maman. Bon l'avantage, c'est qu'avec une robe aussi imposante, tu éviteras le genre de pose ridicule où il faut porter la mariée, sinon tu n'apparaîtras pas dans le cadre.

— Un programme plus que réjouissant dit moi.

Le trajet est passé beaucoup trop vite, qu'il faut déjà me manipuler pour me remettre sur pied. Et c'est parti pour la fracture des zygomatiques.

Au loin, j'aperçois Clélie qui essaie d'échapper à ma mère. C'est d'un comique de voir ma copine slalomer derrière les invités, pour finalement se réfugier avec la grand-mère de Gabe. En parlant de grand-mère, je vois une des miennes, venir vers nous pour nous féliciter. Mince alors, pourquoi elle est là ? Je ne l'aime pas et elle ne m'aime pas, elle ne pouvait rester chez elle, au lieu de venir piller mon buffet.

— Grand-maman Martin, quel plaisir que tu sois parmi nous !
Je lui dis, hypocritement.

— Économise ta salive, petite. Ce n'est pas toi que je viens voir, c'est ton mâle reproducteur.

Elle ajuste ses lorgnons, puis pince les joues de Gabe, qui est resté la bouche ouverte, depuis qu'elle a pris la parole.

— Il est pas mal, ça devrait faire de beaux petits, les gènes Martin ne seront pas trop défigurés.

— Merci de te soucier de ma future descendance, grand-maman, papa t'enverra le génome de ses petits-enfants, mais tu nous excuseras de ne pas recevoir de faire-part.

— Tu as toujours été d'une telle impertinence !

— Oui, je sais comme dans le roi Lion, je ne suis que nuisance depuis ma naissance. Maintenant si tu veux bien disposer et aller médire au buffet, j'ai des invités que nous avons vraiment envie de saluer.

Quand ma grand-mère s'en va, Gabe n'a toujours pas retrouvé l'usage de la parole.

— Tu viens de rencontrer, grand-maman Martin, la mère de mon père. Ne sois pas choqué, les choses se sont plutôt bien passées.

— Sérieux, c'était vraiment ta grand-mère ?

— J'aurais aimé te dire que non, mais malheureusement, c'était bien elle. Fort heureusement, on ne se voit que pour Noël et les fêtes familiales, genre mariages ou funérailles.

— Des funérailles, ce n'est pas ce que j'appelle des fêtes familiales.

— Tu ne penseras plus comme ça, après avoir passé Noël dans ma famille.

Gabe pouffe de rire, pendant que je continue à remercier tous ces gens que je ne connais pas. Mais, alors que ma mère vient vers nous, avec une femme qui lui ressemble étrangement, il perd soudain son hilarité pour afficher un masque de colère.

— Maman, que fais-tu ici, je t'avais dit que tu n'étais pas la bienvenue.

Ah voilà donc ma belle-mère. Je croyais que je n'aurais jamais le déplaisir de la rencontrer.

— Je sais Gabriel, c'est moi qui ai insisté pour l'inviter, car une maman ne devrait jamais être privée d'assister au mariage de son enfant.

— Je sais que vous avez voulu bien faire Dolorès, mais vous auriez dû vous abstenir.

— Avant que tu ne me fasses jeter dehors, tu permets que j'embrasse ma belle-fille.

Gabe grogne un peu, mais elle se penche vers moi pour me serrer dans ses bras. Elle en profite alors pour me chuchoter à l'oreille.

— Si vous ne voulez pas de scandale, rejoignez-moi dans une demi-heure devant les toilettes des dames.

J'entends parfaitement la menace, dans ses propos, mais je ne compte pas me défiler. Si elle me cherche, elle va me trouver. L'avantage, c'est que je ne risque pas de me brouiller avec mon nouveau mari, si je remets ma belle-mère à sa place, il risque plutôt de me féliciter.

*

Jessica

Après toutes les effusions les plus hypocrites les unes que les autres, arrivent enfin deux têtes connues et appréciées, Clélie et la grand-mère de Gabe. Je profite que mon mari est en bonne compagnie, pour demander à ma copine de m'accompagner aux toilettes. Non pas que j'ai peur d'affronter ma belle-mère toute seule, mais si les choses doivent mal tourner, Clélie pourra toujours m'aider à cacher son corps, ou elle me fournira un alibi.

— J'ai failli attendre ! me lance la mégère pour m'accueillir.

— Que puis-je faire pour vous êtes désagréable ?

— Vous n'êtes qu'une petite arriviste qui n'épouse mon fils que pour son argent et pour légitimer son bâtard.

Et oui, vous croyez que votre grossesse passerait inaperçue, mais c'était sans compter sur votre chère maman. Elle a oublié un détail, si mon fils s'apprêtait à devenir papa, il aurait prévenu sa sœur, or elle n'est au courant de rien. Alors j'ai compris, vous comptez faire d'une pierre deux coups, empocher l'argent de mon fils et lui faire endosser une paternité qui n'est pas la sienne.

Elle a une super opinion de moi, ma belle-mère quand même ! Mais bon, c'est un peu de ma faute, en laissant croire une grossesse à maman, je m'exposais à ce risque.

— Je ne suis pas enceinte, ma mère se trompe.

— Je me doutais que vous essaieriez de me mentir, mais votre mère m'a montré le test positif.

Beurk ! Ma mère se promène avec le test de la belle-sœur à Clélie dans son sac à main, c'est dégueulasse quand même !

— Ce n'était pas le mien.

— Prouvez-le !

En disant ses mots, elle sort un test vierge de son sac à main.

— Vous voulez que je fasse le test maintenant ?

Je lui demande, incrédule.

— Exactement et si vous refusez, je prendrai cela comme un aveu et je préviendrai immédiatement la presse. Tout le monde découvrira ainsi votre vrai visage !

— Vous êtes une grande malade ! Je vais vous prouver à quel point vous êtes folle ! Je vais pisser sur votre tube et vous l'enfoncer dans le cul, quand vous aurez lu le résultat.

— Vous êtes d'une grossièreté !

— Et vous d'une mesquinerie sans égale. Clélie, tu peux m'aider à tenir ma robe s'il te plaît, je ne peux pas y arriver toute seule.

— Non, vous devez y aller seule, qui me dit qu'elle ne fera pas le test à votre place.

— Vous m'avez bien regardé comment croyez-vous que je puisse tenir le test, si personne ne met tiens la robe ! Et rassurez-vous, c'est bien moi, qui vais uriner rien que pour avoir le plaisir d'avoir l'impression de vous pisser dessus quand je vous le mettrai dans les mains. Et attendez-nous dehors, même en utilisant la cabine pour personne handicapée, je ne pourrais pas fermer la porte et je refuse de me déculotter devant vous.

— Soyez sans crainte, je ne tiens pas à voir ce que vous avez montré à tous.

Mais pourquoi je suis venue en chaussons, j'aurais pu lui fracasser le crâne à coup de talon !

Quand elle sort, Clélie me demande.

— Mais pourquoi tu ne lui as pas cassé la gueule ?

— Avec une robe pareille, impossible. Il m'aurait fallu un gogo gadget au bras, pour que mon poing atteigne sa face.

— Il fallait me le dire, je lui aurais fracassé la tête sur le lavabo !

— Merci tu es une vraie amie. Bon, tu viens m'aider à soulever ma robe ?

Avec toute la meilleure volonté du monde, bien que Clélie me tienne ma robe, je n'arrive pas à atteindre mes fesses.

— Mais ce n'est pas possible, je n'arrive même pas à enlever ma culotte.

— Ne me regarde pas comme ça, Jess. Tu es mon amie et je t'adore, mais je refuse de t'enlever ta culotte. En plus, une fois cul nu, tu ne pourras pas tenir le tube pour viser dessus.

— Alors qu'est-ce que tu suggères ?

— Je fais le faire à ta place son test à la con.

— Mais non, c'est à moi de le faire.

— Écoute c'est ou tu me laisses faire, ou je vais trouver la brigade des flamants roses pour t'aider. Sur les dix, il y en a bien une qui va se dévouer pour tenir le tube entre tes fesses et la cuvette quand tu feras pipi.

— Installe-toi sur les toilettes, je te donne le test.

— Tu vois que tu peux être raisonnable quand tu veux !

Je tire la langue à ma copine pendant qu'elle s'enferme dans les toilettes. Je profite pour me regarder dans la glace. À me balader sans mon troupeau de demoiselles d'honneur, j'ai pris l'option balayage avec ma robe. Heureusement que le photographe nous a mitraillés sous tous les angles depuis notre arrivée, sinon maman aurait fait un malaise de me voir dans cet état pour les photos officielles.

Ma copine sort des toilettes, pose le test sur le lavabo et se lave les mains. Je regarde le petit tube, intriguée.

— C'est normal qu'il y ait deux traits comme pour celui de Claudia ?

Ma copine blanchit d'un seul coup, puis attrape le test qu'elle secoue dans tous les sens.

— Putain de bordel de merde, de putain de bordel de merde !

— Calme-toi Clélie, qu'est-ce qu'il se passe ?

— Ce qu'il se passe ? C'est positif, bordel ! Il se passe que je suis enceinte, j'attends un gosse de ton frère !

— Putain de bordel de merde !

Clélie est en état de choc, mais nous devons agir vite, avant que la mère de Gabe ne se décide à rentrer.

— Écoute-moi Clélie, tu vas mettre ce test par terre et le piétiner avec tes talons. Nous irons faire une prise de sang dès lundi matin, mais en attendant, tu dois faire comme si de rien n'était, tant que tu n'as pas parlé avec Alex.

Clélie hoche la tête et m'obéit. Elle détruit le test avec ses talons et je récupère le reste avec du papier toilette, avant de le jeter dans la cuvette des w.c., et de tirer la chasse d'eau. Je pince un peu les joues de ma copine pour lui redonner des couleurs et nous sortons toutes les deux.

Ma charmante belle-mère m'attend à la porte comme convenu, elle me tend la main pour que je lui remette le test.

— Je suis vraiment désolée, mais je l'ai fait tomber dans la cuvette des toilettes. J'ai bien uriné dessus par contre, si vous voulez le récupérer, n'hésitez pas, je n'ai pas tiré la chasse d'eau.

J'entraîne ma copine avec moi, avant que la mégère ne puisse nous répondre.

Ma nouvelle mission est de garder ma copine collée à moi. Je sais que maman veut lui parler depuis le début de la journée, mais vu l'état émotionnel de Clélie, je dois tout faire pour empêcher une confrontation entre les deux. J'arrive près de Gabe qui m'attend avec une coupe de champagne.

— Avec tout ça, nous n'avons même pas porté un toast à notre mariage.

J'attrape la coupe et la vide d'un seul coup sans même trinquer avec lui. Mon mari me regarde avec inquiétude, tandis que je réclame une nouvelle coupe au serveur.

— Votre maman, ne nous a autorisé à vous servir que du champomy, désolé madame.

Je le regarde en soupirant.

— Très bien alors une coupe de champomy pour moi et du champagne pour mon témoin.

Le serveur me tend ma commande sous le regard incrédule de Gabe, qui ne comprend pas que j'accepte les exigences de ma mère sans râler. Je récupère les deux verres et profite de lui tourner le dos pour prendre le champagne et tendre le champomy à Clélie. Ma copine fait les gros yeux, mais l'accepte.

— Vous avez quoi toutes les deux avec vos mines de comploteuses ? demande mon mari, suspicieux.
— Mais rien voyons !
Si je peux mentir avec aplomb, Clélie en est incapable. Elle se contente de boire son verre, en regardant ses chaussures.

— Clélie vous allez bien ?

Évidemment, il suffit que Gabe prononce cette phrase pour qu'Alex stoppe la discussion qu'il avait avec grand-maman Martin, et vienne nous rejoindre.

— Il y a un problème ?

*

Remerciements

De trois lignes sur un site internet, qui sont devenues plus de 800 000 lectures sur ce site, jusqu'à tenir ce livre entre mes mains. Pour tout ça, je dois d'abord remercier mes lectrices de la première heure. Vous avez été une bouffée d'oxygène et de rire qui m'a fait le plus grand bien.

Je veux remercier mon mari et ma famille d'être là pour moi, dans les bons et dans les mauvais moments. Merci aussi à mes copines de thé, qui sont de vraies amies. Merci à Rudy pour sa magnifique photo, je vous aime très fort.

Ce livre est une fiction, mais la relation entre Jessica et son frère et celle de Clélie et de ses 5 os est inspirée de celle de mes quatre schtroumpfs. Des chicaneries, un instinct de protection très fort et un amour inconditionnel entre eux. Vous êtes ma plus grande fierté et mon plus grand bonheur.

Imprimé en Allemagne
Achevé d'imprimer en novembre 2022
Dépôt légal : novembre 2022

Pour

Le Lys Bleu Éditions
40, rue du Louvre
75001 Paris